WILHELM KELBER · LOGOSLEHRE

DIANA VON EPHESUS   NEAPEL NATIONALMUSEUM

WILHELM KELBER

DIE LOGOSLEHRE

VON HERAKLIT BIS ORIGENES

VERLAG URACHHAUS STUTTGART

232-092
K271

137129

1958

Alle Rechte vorbehalten
© Verlag Urachhaus Stuttgart
Druck: Union Druckerei GmbH Stuttgart

VORWORT

Die gewaltigen Logos=Sätze im Prolog des Johannes=Evan=
geliums ragten durch eineinhalbtausend Jahre wie der höchste
Gipfel eines untergegangenen Kontinentes über den Meeres=
spiegel des menschlichen Bewußtseins. Die Gelehrten wußten
aus der Geschichte der Philosophie und der Theologie der ersten
christlichen Jahrhunderte von diesem Kontinent der Logoslehre,
die tausend Jahre lang die bedeutendsten Geister, besonders
des griechischen Sprachraums, erfüllt hatte. Aber sie wußten
davon wie von anderen Ideen der Antike, wie etwa von den An=
schauungen der frühen griechischen Philosophen, als von histo=
rischen Merkwürdigkeiten, die längst ihre Gültigkeit verloren
hatten. In Goethes Lebenswerk spiegelt sich die Schwierigkeit,
in die das moderne Bewußtsein gegenüber der versunkenen
Logoslehre geraten war, in dem vergeblichen Bemühen des
Faust, den ersten Satz des Johannesevangeliums zu übersetzen.
Die neuere Theologie wußte mit dem Prolog des Johannes=
evangeliums und den damit verwandten Elementen der Apo=
kalypse und des 1. Johannesbriefes nichts mehr anzufangen.
Sie erklärte schließlich das Logoselement als einen Fremdkörper
im Neuen Testament, der erst später aus der griechischen Um=
welt in diese Schriften eingedrungen sei. Für das kirchliche
religiöse Leben war die Logosophie des Johannes vollkommen
außer Kraft gesetzt.

Eine Folge der eingetretenen Logosblindheit war dann auch,

daß die Kenntnis von der Ausdehnung der Logosanschauung im Alten wie im Neuen Testament verlorenging. Dafür liegt noch ein besonderer Grund vor. Der Logos ist kein Begriff im modernen Sinne. Logos ist ein Symbolwort, das aus der Imagination stammt. Logos bedeutet weder Wort noch Vernunft, noch Gesetz, noch Gedanke in der gegenwärtigen Bedeutung dieser Worte. Dieses Bildwort hat eine andere Dimension als unsere modernen abstrakten Begriffe. Man wird ihm nur gerecht, wenn man es wieder zur Imagination erhebt. Dies kann geschehen, wenn man sich eine möglichst vertiefte Anschauung vom Wesen des menschlichen Sprechens, vom Worte als der Äußerung des Menschengeistes bildet und nun die Frage in sich leben läßt: Für welche Seite oder Tätigkeit des Gotteswesens ist dieses vom menschlichen Sprechen genommene Bild "Wort" ein entsprechendes Symbol? Lernt man mit solchen Symbolen wieder auf ihrer Ebene zu leben, so stellt sich heraus, daß sie den übersinnlichen Gegenständen entsprechendere Bewußtseinselemente sind als unsere abstrakten Begriffe und Vorstellungen.

Mit dem Symbol Logos hängt nun viel mehr zusammen, als dieses Wort unmittelbar verrät. Der ganze Umfang der Logosophie kann erst aus dem Ganzen dieser Schrift hervorgehen. Doch sei hier schon ein knapper Überblick gegeben.

Der Logos ist das in der Schöpfung wie in aller Offenbarung den Menschen zugekehrte „Antlitz" des Vatergottes, der selbst im Verborgenen bleibt. Dadurch ist und bleibt das höchste Gotteswesen der „Weltengrund", das erhabene, unnennbare, keiner menschlichen Vorstellung zugängliche Wesen, dem wir nicht einmal mit dem Begriffe des Seins ohne weiteres gerecht werden. Denn der Begriff des Seins ist von der erschaffenen Welt genommen. Diese Welt existiert, ist. Der Weltengrund hat seinen Bereich aber außerhalb des Seins der Welten. Und mit dem Begriffe Sein müssen wir erst eine ganz gründliche Reinigung von allen damit verbundenen Elementen vornehmen, die vom

Sein der existierenden Welt stammen, bis er eine Ahnung von der Seins=Art des Vatergottes gibt.

Der Vatergott verwandelt sich durch seine Wesensäußerung in der Schöpfung schon in die zweite Person, eben in sein Wort, seinen Logos. Schon die *Wesensäußerung* und die mit der Er= schaffung der Welt verbundene Tätigkeit ist Logosbereich. Aus diesem Logosbereich ist alles Erschaffene hervorgegangen. Die erschaffene Welt hat also ihren Ursprung in Geisteshöhen und bestand zuerst in einer rein geistigen Existenzform, die sich zur stofflichen Welt wie das Urbild zum Abbild verhält.

Für das Christuswesen ergibt sich aus seiner Identifizierung mit dem Logos erst der konkrete Inhalt seiner Göttlichkeit. Die Beziehung der erschaffenen Welt und ihres höchsten Wesens, des Menschen, zu Christus besteht von der Schöpfung her. Der Logos selbst ist das Urbild des Menschen. Und die Beziehung des Menschen zu Christus ist damit ein Akt der Selbsterkennt= nis. Der Logos ist als der Erstgeborene der Inbegriff des Seins, das erste Existierende. Er ist präexistent im eminentesten Sinne. Ein umfassender Gedanke der Präexistenz des Logos, der Schöp= fung und des Menschen ist einer der Hauptinhalte der Logo= sophie. Für die erschaffene Welt bedeutet dies, daß sie in ihrer äußeren Erscheinung verdichteter, verfestigter Geist ist. Für den Menschen ergibt der Präexistenzgedanke den konkreten Inhalt seiner Gottes=Kindschaft. Sein geistiger Urbestand lebt unter der sündenkranken Schicht seines Wesens. An diesen bei der Schöpfung in das Menschenwesen gelegten und dann verschüt= teten Logos=Samen wendet sich der menschgewordene Logos= Christus.

Der Logossame im Menschen begründet seine Erkenntnis= fähigkeit. Die Gesetze, nach denen der Logos die Welt erschaf= fen hat, legte er als Erkenntnisprinzipien in den Menschengeist. Das ist der grandioseste erkenntnistheoretische Gedanke, der je gedacht worden ist. Und wahre Welt= und Natur=Erkenntnis ist

damit der Anfang der Erkenntnis des Logos selbst. Die Erkennt=
nis des Menschenwesens ist die höchste Logoserkenntnis, welche
die erschaffene Welt vermittelt. Und in die Tiefen der in der
Schöpfung nicht geäußerten Mysterien des Logos führt die Er=
kenntnis seiner Offenbarung in den heiligen Schriften. Diese
enthalten die Logos=Impulse für den Fortgang der Menschheits=
geschichte bis zum Ende des Erdenäons und für die künftigen
Äonen.

*

Der Umstand, daß zahlreiche Elemente des frühen Christen=
tums, von den Schriften des Neuen Testamentes angefangen
bis zu den großen griechischen Lehrern Clemens, Origenes und
ihren Schülern, schon in den älteren und gleichzeitigen Doku=
menten des vorderasiatischen, jüdischen, ägyptischen und grie=
chischen Geisteslebens nachgewiesen werden können, hat in der
modernen Religionswissenschaft zu der Anschauung geführt,
daß das Christentum auf dem Gebiet der Lehre wie des Kultus
kaum wesentlich Neues gebracht hat. Die 500 Jahre vor Christus
in Ephesus entstandene Logoslehre, die sich in anderer Gestalt
über Ägypten und Persien bis nach Indien zurückverfolgen
läßt und dann das christliche Denken der ersten drei Jahrhun=
derte beherrschte, wird auch als Beleg für diese Anschauung
betrachtet. Eine andere Folgerung aus den Forschungsergebnis=
sen war nicht zu erwarten, wo die Anschauung von Christus als
dem Weltenwort, als dem Sohn Gottes verloren war. Nach der
Auffassung der modernen Religionswissenschaft ist das ur=
sprüngliche Jesusbild erst nachträglich mit diesen vorchristlichen
Gedanken des Logos und des Gottessohnes bereichert worden.
Heute wanken auch bei führenden Theologen die bisherigen
Grundlagen des christlichen Denkens unter solchen Ergebnissen
der wissenschaftlichen Forschung.

Schon im Jahre 1902 hat Rudolf Steiner in seinem Buche „Das

Christentum als mystische Tatsache" die Gesichtspunkte gel=
tend gemacht, die zu einer ganz anderen Beurteilung des von der
Religionswissenschaft erforschten Sachverhaltes führen. Diese
Gesichtspunkte stammen allerdings aus der Anschauung einer
realen geistigen Welt und aus der Erkenntnis der Gottheit
Christi, die beide der Religionswissenschaft wie der Theologie
als konkrete Anschauungen verlorengegangen sind. Wendet
man diese Anschauungen auf den in Rede stehenden Sachver=
halt an, so führt dieser zu ganz anderen Ergebnissen, nämlich
zum Beweis der in den genannten Anschauungen enthaltenen
Voraussetzungen: Gibt es einen Gott; gibt es ein zweites Got=
teswesen, das sich zu dem ersteren in einer Beziehung befindet,
die mit dem Symbolwort „Sohn" bezeichnet wird; hat der Vater=
gott diesen Sohn auf die Erde gesandt zur Errettung der gefähr=
deten Menschheit, so erscheinen die religions= und geisteswis=
senschaftlichen Phänomene, die zu der Ankunft des Sohnes=
gottes und zu ihren Umständen in Beziehung stehen, als die
Morgenröte eines Sonnenaufgangs. Wie die jüdische Prophetie,
so erscheint auch die Gotteserwartung anderer Völker und nicht
weniger die Ausbildung der Logoslehre als Vorbereitung des
zentralen Ereignisses der Menschheitsgeschichte.

Von diesem Gesichtspunkt aus wird hier der Versuch einer
Darstellung der Logoslehre von Heraklit bis Origenes unter=
nommen. Der Vorwurf der Unwissenschaftlichkeit muß dabei
in Kauf genommen und mit der Frage beantwortet werden:
Kann eine Religionswissenschaft ohne Religion, das heißt ohne
die Anschauung von Gotteswesen, die tätig in die Geschicke der
Menschheit eingreifen, zu etwas anderem führen, als ihren Ge=
genstand aufzuheben und damit eine Wissenschaft von nichts
zu werden?

In der hier vorgelegten Arbeit ist der Form nach ein Mittel=
weg zwischen Allgemeinverständlichkeit und wissenschaftlichem
Charakter eingeschlagen. Der wahrhaft begeisternde Gegen=

stand der Logoslehre soll jedem aufgeschlossenen Leser zu=
gänglich sein und — das wäre der schönste Lohn — den einen
oder andern modernen Zweifler mit einer Auffassung des
Christentums bekannt machen, für die er sich vielleicht wieder
interessieren kann. Andrerseits soll jeder kritische Prüfer zu
seinem Rechte kommen und jeder Arbeiter auf diesem Gebiet
die Möglichkeit finden, auf der geschaffenen Grundlage weitere
Studien zu betreiben. Die fremdsprachigen, im wesentlichen
griechischen Worte sind sparsam verwendet und ausnahmslos
transskribiert und übersetzt. Auf den wissenschaftlichen Appa=
rat am Schlusse braucht nur Rücksicht zu nehmen, wer eigenes
wissenschaftliches Interesse an dem Gegenstand nehmen will.

Die Absicht dieses Buches konnte zunächst nur sein, mit der
Logoslehre in ihrem ganzen Ausmaß, wenn auch nicht in allen
Einzelheiten, bekannt zu machen und sie unter dem angege=
benen positiven Gesichtspunkt zu betrachten. Eine volle Aus=
wertung des gesammelten und geordneten Stoffes nach der Rich=
tung der anthroposophischen Geisteswissenschaft und der auf
ihrer Grundlage erneuerten Theologie würde den Umfang die=
ses Buches vervielfacht haben. Doch wird der in dieser Richtung
interessierte Leser überall die Ansatzpunkte zu einer solchen
Auswertung im Texte finden.

Zu danken hat der Verfasser für kritische Durchsicht des
Manuskripts, für viele Anregungen und Hinweise Herrn Lic.
Emil Bock, Herrn Dr. Rudolf Frieling und Herrn Dr. Eberhard
Kurras; Frau Hildegard Rehm für ihre Hilfe bei der Fertigung
der Reinschrift, der Korrektur und der Register.

Starnberg, Epiphanias 1958   Wilhelm Kelber

1. Kapitel

HERAKLIT

Die Griechen wanderten im 11. Jahrhundert vor Christus an
den Mittelmeerufern Kleinasiens ein. In Ephesus fanden sie be=
reits das Heiligtum und den Kult einer Fruchtbarkeitsgöttin des
karischen Volkes vor. Wir haben dabei an die Verehrung der
Kräfte alles *Werdens* zu denken. Das Götterbild der „Diana
polymastos", der Allernährenden, ist uns in vielen späteren
Wiederholungen erhalten. Es dürfte an das ursprüngliche Kult=
symbol anknüpfen. Der Name „alma mater", nährende Mut=
ter, und dazu das Bild der vielbrüstigen Göttin von Ephesus
steht heute noch für unsere Hochschulen. Es wäre ein Irrtum,
von einem „Bedeutungswandel" des ephesischen Symbols zu
sprechen, wenn es seine Beziehung zu dem Werden in der
Natur auch auf das Wachsen des Geistes im Menschen erwei=
tert hat. Die Einsicht, daß im Werden der Natur und in der
Entfaltung des Menschengeistes die gleiche Kraft tätig ist, ge=
hört vielmehr zur eigentlichen ephesischen Mission. Wenn
Goethe das faustische Streben in die Worte prägt:

> Wo faß ich dich, unendliche Natur?
> Euch Brüste, wo? Ihr Quellen alles Lebens,
> An denen Himmel und Erde hängt,
> Dahin die welke Brust sich drängt —
> Ihr quellt, ihr tränkt, und schmacht ich so vergebens?

so drängt sich ihm die ephesische Imagination einer Urkraft auf, die in gleicher Weise „Himmel und Erde" wie das mensch= liche Erkenntnisstreben tränkt.

Die Griechen errichteten an Stelle des uralten Heiligtums der Karer am Ende des siebten Jahrhunderts den ersten Tempel aus Stein. Er wurde wie seine Nachfolger durch Feuer zerstört.[1] Als Heraklit lebte (etwa 535—475), stand der vierte Tempel, der im sechsten Jahrhundert gebaut wurde. Er gehörte zu den „Sieben Weltwundern" der Antike. Vier Generationen hatten daran gebaut, der Lyderkönig Krösus (561—546), seit 560 Herr der Stadt und ein Freund des griechischen Geistes, hatte reich= liche Mittel gegeben. Um 540 war der Bau vollendet. Da genaue Daten weder für diese Vollendung noch für die Geburt Hera= klits[2] vorliegen, könnte sie das symbolisierende Schicksal ebenso haben zusammenfallen lassen wie die Geburtsnacht Alexanders des Großen im Oktober 356 mit dem Brand dieses Wunder= baues.

Englische und österreichische Archäologen gruben die Reste dieses Tempels und seines Bezirkes aus. Eine Vorstellung von der Größe des Baues ergeben seine Maße. Er war 133 Meter lang und 69 Meter breit. Die Säulen hatten eine Höhe von 19 Metern; das ergibt eine Firsthöhe von etwa 25 Metern. Der ummauerte heilige Bezirk umfaßte nahezu 1 Quadratkilometer. Darin hatte also auch das Wäldchen Platz, in dem Heraklit als Anachoret lebte.

Ein Neubau nach dem Brande von 356 stand, bis ihn Nero seiner Schätze beraubte und die Goten ihn 262 n. Chr. zerstör= ten. Dann ließ Kaiser Theodosius eine Kirche auf den Funda= menten des Tempels errichten, die dem Apostel und Evan= gelisten Johannes geweiht war. Der Schreiber des Logos= Evangeliums hatte ja zuletzt in Ephesus gelebt und war dort etwa im Jahre 100 gestorben. Seine Kirche trug den Namen Hagios Theologos = heiliger Theologe. Sie gab dem türkischen

Dorfe, das heute hart an seine Trümmer grenzt, den entstell=
ten Namen Aiasoluk.[3]

Rudolf Steiner wies den Mysterien von Ephesus eine bedeu=
tende Rolle in der Geistesgeschichte zu. „Mitten drinnen zwi=
schen den alten orientalischen Mysterien und den griechischen
Mysterien stand das von Ephesus. Es hatte eine besondere Stel=
lung. Denn in Ephesus konnten diejenigen, die dort die Ein=
weihung gewannen, durchaus noch etwas von den gigantischen,
majestätischen Wahrheiten des alten Orients erfahren. Sie wur=
den noch berührt von dem inneren Empfinden und Fühlen des
Zusammenhanges des Menschen mit dem Makrokosmos und
den göttlich=geistigen Wesen des Makrokosmos." Das Myste=
rium von Ephesus „war sozusagen das letzte Mysterium der
Griechen im Osten, wo noch die alten gigantischen Wahrheiten
an die Menschen herantraten; denn im Osten waren sonst die
Mysterien schon in die Dekadenz geraten".[4] So hatte der Ar=
temistempel von Ephesus die Aufgabe, im Osten erlöschende
übersinnliche Wahrheiten und Erfahrungen an europäische
Seelen heranzubringen, und der Zug des griechischen Stammes
der Jonier nach Kleinasien mag den Sinn gehabt haben, diese
Begegnung herbeizuführen.

Steiner schilderte auch den grundsätzlichen Unterschied des
Einweihungsweges von Ephesus gegenüber demjenigen der alten
orientalischen Mysterien.[5] Während in diesen letzteren die
Ergebnisse der übersinnlichen Erfahrung abhingen von Jahres=
zeiten, besonderen Örtlichkeiten, Umlaufzeiten und Konstel=
lationen der Gestirne, trat in Ephesus eine Emanzipation von
diesen kosmischen und Naturfaktoren ein. Die Ziele der Ein=
weihung konnten nun zu jeder Zeit und unabhängig vom
Charakter des Ortes erreicht werden. Nun aber wurden sie
allein abhängig von den geleisteten Übungen und dem Grad
der persönlichen Reife des Schülers. Gewiß war auch in den
orientalischen Mysterien der innere Zustand des Schülers von

Bedeutung. Dort wurde er mehr durch die Auswahl bestimmt und durch die Prozeduren gefördert, die *mit* dem Schüler vorgenommen wurden, während es nun auf die Entwicklungen ankam, welche die Schüler aus eigener Kraft in ihrer Persönlichkeit bewirkten. In Ephesus begann also das europäische Prinzip des Einweihungswesens: Die spirituelle Erfahrung ging Hand in Hand mit der inneren Entwicklung der Persönlichkeit. Die hartkantig ausgeprägte Individualität Heraklits ist ein deutlicher Beleg dafür.

Wenn der griechische Kirchenvater Clemens von Alexandria einen Satz Heraklits richtig wiedergibt, so kann er sich doch nicht auf die Mysterien von Ephesus zu Heraklits Zeit bezogen haben. Das Fragment besagt: „Die unter den Menschen gebräuchlichen Mysterien werden in unheiliger Weise begangen."[6] Clemens verwendet den Satz in seiner „Mahnrede an die Heiden" an einer Stelle, wo er das dekadente Unwesen der „Nachtschwärmer, Zauberer, Bakchen, Mänaden und Mysten" seiner Zeit geißelt. Diesen Ausspruch muß Steiner gemeint haben, wenn er einmal sagt, daß Heraklit von den Mysterien so spricht, als wisse er, daß sie von ihrer früheren Höhe schon heruntergekommen wären.[7]

Was mit diesem Abstieg gemeint ist, stellte Steiner später genauer dar. Während im alten Orient die Mysterienpriester noch die wahrnehmbare Gegenwart der Götter erreichen konnten, erschienen in den griechischen Mysterien und eben auch in Ephesus zur Griechenzeit „nur mehr die Bilder der Götter, die Abbilder, eher wie Schattenbilder".[8] Damit sind nicht die plastischen Götterbilder der Tempel gemeint, vielmehr innere bildhafte Wahrnehmungen, die sich an diesen entzündeten.

Über die Erlebnisart der ephesischen Mysterien machte Steiner folgende Angaben: „Wenn heute einer die Nachbildung der Göttin Artemis von Ephesus anschaut, so hat er nur die groteske Empfindung einer Frauengestalt mit lauter Brüsten, weil er keine Ahnung hat, wie solche Sachen in alten Zeiten erlebt worden sind ... Die Schüler der Mysterien hatten Vorbereitungen durchzumachen, durch die sie dann zum eigentlichen Zentrum der Mysterien geführt wurden. Das Zentrum dieser ephesischen Mysterien war dieses Artemisbildnis. Wenn sie zu diesem Zentrum geführt wurden, so wurden sie eins mit einem solchen Bildnis. Der Mensch hörte auf, wenn er vor diesem Bildnis stand, das Bewußtsein zu haben, er sei irgend etwa da in seiner Haut drinnen. Er bekam das Bewußtsein, daß er das ist, was das Bild ist. Er identifizierte sich mit dem Bilde. Und dieses sich Identifizieren im Bewußtsein mit dem Götterbilde von Ephesus, das hatte die Wirkung, daß man nun nicht mehr hinsah unten auf die Reiche der Erde, die einen umgaben, auf Steine, Bäume, Flüsse, Wolken usw., sondern indem man sich hineinfühlte in das Bildnis der Artemis, bekam man innerlich die Anschauung seines Zusammenhanges mit den *Ätherreichen* ... Man fühlte nicht die irdische Substanzialität innerhalb der menschlichen Haut, man fühlte sein kosmisches Dasein. Man fühlte sich im Ätherischen."[9] Man fand den Zusammenhang mit dem Reiche der Werdekräfte und gelangte so zu dem zweifachen Inhalt der ephesischen Einweihung: Einerseits zu der Anschauung, „wie die Dinge außer dem Menschen auf der Erde entstanden sind, wie allmählich das Außermenschliche auf Erden sich herausgebildet hat aus einem ursprünglich Substanziellen."[10] Und andererseits wurde dem Mysten vermittelt, „was eigentlich die menschliche Sprache ist. Und von der menschlichen Sprache, also dem menschlichen Abbild, dem menschlichen abbildlichen *Logos* gegenüber dem Welten=, dem kosmischen Logos, an dem wurde ihm klar gemacht, wie das Weltenwort schöpferisch durch den Kosmos webt und wallt."[11] Der Logos also, der die Welt erschafft, und der Logos, der sich im Innern des Menschen als Gedanke offenbart und in der Sprache äußert, das waren die beiden Seiten der ephesischen Einweihung.

In den erhaltenen äußeren Nachrichten über die Mysterien von Ephesus findet sich nichts über ihren Inhalt. Zwar hat einer der ephesischen Priester in einem Anfall von hybridem Wahn die Brandfackel in seinen eigenen Tempel geworfen. Der Mysterieneid des Schweigens ist aber niemals gebrochen wor= den. Doch gibt es zwei indirekte Belege für Steiners Schilderun= gen. Der eine besteht in einer Aussage des Clemens Alexandri= nus. Nach ihr wurde „der Logos sinnbildlich als Milch bezeich= net", als „lebenspendende Milch, die aus zärtlichen Brüsten quillt"[12]. Clemens selbst war zwar, bevor er Christ wurde, nicht in Ephesus, sondern in Eleusis eingeweiht. Doch geht aus dieser Stelle und ihrem Zusammenhang unzweideutig hervor, daß er auch mit der Tempelsymbolik von Ephesus bekannt war und sich ihrer sinngemäß bedienen konnte. Wurde also der Logos durch die lebenspendende Milch versinnbildlicht, so ist auch umgekehrt klar, daß die Nahrung, die der Eingeweihte von der vielbrüstigen Artemis empfing, als der Logos betrach= tet wurde, der sich nach außen in der Bildung der erschaffenen Welt, im Menschen aber als Gedanke und Sprache offenbart.

Der zweite Beleg besteht in dem Lebenswerke Heraklits, der im Tempelbezirk von Ephesus lebend seine Logoslehre schuf, die er wiederum im Tempel der Artemis niederlegte. Sie hatte den von Steiner geschilderten Doppelinhalt.

*

Heraklit nimmt unter den vorsokratischen Philosophen eine besondere Stellung ein. Er war zeitlich nicht der erste. Ihm waren Thales und Anaximander, Anaximenes und Pythagoras, Pherekydes und Xenophanes vorangegangen, oder sie waren doch älter als er. Was aber erst bei Heraklit beginnt, das ist das Bewußtsein des Gedankens von sich selbst. Dieses Bewußtsein ist aufs engste verknüpft mit der von Heraklit zuerst gefaßten Idee des Logos. Es konnte nur im Zusammenhang mit den

Logosmysterien von Ephesus entstehen. Und das ist die zweite Besonderheit Heraklits: Die unmittelbare Übersetzung einer dafür geradezu vorbestimmten Art des Mysterienwissens im Tempelbezirk selbst in das Element des Gedankens. Pythagoras, der von diesen frühesten Philosophen nächst Heraklit am stärk= sten nachgewirkt hat, ist sein Antipode. Er durchwanderte die ganze damalige Welt von Mysterienstätte zu Mysterienstätte, bis nach Ägypten und Chaldäa, und er war auch in Ephesus ein= geweiht. Doch konnte gerade dieses allseitige Suchen bei Hera= klit den Eindruck hervorrufen, als ob Pythagoras nirgends, auch nicht in Ephesus, die ganze Tiefe und Erfüllung des Weiheziels erreichte. Heraklit hielt ihn für einen ewigen Sucher, für einen Sammler profunder Weisheiten. Das meinte er, wenn er sagte: „Gelehrsamkeit lehrt noch nicht den eigentlichen Sinn der Dinge ($\nu o\tilde{v}\varsigma$) finden, sonst hätte sie es den Hesiod und Pytha= goras . . . gelehrt."[13] Und: „Pythagoras war von allen Men= schen am meisten der Erkundigung beflissen, wählte aus den Schriften und machte sich daraus seine eigene Weisheit und Gelehrsamkeit."[14] Man könnte Pythagoras den ersten „Sucher" im modernen Sinne nennen, einen Sucher, der nie genug erfah= ren konnte.

Ihm gegenüber vertritt Heraklit noch ein älteres Stadium der Beziehungen zum Geiste, obwohl er der Jüngere war. Er muß auf Grund seiner Einweihung in Ephesus noch zu einem frühe= ren Begriff des Wissens gekommen sein. Diesen Begriff hat man bald nicht mehr verstanden, und in neuerer Zeit hat man sogar geglaubt, ein entsprechendes mehrfach bezeugtes Wort von ihm als unecht bezeichnen zu müssen. Es besagte, er wisse Alles.[15] Damit war eine Dynamik der geistigen Erfahrung ge= meint, die, aus der Initiation hervorgehend, das Quantum des Wissens nicht aus unendlicher Stoffansammlung, sondern wie aus einer unerschöpflichen Quelle gewinnt, also ein Prinzip, das zum Beispiel bei Hegel als „absolutes Wissen" in abstrak=

ter Begriffsform wieder auftaucht. (Hegel erklärte übrigens auch, daß er alle Sätze Heraklits in seine Logik aufgenommen habe.) Unter den anerkannten Fragmenten Heraklits ist eines dazu geeignet, den Sinn jenes scheinbar so anspruchsvollen Wortes von dem Alles=Wissen zu erläutern. Es lautet: „In *einem* besteht die Weisheit, das erkennbare Vernunftprinzip zu erfassen, das Alles mit Allem durchwaltet."[16] Mit anderen Worten: Ist die Berührung mit dem das All durchwaltenden Geiste der Welt einmal erfolgt, so dringt man mit und in ihm auch in alle Einzelerscheinungen ein.

Sokrates war in die Eleusinischen Mysterien eingeweiht. Sein Philosophieren nahm aber nicht mehr den Ausgang von dem Mysterienwissen, sondern baute sich voraussetzungslos aus sich selbst auf. Sein Ausgangssatz: „Ich weiß, daß ich nichts weiß" drückt weder Bescheidenheit aus noch einen quantitativen Sach= verhalt. Denn Sokrates wußte vieles. Seine Philosophie aber wollte er ohne Herübernahme aus tieferen Wissensschichten rein aus dem folgerichtigen Denken gewinnen. Heraklit, der um das Geburtsjahr des Sokrates (470) starb, nahm noch die ent= gegengesetzte Richtung: Er schuf die Gedankenformen für das Mysterienwissen. Wir sehen bei ihm geradezu der Geburt des Gedankens aus dem Logos zu. Von Begriffen bei Heraklit zu sprechen, führt in die Irre. Denn seine Gedanken verhalten sich zu Begriffen im modernen Sinne wie eine Plastik zu einer Photographie von ihr. Sie verhalten sich, so wäre es genauer zu sagen, auf dem Bewußtseinsfeld des Nach=Denkenden wie Pflanzen auf ihrem Beete. Sie leben und wachsen im Lichte des auf sie gerichteten Bewußtseins. Man brauchte eigentlich immer ein halbes Dutzend moderner Begriffe, um eines der Heraklit= schen Gedankengebilde zu umschreiben. Sie haben noch eine Dimension mehr als der Begriff. Bezeichnend für die Riesen= schritte, mit denen sich die Entwicklung des Gedankenlebens vom Mysterienelemente fort auf die reine Logik zu bewegte,

ist, daß Sokrates schon nicht mehr ganz in der Lage war, Hera=
klit zu verstehen. Aristoteles berichtet uns, er habe gesagt:
„Was ich an Heraklit verstehe, ist bestens; und was ich nicht
verstehe, ahne ich; man braucht ja einen Taucher aus Delos
dazu."[17] (Die Taucher aus Delos waren die besten in Griechen=
land.)

Was von den Lebensumständen Heraklits bekannt ist, war
dazu angetan, ihn ganz auf sich selbst zu verweisen. Seine
Lebenszeit fällt in die Zeit der Perserkriege, die zwar dem
griechischen Mutterland galten, gewiß aber die Kolonialstädte,
zu denen Ephesus gehörte, in gleiche Spannung und Unruhe
versetzten. Ephesus selbst hatte seine politische Selbständigkeit
längst verloren und war aus der Herrschaft des Lyderkönigs
Krösus unter persische Oberhoheit geraten. Heraklit gehörte
dem Geschlechte des Androklos an, der 600 Jahre vorher die
griechische Kolonie Ephesus begründet hatte.[18] Würde und Amt
eines Archon Basileus waren in der Familie erblich. Sie bedeute=
ten längst keine königliche Stellung im äußeren Sinne mehr,
erstreckten sich aber offenbar noch auf das Leben im Artemis=
tempel. Heraklit verzichtete zugunsten seines Bruders auf dieses
Amt.[19] Als die Volkspartei in Ephesus ans Ruder kam, zog
er sich aus der Stadt zurück und lebte ganz im Bezirk des Arte=
misions. Vollends verbittert war er über seine Mitbürger, als sie
den nach seiner Meinung besten Mann der Stadt, Hermodoros,
durch Volksabstimmung verbannten mit der Begründung: „Von
uns soll keiner der Beste sein; wenn er es aber ist, soll er es
woanders sein."[20] Kunstgriffe des Schicksals, so möchte man
sagen, um einen Mann ganz auf die Tiefe des eigenen Wesens
anzuweisen oder doch seiner in dieser Richtung liegenden
Mission keine Ablenkungen zu bieten.

Das Buch Heraklits hatte den Titel: $\Pi\varepsilon\varrho\grave{\iota}\ \varphi\acute{v}\sigma\varepsilon\omega\varsigma$, das heißt
lexikalisch übersetzt: Über die Natur. Wir müssen aber schon
bei diesem Titelwort die Rücktransponierung eines Begriffes in

seine damalige und, wie wir wohl sagen dürfen, erste Gestalt vornehmen. Denn von der Natur im heutigen Sinne ist in kei= nem der Heraklitschen Fragmente die Rede. Es wurde deshalb sogar verständlicherweise bezweifelt, ob die Angabe dieses Titels in der ersten griechischen Philosophiegeschichte, die Diogenes Laertius um 240 n. Chr. schrieb, zuverlässig sei. Und dies, obwohl kaum ein Zweifel daran bestehen kann, daß das Buch im 3. Jahrhundert nach Christus noch existierte. Versteht man aber das Wort Physis, das an sich mit dem lateinischen natura richtig übersetzt ist, nur in einer ursprünglicheren Art, und das heißt in diesem Falle aus dem dazugehörigen Verbum, so tritt sogleich die volle Berechtigung dieses Titels für den in den Fragmenten erhaltenen Inhalt zutage. Physis kommt von φύειν bzw. φύεσθαι wie das lateinische natura von nasci, und beide Verben bedeuten *entstehen*. Wenn wir also jenen Titel nicht einfach mit „Von der Entstehung" übersetzen wollen, so brauchten wir im Deutschen etwa eine Umschreibung wie: „Vom Wesen der Welt nach ihrer Entstehung verstanden."[21] Der spätere griechische Name des 1. Buches Moses: Genesis, d. h. Entstehung der Welt, besagt das gleiche wie der Buchtitel Heraklits. Unter ihm sind auch die von Diogenes überlieferten Titel der drei Teile des Werkes mühelos unterzubringen: Über das All; Über die Ordnung unter den Menschen; Über das Göttliche.[22]

Daß Heraklit sein Buch im Heiligtum der Artemis niederlegte, ist z. B. von Diogenes Laertius noch richtig verstanden worden. Es geschah, „damit nur diejenigen zu ihm gelangten, die dazu in der Lage waren", das heißt aber, die als Eingeweihte Zutritt zum Heiligtum hatten und aus ihrer Einweihung die Voraus= setzungen zum Verständnis dieses unmittelbar aus dem My= sterienwissen hervorgehenden Gedankengebäudes mitbrach= ten. So bedeutet die Niederlegung dieses Werkes im Artemision, daß es eine Art heiliger Schrift sein sollte; daß der Beginn des

philosophischen Denkens noch im Schutze der Logos=Göttin ge=
borgen bleiben sollte.

Ohne diesen besonderen Ort, an dem sich Heraklits Buch
befand und an dem es ja auch entstanden war, ist sein Anfang
unverständlich. Die ersten Worte lauteten nach dem Zeugnis
mehrerer antiker Gewährsmänner: *„Dieser* Logos, der ewig
ist . . ."* Dieser Satzbeginn erlegte ein unlösbares grammatikali=
sches Rätsel auf. Worauf bezieht sich das „dieser" ($\tau o\tilde{v}\delta\varepsilon$,
ein Genetiv, der in diesem Zusammenhang im Deutschen nicht
als solcher bestehen bleiben kann), da doch das ganze Werk
mit diesem Worte begonnen haben soll, vorher also von dem
Logos nicht die Rede gewesen sein kann. Neben den unhalt=
barsten philosophischen Gewaltsamkeiten[23], die eine Erklärung
bringen sollten, kam man sogar zu dem Ergebnis, es könne eben
nicht stimmen, daß das Buch mit diesem Satz begonnen habe.[24]
Das Schicksal dieses Buches war eigentlich schon besiegelt, als
es aus dem Mysterienzusammenhang des Ephesischen Heilig=
tums herausgenommen wurde. Denn der erste Satz, der sofort
mit dem Grundprinzip von Heraklits Werk, mit dem Wort
Logos einsetzt, war ganz ohne Zweifel durch das Wort „dieser"
auf den Nerv der ephesischen Einweihung, eben auf den Logos
bezogen. Man braucht sich nur etwa vorzustellen, daß das
Buch zu Füßen des Götterbildes der Artemis lag, oder doch im
Haus des Logos, das jenes Heiligtum darstellte; daß also viel=
leicht der Leser damals sein Auge im Herantreten an das Buch
von dem Bild der Göttin zu dem ersten Worte des Buches wan=
dern ließ, und das Rätsel dieses $\tau o\tilde{v}\delta\varepsilon$ ist gelöst. Ja, dieses
$\tau o\tilde{v}\delta\varepsilon$ ist die Nabelschnur, mit der der erste *Gedanke* des Logos
mit dem Erleben des Logos im Mysterium verbunden war und
darüber hinaus die gesamte Entwicklung des europäischen Ge=
dankenlebens mit dem Mysterium von Ephesus.

*

Wenn wir uns nun der Ausgestaltung des Logos=Gedankens bei Heraklit zuwenden, so sei einleitend bemerkt, daß dies mit einer bewußten Begrenzung geschieht. Unter den etwa 130 Bruchstücken, die von Heraklits Buch erhalten sind, finden sich wenige, die in keinerlei Beziehung zu dem Grundgedanken des Logos stehen. Doch soll die folgende Untersuchung auf die Fragmente beschränkt bleiben, in denen der Gedanke und das Wort Logos unmittelbar in Erscheinung treten. Das Wort Logos wird aus Gründen, die oben schon dargelegt sind, ohne Über=setzung in die Betrachtungen herübergenommen. Seine Bedeu=tung wird sich so ohne willkürliche Einzwängung in einen der gegenwärtig geläufigen Begriffe am reinsten aus den vielfachen Aspekten darstellen, unter denen es auftritt.

Das Buch begann also mit den Sätzen:

> Zu diesem Logos, der ewig ist, finden die Menschen keine Beziehung, weder bevor noch nachdem sie von ihm hörten. Da doch alles gemäß diesem Logos entstanden ist, gleichen sie Unerfahrenen, auch wenn sie von diesen seinen Worten und Werken erfahren haben, von denen ich berichte, indem ich ein jedes nach seiner Enstehung ($\varphi\acute{v}\sigma\iota\varsigma$) erkläre und zeige, wie es sich damit verhält.[25]

Dem Logos wird also zunächst eine ewige Existenz zuge=sprochen; ja dieser Ewigkeitscharakter des Logos dient als fragloser Ausgangspunkt des Gedankenganges. Diese Eigen=schaft ist auch die Voraussetzung für die zweite Aussage, daß gemäß dem Logos alles oder das All entstanden ist; denn er muß dazu *vor* allem anderen bestanden haben. Auch der Satz von den Worten und Werken scheint erst Sinn zu gewinnen, wenn er auf den Logos bezogen wird. Denn Heraklit hat nach allem, was wir davon wissen, in seinem Buche von keinen an=deren (etwa menschlichen) Worten und Werken berichtet, um den Leser mit dem Logos vertraut zu machen. Dies wäre seiner „Methode" genau entgegengesetzt.

Die Quelle seines Wissens hat er mit dem Satze angegeben:

Ich durchforschte mich selbst.[26]

Ein Wort, das nur ein Mystiker, oder für die damalige Zeit gesprochen: ein Myste geprägt haben kann. Es bezeichnet die durch die Einweihung eröffnete innere Erfahrung, gewinnt aber schon durch den Zusammenhang etwa mit den Sätzen, die am Anfang seines Werkes standen, noch einen genaueren Sinn, wie sich gleich zeigen wird.

Bezieht sich aber das „Worte und Werke" notwendiger= weise auf den Logos, so ist damit schon im ersten Satze Hera= klits auf ein doppeltes Feld des Logos=Wirkens hingewiesen, auf seine Offenbarung im Menschenworte und in der erschaffe= nen Welt draußen. Die weitere Untersuchung der Logoslehre Heraklits wird zeigen, daß sie sich eben über diese beiden Gebiete erstreckt.

Nun tritt aber der Logos gleich in den beiden Einleitungs= sätzen auch schon in eine bestimmte, vorausgesetzte Beziehung zu den Menschen. Der erste Teil der beiden parallel gebauten Sätze enthält die Aussagen über den Logos als solchen und der zweite Teil jeweils die Feststellung des menschlichen Ver= sagens ihm gegenüber. Und zwar im Sinne einer Klage, einer Aussetzung. Es gibt bis in unsere Gegenwart herein Vertreter philosophischer und theologischer Überzeugungen, die auf die Vordersätze Heraklits genau umgekehrt reagieren würden. Ihre Meinung ist: Gerade wenn der Logos zu den ewigen Kräften gehört und wenn er der Schöpfung zugrunde liegt, wird er sich immer der menschlichen Erkenntnis entziehen. In Heraklits Nachsätzen spricht sich aber die Anschauung aus: Der Mensch ist seinem Wesen nach innerlich am Wirken desselben Logos beteiligt, der vor der Zeit war und im Werden der Welt mit=

gewirkt hat. Wenn man den Menschen vom Logos spricht, so spricht man etwas *in* ihnen an. Und wenn sie das nicht bemer= ken, so stellt das eben ein Versagen dar. Und somit erweist sich beispielsweise auch der Satz: „Ich durchforschte mich selbst" als unmittelbar zur Logosphilosophie gehörig. Denn nur in sich selbst findet der Mensch den Weg zur Erkenntnis. Dieser Weg aber ist der Logos.

Eine innere Verwandtschaft dieses Heraklitprologes mit dem Prolog des Johannesevangeliums kann zu ganz anderen Schlüs= sen führen als zu dem einer äußeren literarischen Beeinflussung des Späteren durch das Frühere. Ist das Gedankenbild eines Weltenwortes im Einklang mit der Wahrheit, so muß es die gleichen Elemente enthalten, ob nun der Logos als eine Art wirkender Weltvernunft gedacht wird oder als göttliche Person. Weniger abstrakt gesprochen: Der Logosjünger scheinen die gleichen Inspirationen und Urerfahrungen zu harren, ob sie diese ein halbes Jahrtausend vor Christi Geburt aus der Tem= pelweisheit empfingen oder aus der Begegnung mit dem fleisch= gewordenen Logos. Dann aber kann man von den gleichen Grundformen dieser Urerfahrungen ebenso tief bewegt sein wie von ihrer Differenzierung bei Heraklit und Johannes.

Weder mit der ersten Charakteristik des Logos bei Heraklit, dem ewigen Sein, noch mit derjenigen bei Johannes, dem Sein im Urbeginne, sind quantitative Zeitangaben gemeint. Die in= nere Berührung mit dem Logos versetzt offenbar den Jünger sogleich und zuerst in die veränderte Zeitqualität der Äonen und führt zu der Wahrnehmung, daß das eigene Wesen ihr standhält, sich in ihr in einer erhöhten Art selbst erlebt. Bei Heraklit ist diese Zeit qualitativ in einer allgemeineren Art ausgedrückt ($\dot{\alpha}\varepsilon\grave{\iota}\ \ddot{\omega}\nu-\alpha\dot{\iota}\acute{\omega}\nu$) und führt ihn zu einer gewissen nicht übersehbaren Selbsterhebung über die anderen Menschen. Bei Johannes ist sie konkreter gefaßt und bezeichnet das dyna= mische Einsetzen des gegenwärtigen Äons. Von dem Wegbe=

reiter des Logos auf Erden ist aber gesagt, daß er nicht selbst das Licht des Logos darstellt, sondern nur von ihm zeugt: Johannes der Täufer, der von sich sagte: ich muß abnehmen. Hatte die überwältigende Idee des Logos zur Zeit Heraklits noch einen luziferischen Einschlag, so beugte sich der Jünger des Mensch=gewordenen Logos demütig vor einem Göttlichen, mit dem er nicht identisch ist.

Das zweite Urerlebnis am Logos ist: er wirkte in der Schöp= fung der Welt. Er ist in alles Erschaffene sozusagen hineinver= stummt. Auch der Mensch ist seinem Leibe nach als Geschöpf sein Werk. Der Logos liegt verborgen allem Erschaffenen zu= grunde. Er umgibt uns in allem Wahrnehmbaren. Die Differen= zierung dieses zweiten Urerlebnisses zwischen Heraklit und Johannes liegt in einem kleinen Wörtchen, während die übrigen Worte der entsprechenden Sätze die gleichen sind: Der Logos, das „Alles" ($\pi\acute{a}\nu\tau\alpha$) und das „geworden" ($\gamma\varepsilon\nu\acute{\varepsilon}\sigma\vartheta\alpha\iota$). Den Unterschied bildet das Heraklitsche $\varkappa\alpha\tau\acute{a}$ gegenüber dem $\delta\iota\acute{a}$ des Johannes. Heraklit sagt „gemäß" dem Logos, Johannes aber „durch" ihn. Kommt man durch das „gemäß" des Heraklit auf den Logos als auf ein geistiges Urbild der Schöpfung (wie der Plan eines Architekten dem Hausbau zugrunde liegt), so ergibt das „durch" des Johannes den Logos als die ausführende schöpfe= rische Wesenheit, als die sich der Logos in Christus geoffen= bart hatte.

Gemeinsam ist beiden Logosjüngern auch der Schmerz dar= über, daß die Menschen den Logos nicht aufnehmen, ob er nun bei Heraklit als zu fassende Weltvernunft erscheint oder als zu erkennende menschgewordene Gottheit bei dem Christus= jünger. Wenn auch ein letzter Schleier dem Heraklit noch die Gotteswesenheit des Logos verbarg, so hatte er doch die gleiche Anschauung wie Johannes: In sein Eigenstes kommt der Logos, wenn er den Menschen begegnet. Und wenn diese seine Eige= nen ihn nicht aufnehmen, so bleiben sie hinter sich selbst zu=

rück. In der Menschenseele hat der Logos sein Werk noch nicht vollendet, während die äußere Welt seine fertigen Taten enthält. Das meint Heraklit mit dem profunden Wort:

Der Seele ist der Logos eigen, der aus sich selbst wächst.[27]

In der Seele ist also die Schöpfung durch den Logos noch im Gange.

Auf dem religiösen Erfahrungsfelde des Christentums ist später ein Wort geprägt worden, das in einer subjektiveren Weise das gleiche ausdrückt: Christ ist man nicht, Christ kann man nur *werden*.

Die Anschauung von dem in der Seele noch im Wachsen be= griffenen Logos führte Heraklit folgerichtig dazu, den Grad dieser Logosentfaltung in den einzelnen Menschen als Wert= maßstab aufzustellen. So erklärt sich eines der Fragmente, das bisher bei der Herausarbeitung der Logoslehre Heraklits un= berücksichtigt blieb. Es lautet:

In Priene war Bias geboren, des Teutamos Sohn, dem *mehr Logos* innewohnte als den anderen (Menschen).[28]

Bias war einer der sieben Weisen Griechenlands. Und was Heraklit mit diesem Worte von ihm sagen wollte, war: seine Weisheit war nicht dem willkürlichen Verstandesdenken ent= sprossen, sondern dem in seiner Seele mächtig gewordenen Logos. Das Ideal der durch die Logoseinwohnung vollkomme= nen Weisen metamorphosierte sich später im Christentum zum Ideal des durch die Christuseinwohnung moralisch vollkomme= nen Menschen, des Heiligen. Wir werden sehen, daß dieses christ= liche Ideal durch eine Wendung der Logoslehre in das ethische Gebiet in der Philosophenschule der Stoiker vorgebildet war. Das Versiegen der Logosweisheit vom 4. Jahrhundert an führte zu der verhängnisvollen Trennung der Erkenntniswege von den Wegen des religiös=moralischen Lebens. Und so stehen sich

heute noch in einer Art Schizophrenie des Geisteslebens gegen=
über die vom Christentum völlig emanzipierte Wissenschaft
und eine Vertretung des Christentums, die jedes vorausset=
zungslose Erkenntnisstreben auf dem religiösen Felde ablehnt.
Die Erneuerung der Logosweisheit kann dazu beitragen, die
Erkenntniskraft der menschlichen Seele in ihre Gotteskind=
schaft einzubeziehen.

Bei der Betrachtung von Heraklits Prolog trat schon zutage,
daß in der Beziehung zum Logos das Heil der erkennenden
Seele begründet ist, eine mangelhafte oder mangelnde Bezie=
hung zu ihm aber die Ursache aller Verwirrung darstellt. Ein
präziser Gedanke über diesen Sachverhalt äußert sich in dem
Fragment:

> Obwohl der Logos das Gemeinsame ist, leben die meisten,
> als ob sie eine private Vernunft hätten.[29]

Aus diesem Satze geht zunächst hervor, daß der Logos als ein
Prinzip gedacht ist, das in den Grund aller Menschenseelen
hineinragt, darin aber nicht ohne das menschliche Zutun wirk=
sam werden kann. Sein Wachsen in der Seele geht also nicht
automatisch und sozusagen die Seele überwältigend vor sich,
sondern ist darauf angewiesen, vom freien Willen des Men=
schen ergriffen und getragen zu werden. Erfolgt diese willent=
liche Vereinigung des Bewußtseins mit dem Logos nicht, so
tritt eine vom gemeinsamen Vernunftgrunde der Welt eman=
zipierte Verstandestätigkeit ein. Modern gesprochen: der per=
sönliche „Standpunkt". Die Atomisierung des geistigen Lebens.
Und dadurch notwendig die Skepsis, der Unglaube an eine ge=
meinsame und unteilbare Wahrheit.

Nehmen wir nun an, es würde dieser Satz des Heraklit nicht
von einem Philosophen über den Logos gesprochen, sondern der
Logos wäre ein Wesen und wollte die gleiche Wahrheit selbst
aussprechen, müßte dann der Satz nicht etwa so lauten:

> Wenn ihr in meinem Logos bleibt, seid ihr meine rechten
> Schüler und werdet die Wahrheit erkennen.[30]

Genau das hat aber der fleischgewordene Logos von der rechten Beziehung des Menschen zu ihm gesagt. Und wenn wir auch hier das Wort Logos stehen lassen, so laufen wir nicht die Gefahr einer Pressung dieses Wortes. Denn wenn wir es auch im engeren Sinne übersetzen würden und also schreiben: „Wenn ihr bleibt in meinem Worte . . ." so ist hier doch von der Wortoffenbarung dessen die Rede, der im gleichen Johannes=Evangelium eben als der Logos im kosmischen Sinne bezeichnet ist. Und was oder wer sollte sich im Sinne des Johannes=Evangeliums anders im Worte Christi äußern als eben der Logos, der im Urbeginne war. Wir finden also in diesem Worte, das Christus selber sprach, das gleiche ausgesagt: Die Erkenntnis der Wahrheit ist abhängig von einer Kommunikation des menschlichen Bewußtseins mit dem Logos der Welt.

In einem weiteren Worte des Heraklit werden die Folgen einer mangelnden Kommunikation der menschlichen Vernunft mit dem Logos umfassender und genauer bezeichnet. Das Fragment lautet:

> Von dem Logos, dem Lenker des Alls, mit dem die Menschen am engsten und ständig vereint sind, sondern sie sich ab, und fremd erscheinen ihnen die Dinge, auf die sie jeden Tag stoßen.[31]

Seinem Wesen — oder im oben erläuterten Heraklitschen Sinne seiner Physis, seiner Entstehung — nach ist also der Mensch mit dem Logos von Ewigkeit her am engsten verbunden. Denn dem Leibe nach ist er ein Geschöpf „gemäß dem Logos" wie alle Kreatur. Aber darüber hinaus ist er dazu ausersehen, daß sich der Logos in seiner Seele, in seiner Vernunft offenbare. Trotzdem kann er sich vom Logos in seinem Bewußt=

sein trennen, und die Folge ist nicht nur, daß er die Wahrheit in seinem Geiste nicht mehr findet, sondern daß die äußeren Dinge, mit denen er täglich zu tun hat, ihm fremd werden. Denn auch die äußere Welt ist Logos=geordnet, und ohne den Logos hat man nicht den Schlüssel zu ihr, vermag ihre einzelnen Erscheinungen nicht ihrem Wesen und Rang nach einzuschätzen und wird notwendigerweise auch als täglich handelnder Mensch weltfremd und untüchtig in einem höheren Sinne.

Würden wir nun wiederum den Logos in Gedanken zu einem Wesen erheben und uns fragen, wie er dann die gleiche Grund= wahrheit selbst aussprechen könnte, so würden wir doch wohl wieder in die Nähe eines Satzes kommen, den der Logos= Christus tatsächlich gesprochen hat:

Wer in mir bleibt und in wem ich bleibe, der bringt viele Früchte; denn getrennt von mir könnt ihr nichts tun.[32]

Und erinnern wir uns daran, daß dieser Satz im Gleichnis vom Weinstock und den Reben enthalten ist, so finden wir darin den genauesten bildhaften Ausdruck für diesen Logos= Gedanken Heraklits, für die allgemeine Urverbundenheit des Menschen mit dem Logos; für die Paradoxie einer Trennung des Menschen von ihm — wie die Trennung einer Rebe vom Weinstock ein kaum vollziehbarer Gedanke ist; und selbst die anschließende Drohung mit dem Feuer für die getrennten Reben ist ein Bild, das aus Heraklit belegt werden könnte.[33]

Solche Nachweise von Zusammenklängen der Evangelien mit älteren Schriftdokumenten haben bisher dazu geführt, die Ori= ginalität der ersteren, ja ihren Offenbarungscharakter anzu= zweifeln. Richtig verstanden kann nur die umgekehrte Folge eintreten. Welch unermeßlichen und das strengste Erkenntnis= bedürfnis durch Präzision befriedigenden Inhalt gewinnen bisher für „schlicht" gehaltene Evangelienworte, wenn wir das eigentlich doch unerklärliche Vorurteil überwinden, daß von Christus nicht ebenso *groß* gedacht werden dürfte, wie Heraklit von seinem Logos dachte!

Wie Heraklit nun seine eigene Mission im Zusammenhang mit dem Logos verstand, darüber gibt ein siegelartiger Aus= druck in einem seiner Fragmente Aufschluß. Was der Kirchen= vater Hippolyt[34] diesem Satze — ebenfalls als einen Gedanken Heraklits — vorausgehen läßt, brauchen wir für unseren Zu= sammenhang nur dem allgemeinen Inhalt nach. Es handelt von der Einheit des Alls vermöge des in ihm wirkenden „ewigen Logos". Dann spricht Heraklit weiter:

> Nicht mich, sondern den Logos hörend ist es weise, damit übereinzustimmen, daß das Wissen von Allem in Einem enthalten ist.[35]

Wenngleich wir oben bemerken mußten, daß in Heraklits Tonart Klänge einer leisen Überhebung nicht zu überhören sind, finden wir hier das Prinzip einer objektiven Beschei= denheit in der knappsten lapidaren Form ausgesprochen, die wiederum zu den Urerlebnissen des Logosophen gehört. Wie= wohl Heraklit in Anspruch nimmt, daß der Logos durch ihn und in ihm spricht, will er doch nicht mit ihm identifiziert werden. Gerade das Strömen der Erkenntnisse aus *einem* Vereinigungs= punkte erzeugt im Logosophen die innere Wahrnehmung, seine Weisheit nicht selbst auszudenken, sondern aus einer über= individuellen Quelle zu empfangen. Was hier sich als Urform eines höheren Erkenntnislebens darstellt, sollte sich im christ= lichen Lebensraum als Urform des Persönlichkeitsempfindens im Ganzen in einem entsprechenden Wortsiegel offenbaren. Aus dem Heraklit'schen „Nicht ich, sondern der Logos in meinen Worten" wird das Paulinische: „Nicht ich, sondern der Christus in mir".[36] Daß dieser Satz von Paulus aber nicht nur in einem allgemeinen frommen Sinne gemeint war, sondern auch genau in dem Sinne Heraklits, geht aus einer anderen Stelle seiner Briefe hervor:

> Wenn ihr die Bezeugung des in mir sprechenden Christus suchet . . .[37]

Die Umstellung des Selbstbewußtseins, die sich in diesen Worten des Paulus äußert, ist in seinem Erlebnis vor Damaskus eingetreten. Es ist aber ganz undenkbar, daß sie im Leben des Heraklit gefehlt hätte. Wir haben vielmehr anzunehmen, daß sich bei dem Weisen von Ephesus noch auf den verborgenen Wegen der Mysterieneinweihung ereignet hat, was sich bei Paulus auf offener Straße unter freiem Himmel zutrug. Die Erde selbst und das Leben der Menschen auf ihr ist durch die Ver= einigung des Logos=Christus mit der Erde zum Mysterientempel geworden. Paulus erlebte den Christus in seiner vollen Offen= barung. Es war aber eine vollkommene Verkennung des Hera= klit'schen Logos, in ihm lediglich eine philosophische „Speku= lation" zu sehen. Wir haben vielmehr im Artemistempel von Ephesus eine der Stätten zu erkennen, in denen der sich zur Erde wendende Logos Gottes sich gleichsam noch verschleiert manifestierte; verschleiert durch den Fernedunst eines noch bevorstehenden halben Jahrtausends; sich selbst die Stätte be= reitend in den inspirierten Gedankenformen eines Heraklit.

Ein weiteres Wort aus der Logosophie Heraklits lautet:

> Der Seele Grenzen wirst du nicht ausfindig machen, und wenn du alle Straßen durchwandertest. Einen so tiefen Logos hat sie.[38]

Wenn wir uns diesen Satz in eine hellere Sprache übersetzen, so bedeutet er: du kannst alle Reiche der Schöpfung am Rande aller Straßen der Erde kennenlernen. Die erschaffene Welt ist gemäß dem Logos entstanden. Den Logos findest du in ihr. Aber in der Menschenseele ist noch eine Tiefe des Logos ent=

halten, die in der äußeren Schöpfung nicht zur Ausgestaltung gekommen ist. Und wenn du auf den Straßen der Erde wan= dernd allen Menschen begegnet wärest, so würdest du die Tiefe des Logos auch noch nicht erfahren haben; denn dieser ist auch in den Menschen noch nicht voll zur Offenbarung gekommen. Verstehen wir aber den Ausdruck „alle Straßen" (πᾶσαν ὁδόν) in dem Sinne eines der Heraklit'schen Grundbegriffe als die Wege, welche die erschaffene Welt wie die Seele des Menschen aufwärts und abwärts, in die Existenz und wieder zu geistigen Zuständen zurückzulegen hat[39] (ὁδὸς ἄνω καὶ κάτω), so würde sich der Sinn dieses Fragmentes noch erweitern. Wir müßten ihn dann so verstehen: Der Logos hat sich noch nicht erschöpft in dem Werden und Entwerden von Mensch und Schöpfung auf ihren bisherigen Stationen. Aber in der Seele ist er in seiner ganzen Tiefe auch noch als Keim künftigen Werdens enthalten.

Und damit haben wir wieder eine der Gedankenurformen, die sich im frühen Christentum ausgestalteten, so bei Paulus, der aus dem bisher gewordenen „ersten" Menschen durch die Christuseinwohnung einen „zweiten" und „letzten", „voll= endeten" Menschen hervorgehen läßt (ἄνθρωπος ἔσχατος, τέλειος).[40] Gerade nach Ephesus schrieb Paulus Worte, die der Genius dieser Stadt wie eigene Urworte vernehmen mußte: „bis wir erreichen die Einheit im Glauben und in der Erkenntnis des Sohnes Gottes, den vollendeten (τέλειος) Menschen, die Verwirklichung der ausgestalteten Allfülle des Christus . . . und heranwachsen zu ihm, der unser Haupt ist, Christus."[41]

Mit den Sätzen von dem Abgrund des Logos in der Seele und dem Logos, der in der Seele aus sich selbst weiterwächst, hat Heraklit als erster den Menschen als den Brennpunkt der Welt= entwicklung verstanden, als den „Vegetationspunkt" der Schöp= fung, als Schauplatz, aber auch als Mitarbeiter des weiterwir= kenden Logos. Dabei tritt ein bestimmtes Wesensglied des Menschen, dessen genaue Bezeichnung wir hier aus der geistes=

wissenschaftlichen Menschenkunde der Gegenwart erwarten mußten, noch nicht mit seinem eigentlichen Namen auf: das Ich. Deutlich charakterisiert sich Heraklits Philosophieren als eine Funktion des sich am Logosgedanken selbst ergreifenden Ich. Und dieses höhere Ich wird auch gerade kraft der Logosidee von dem niederen Ich mit seinem willkürlichen privaten Intellekt unterschieden. Doch tritt die Ichvorstellung noch nicht selbst auf. Vielmehr nimmt der Logos bei Heraklit die Stelle des Ich ein. Der Begriff des Ich ist von dem des Logos noch nicht unter= schieden. Jener Satz: „nicht mich, sondern den Logos hö= rend . . ." bildet dazu nur einen scheinbaren Gegensatz. Denn gerade in ihm bleibt offen, wie sich das Ich Heraklits zum Logos verhält. Erst durch die Offenbarung des Logos in Jesus Christus ist auch das Ichwesen des Menschen zu seiner vollen Selbst= ergreifung gekommen. Und so konnte erst Paulus die Bezie= hung des Logos=Christus zum Ich mit seinem $\dot{\varepsilon}v \ \dot{\varepsilon}\mu o\acute{\iota}$ (in mei= nem Ich) klar bestimmen. Wenn die neuere Heraklitforschung generell darunter gelitten hat, daß sie Begriffsbildungen der Gegenwart um zweieinhalb Jahrtausende zurückverlegt, so war es auch ein Anachronismus, Heraklit als den ersten Individua= listen zu bezeichnen. Was man im gegenwärtigen Sinne indivi= dualistisch nennt, das hat Heraklit gerade auf das schärfste ab= gelehnt, z. B. durch seine Geißelung der $i\delta\acute{\iota}a \ \varphi\varrho\acute{o}\nu\eta\sigma\iota\varsigma$ (Privat= vernunft). Seine Erkenntnisart besteht aber in der Erfahrung, daß sich der Geist der Welt im Innern des Menschen begreifen läßt. Nur liegt bei ihm noch ein letzter Schleier vor der An= schauung dieses Geheimnisses des „höheren Ich". Denn wo er eigentlich von diesem „einen" sprechen möchte, das der Angel= punkt des Mikrologos im Menschen und des Makrologos der Welt, des Menschengeistes und des Weltgeistes ist, da spricht er noch von einem Etwas, von dem einen, das alles weiß ($\dot{\varepsilon}v$ $\pi\acute{a}v\tau a \ \varepsilon\dot{\iota}\delta\acute{\varepsilon}v a\iota$).[35]

Haben wir nun gesehen, daß sich aus den Worten Heraklits,

die sich auf den Logos im Menschen beziehen, zwar kein im
modernen Sinne systematisches, so doch ein ganz in sich ge=
schlossenes Bild ergibt, so wenden wir uns jetzt einem Fragment
zu, das den kosmischen Aspekt des Heraklit'schen Logos ver=
deutlicht. Dabei ist in Betracht zu ziehen, daß Heraklit für die=
sen im Kosmos waltenden Logos in der Regel eine andere Be=
zeichnung hat: $\tau\grave{o}$ $\pi\tilde{v}\varrho$ = das Weltenfeuer.[42] Die beiden „Be=
griffe" sind bei Heraklit schwer gegeneinander abzugrenzen.
Im allgemeinen kann gelten, was aus dem nun zu behandelnden
Fragment hervorgeht: Logos ist der umfassendere Begriff. Wo
statt seiner vom Feuer gesprochen wird, handelt es sich um den
kosmischen Logos in einem bestimmten Stadium, das etwa mit
dem Wärmestadium der Erde identisch ist.[43] Wir beschränken
uns hier wie im ganzen auf dasjenige Fragment, in dem der
Logos unter dieser seiner eigentlichen Bezeichnung auftritt.
Es lautet:

> Heraklit sagt, daß das Feuer unter dem Walten des Logos
> und Gottes das Weltall durch den Luftzustand hindurch in
> den wässerigen Zustand verwandelt, den er ‹Meer› nennt.
> Dieser wässerige Zustand ist der Keim der Weltbildung.
> Aus ihm wiederum entsteht die Erde und der Himmel und
> was dazwischen liegt. Auf welche Weise es wieder zurück=
> verwandelt und in den Wärmezustand zurückgeleitet wird,
> spricht er weisheitsvoll so aus: Das Meer zerfließt wieder
> und bekommt sein Metron nach demselben Logos, der war,
> ehe die Erde war.[44]

Die Kosmogonie Heraklits deckt sich also auf das genaueste
mit der Schilderung der Weltentstehung durch Rudolf Steiner.[45]
Aus uralter Mysterienweisheit wird hier der Gang unseres Pla=
neten durch den Feuerzustand (Saturn), den gasförmigen Zu=
stand (Sonne), den wässerigen Zustand (Mond) bis zum Erd=
Zustand skizziert. Genau entsprechend wird der Wasser=

zustand, also der „alte Mond", als der Keim bezeichnet, aus dem unsere jetzige Erde mitsamt ihrem Firmament hervorge= gangen ist. Offen bleibt die Frage, warum nun die Erläuterung des Prozesses der Rückverwandlung bei dem Mondzustand (= Meer) einsetzt und nicht bei dem jetzigen Zustand der Erde. Doch braucht uns diese Nebenfrage, die wohl durch die An= nahme einer Textverderbnis oder eines schon bei Clemens nicht mehr voll vorhandenen Verständnisses zu lösen ist, hier nicht zu beschäftigen.

Was in unserem Zusammenhange interessiert, ist die dem Logos zuerteilte Rolle bei der Entstehung der Welt. Darüber enthält das Fragment zwei Aussagen: Schon die Verwandlung von Feuer in Luft und ebenso die folgenden Metamorphosen erfolgen „unter dem Walten des Logos, der das All regiert". Das Logoswalten beginnt also schon mit dem ersten Zustand unseres Planeten, mit dem Saturnzustand, überdauert den Sonnen= und Mondzustand und reicht bis zur Erschaffung un= serer Erde im engeren Sinne. Darüber hinaus aber erfolgen auch die künftigen Metamorphosen der Erde zurück in die wie= der feineren Zustände unter dem Walten des Logos. Die Mis= sion des Logos als Lenker des Alls ($\delta\iota o\iota\varkappa\tilde{\omega}\nu$ $\tau\grave{\alpha}$ $\pi\acute{\alpha}\nu\tau\alpha$) er= streckt sich auf alle planetarischen Zustände der Erde, auf die vergangenen und auf die zukünftigen. (In der Übersetzung die= ses Heraklitfragmentes blieb oben auch das Wort Metron ste= hen. Mit dem Worte „Maß" ist es schlechterdings nicht wieder= zugeben. Es bezeichnet in der Kosmogonie Heraklits das Wie= der=räumlich=werden des Planeten nach einem rein geistigen Zwischenzustand. (Siehe Anmerkung 41.)

Dieser Aspekt des Logos ist ein ungeheurer, ein im konkreten Sinne ewiger, d. h. durch alle Äonen reichender. Er sollte für eine bestimmte Zeitepoche[46] verborgen bleiben. Die gewaltige Aussage über den Logos im Prolog des Johannesevangeliums deckt sich wohl mit derjenigen Heraklits. Daß mit jenem „im

Urbeginne" aber über den Beginn der Erschaffung der jetzigen Erde hinaus der wahre *Ur*beginn der Weltentstehung, also der erste (Saturn=) Zustand des Planeten gemeint ist, war nicht ausgesprochen. Noch Origenes wußte es, wie wir sehen werden. Dann versank dieses Wissen bis zur Gegenwart.

Bedenken wir nun einmal, wie ein bestimmtes Christuswort für einen Zeitgenossen geklungen haben mag, der noch mit dem Wissen Heraklits vertraut war. Die antike Welt war noch bis ins dritte nachchristliche Jahrhundert von der Philosophie des Ephesers erfüllt, so daß es wohl kaum einen gebildeten Menschen gab, der nicht bestimmte griechische Worte mit der Bedeutung gehört hätte, die sie von Heraklit und seiner Nach= folge her hatten. Schon unter den griechisch Gebildeten im eng= sten Umkreis des Jesus=Christus, bald aber unter den Hörern des Paulus in der griechischen Welt und etwa bei den Ephesern, unter denen Johannes wirkte, muß dieses sich gegenseitig er= leuchtende Aufeinandertreffen zweier Logosoffenbarungen im Worte ungezählte Male erfolgt sein. Wie aber muß das „Im Urbeginne war der Logos" des Johannes=Evangeliums, wie muß das Christuswort für griechische Ohren geklungen haben:

Himmel und Erde werden vergehen, aber meine Worte wer= den nicht vergehen.[47]

Sicher war ein solcher Ausspruch Christi richtig verstanden, wenn ihm der Sinn entnommen wurde: Die Wahrheiten, die Christus mit seinem Menschenmunde in Menschenworte ge= kleidet hatte, sind ewige Wahrheiten und sind noch wahr, wenn unsere Erde mit ihrem erschaffenen Himmel untergegangen sein wird. Mußten solche Worte aber nicht schon für einen Kenner des Johannes=Prologes einen darüber hinausgehenden makrokosmischen Sinn enthalten? War, was das Weltenwort, was der Logos in der Menschensprache zum Ausdruck brachte, nicht ein Abbild, eine Abbreviatur dessen, was er als die Schöp=

fungskraft der Welt *gewirkt* hatte in der erschaffenen Welt? Waren diese Logoi in der Menschensprache nicht wie ein Leit= faden zum Verständnis der Logos*werke*, die in der Schöpfung um uns und in uns ausgebreitet sind? Dürfen, ja müssen wir nicht eigentlich einen solchen Satz des fleischgewordenen Logos auch im kosmischen Sinne verstehen? Und bedeutet er dann nicht: Ihr findet in dem, was ich euch in Menschenworten sage, den Sinn der Schöpfung selbst ausgesprochen. Und wenn diese Schöpfung, wenn Himmel und Erde und mit ihnen die letzte Bibel untergegangen sein werden, so werden die Schöpfungs= logoi noch bestehen, nach denen diese Erde gebildet war, nach denen die nächste Gestalt der Erde, das Neue Jerusalem, ge= staltet sein wird. Denn ich bin das Alpha und das Omega der Schöpfung, der Erste und der Letzte. So sprach in Wahrheit der= jenige, der da war, bevor die Erde entstand (ὁκοῖος πρόσθεν ἦν ἢ γενέσται γῆ)[44] aus der Offenbarungsherrlichkeit, die er vom Vater hatte,

πρὸ τοῦ τὸν κόσμον εἶνα,   bevor der Kosmos war.[48]

So sprach das Weltenwort, von dem da geschrieben steht:

γενομένων γὰρ πάντων κατὰ   entstanden ist das All
τὸν λόγον   καὶ   gemäß dem Logos[25] und

πάντα δἰ αὐτοῦ ἐγένετο καὶ   entstanden ist alles kraft
                               des Logos[49] und

διαχέεται εἰς τὸν αὐτὸν λόγον   es wird in denselben
                               Logos zurückverwandelt.[44]

                    Denn:

ὁ οὐρανος καὶ ἡ γῆ παρ-   Himmel und Erde werden
ελεύσονται, οἱ δε λόγοι μοῦ   vergehen, aber meine Logoi
οὐ μὴ παρελεύσονται.   werden niemals vergehen.[47]

Einem konfessionell verengten Blick mag eine solche Synopse von Heraklit und dem Neuen Testament fast als frevelhaft er= scheinen, als Verwischung gehüteter heiliger Grenzen. Wir wer= den sehen, daß die ältesten christlichen Väter, insbesondere die griechischen, anders gedacht haben. Und eben mit dem Ver= dämmern der Logosweisheit hat sich die Christenheit im All= gemeinen mit einem verengten Bilde Christi in ein seelisches Gleichgewicht gebracht, das durch die Weltallausmaße der Logos=Gestalt in Erschütterung zu geraten pflegt. Offenbar brauchten die menschlichen Individualitäten in der Zeit ihrer ersten Entwicklung eine Beschränkung ihres Bewußtseinshori= zontes auf die Maße des Irdisch=Menschlichen und ein Christus= bild, welches das Denken, das Vorstellungsleben auch nicht über dieses Maß hinausführte. Alles Übermenschliche an Christus blieb doch einem dumpferen Glaubenselemente überlassen, das sich außerhalb des Bezirkes hielt, in dem das Ich sich entfaltete. Wir sind nun aber wohl in ein Zeitalter eingetreten, in dem die weitere Entwicklung der Persönlichkeit wie des Gedankenlebens ins Stocken geraten müßte, wenn nicht der Durchbruch des Bewußtseins oder doch zunächst des Denkens in die Dimensio= nen erfolgen würde, die auf christlichem Felde eben der Logos= weisheit sich eröffnen. Ebenso darf man heute wohl aus= sprechen, daß der Glaube an Christus schwinden müßte, wenn er nicht wieder in seiner kosmischen Größe verstanden und ergriffen wird. Die Besinnung auf die Logosophie der Jahr= hunderte, welche die Zeit des Erdenwandelns Christi umgaben, könnte wohl zu einer solchen Erweiterung des christlichen Be= wußtseins beitragen.

Die innere Abwehr der Logosweisheit durch schwache Indi= vidualitäten war aber eine Erfahrung, die auch Heraklit schon machen mußte. Wenn es auch gewiß einer überlegenen Ableh= nung von seiten der Wissenschaft begegnen wird, so dürfte doch die nun zu vertretende Auffassung eines letzten Logos=

Fragmentes Heraklits die einzige Möglichkeit sein, ihm einen Sinn zu geben, der seines Autors würdig ist. Ich übersetze also:

Ein geistig schwächlicher Mensch pflegt immer über der Fülle des Logos das Gleichgewicht zu verlieren.[50]

Gerade die geläufige banale Übersetzung dieses Fragmentes (ein hohler Mensch pflegt bei jedem Wort zu erschrecken) muß doch ebenso oberflächlich und unsinnig wie philologisch ge= waltsam erscheinen. Warum sollte an dieser einen Stelle aus einem philosophischen Werk von solcher Tiefe die Vokabel Logos nicht in dem gleichen durch Heraklit gesetzten genauen Sinne gelten wie an allen übrigen? Die billigere Übersetzung ergibt nicht einmal einen haltbaren Sinn. Denn hohle oder dumme Menschen pflegen doch gerade nicht an irgendwelchen Worten zu erschrecken, sondern was sie auch hören, läuft an ihnen ab, ohne sie auch nur zu berühren. Wer aber an einem Worte erschrecken kann, der muß ein lebhaftes und eindrucks= fähiges Vorstellungsleben haben und könnte nicht mehr als hohl bezeichnet werden. In dem Verständnis aber, das in un= serer Übersetzung zum Ausdruck kommt, gibt das Fragment ein Urerlebnis wieder, das der Logosjünger vor zweieinhalb Jahrtausenden wie in unserem Jahrhundert zu bestehen hat: Noch wenige Menschen sind in den inneren Gleichgewichts= verhältnissen ihres an der Außenwelt gewonnenen Selbst= bewußtseins in der Lage, auch nur die Denkfigur des Logos zu ertragen, ohne in eine unbewußte Furcht zu fallen, die sich in feindseligen Gesinnungen äußert.

Bei Clemens Alexandrinus finden sich folgende Sätze:

Moses bekennt, daß er „erschrocken sei und zitterte" (Hebr. 12, 21), wenn er *von* dem Logos hörte. Du aber solltest dich nicht fürchten, wenn du den göttlichen Logos *selbst* ver= nimmst?[51]

700 Jahre nach Heraklit sprach dieser Kirchenvater mit sol=
chen Worten von der Begegnung des Menschen mit der All=
gewalt des Logos. In den alten Einweihungsriten wurde der
Myste der Prüfung unterzogen, einen plötzlichen erschrecken=
den Eindruck, z. B. die Bedrohung durch ein gezücktes Schwert,
bestehen zu müssen. Im Sinne eines solchen erweckenden
Schreckens spricht Clemens von der Furcht vor dem Logos.[52]

Es bleibt nun noch die Aufgabe, zu untersuchen, ob und wie
weit etwa der Logos Heraklits personelle Eigenschaften auf=
weist, das heißt, ob er als göttliches Wesen gedacht ist. Auf die
Texte gesehen, ist diese Frage zu verneinen. Wenn wir oben
(S. 35) einmal eine der näheren Bezeichnungen Heraklits für
den Logos (wie Diels) mit „Lenker des Alls" übersetzt haben,
so ist dabei zu bemerken, daß der griechische Text eine Verbal=
form enthält ($\delta\iota o\iota\varkappa\tilde{\omega}\nu$), die mit „der das All durchwaltende"
philologisch genauer, aber in minderem Deutsch wiederzugeben
wäre. Diese Bezeichnung sprengt keinesfalls den Rahmen einer
als „Weltvernunft" begrifflich gefaßten Kraft. Wenn wir oben
(S. 19) in der Stelle aus Clemens darauf gestoßen sind, daß auf
die gleiche Bezeichnung des Logos als des „das All Durchwal=
tenden" die Worte folgen „und Gottes", so nimmt der Logos
durch diese Nachbarschaft des als Wesen genannten „Gottes"
unwillkürlich ebenfalls personhaften Charakter an. Doch ist
diese Beifügung „und Gottes" zweifellos auf die Rechnung des
schon christlichen Clemens zu setzen. Und wenn im Zusam=
menhang mit einer anderen Stelle, die wir oben (S. 30) schon
kennengelernt haben, ein erst auf dem Boden des Christentums
mögliches „Vater und Sohn" neben dem „ewigen Logos" steht[53],
so ist ebenfalls zu bedenken, daß diese Stelle nicht im strengen
Sinne als Wortlaut Heraklits gelten kann, vielmehr als erläu=
ternde Einfügung des Referenten, des christlichen Lehrers Hip=
polyt, zu verstehen ist. In Heraklits gesicherten eigenen Wort=
lauten ist jede Aussage über den Logos, die einen personifizie=

renden Charakter hätte, vermieden. Die Frage, ob dies nun ein bewußter Verzicht ist oder aus der Denkungsart Heraklits mit Notwendigkeit hervorgeht, scheint sich durch ein Fragment zu beantworten, das nicht unmittelbar im Zusammenhang mit der Logosvorstellung steht, dieser aber doch einen bestimmten Hintergrund gibt. Es lautet:

> Das All ist erfüllt von seelischen und geistigen Wesen=
> heiten.[54]

Daraus geht ja mit Notwendigkeit hervor, daß Heraklit sich das Weltall nicht von anonymen, herrenlosen Gesetzen und Kräften durchwaltet dachte, sondern jene übersinnlichen Wesen als Urheber und Inhaber dieser Weltgesetze und Kräfte und damit als die eigentlichen letzten Realitäten im All annahm. Die Anschauung von einem geistigen Weltall, erfüllt von über= sinnlichen Wesenheiten, begleitet bald deutlicher ausgespro= chen, bald weniger betont die ganze Strömung der Logoslehre. 700 Jahre nach Heraklit denkt sich Origenes noch das ganze All von hierarchischen Wesen erfüllt, die dann mit den christlichen Namen bezeichnet waren.[55] Auf Grund einer solchen An= schauung ist es kaum denkbar, daß Heraklit dann eine so äonen= umspannende und alldurchwaltende Kraft oder „Weltvernunft" wie seinen Logos als wesenlose abstrakte Potenz verstand. Wir haben aber anzunehmen, daß es Heraklits Mission war, den Weisheitsgehalt der Ephesischen Mysterien in die Form des rei= nen Gedankeninhalts umzugießen und von allen dem Denken nicht unmittelbar erreichbaren Elementen zu entbinden. Die Differenz zwischen dem letztgenannten Satze Heraklits und dem Umstand, daß er doch seinen Logos nicht als Person, son= dern als Gedankenfigur darstellte, markiert die Differenz zwi= schen zwei Kulturepochen. Aus der vorderasiatisch=ägyptischen Epoche kamen die Mysterienimpulse in Heraklits Weisheit, wie es ja die Forschung vielfach ergeben hat. Die nächste, griechisch=

römische Epoche hatte die Aufgabe, die freie Gedankenkraft und die von den unmittelbaren Einflüssen der geistigen Welt zunächst emanzipierte Erdenindividualität des Menschen zu entwickeln. Heraklit darf als einer der mächtigsten Geister be= trachtet werden, die diese neue Kulturepoche durch die Art ihres Wirkens im reinen Gedankenelemente inaugurierten.

Seine „Dunkelheit" kam nicht etwa von der Art seiner Ge= dankenführung, wie wir gesehen haben. Diese war vollständig klar und in sich geschlossen. Das Dunkel kam von den Gegen= ständen, mit denen sich sein Denken befaßte. Denn diese Ge= genstände waren nicht aus der äußeren Welt genommen, der sich das Denken dann immer ausschließlicher zugewandt und angepaßt hat. Sie waren vielmehr dem Denken aus tieferen Erfahrungsbereichen gegeben, wie sie eben später nur noch aus den Wahrnehmungen der Sinne bezogen wurden. Der geschul= teste Intellekt aber ist ohnmächtig gegenüber Gegenständen, für die ihm Vorstellungskraft und Aneignungsvermögen feh= len. Das kündigt sich schon in dem Worte des Sokrates an, daß man eines Tauchers bedürfe, um Heraklit zu verstehen. Das sprach Diogenes Laertius 600 Jahre später mit den Worten aus: „Nimm nicht schnell des Ephesiers Heraklit Buch zur Hand; gar unwegsam ist es dir, Nacht und undurchdringliches Dunkel. Wenn dich aber ein Myste einführt, ist es heller als die strah= lende Sonne."[56] Der Gegenwart steht endlich in Rudolf Steiner der „Myste" zur Verfügung, der auch in das Dunkel Heraklits, das durch die neuere Forschung noch so viel dichter geworden war, wieder Licht brachte.[57] Ohne die durch ihn eröffnete neue Mysterienweisheit wäre auch eine Untersuchung wie die hier vorliegende nicht möglich.

Es mußte immer rätselhaft erscheinen, wie das Buch Hera= klits, das der gesamten antiken Bildung als Grundlage diente, von zahllosen anderen Philosophen in ähnlichem Sinne apo= strophiert wurde wie das Alte Testament in den Büchern des

42

Neuen; ein Buch, das noch in der zweiten Hälfte des dritten christlichen Jahrhunderts christlichen und heidnischen Autoren vorlag, dann mit einem Male spurlos und bis zum heutigen Tage nicht wieder auffindbar verschwunden ist.

Wir geben dazu einer Vermutung Edmund Pfleiderers Raum: „Daß alsdann ein so sehr geschätztes und vielverbreitetes Buch im Original wie in den vielen Summarien verschwindet, hängt möglicherweise gerade mit seinem theologisierenden Charak= ter zusammen und könnte ein Werk des kirchlichen Fanatismus sein. Denn namentlich als Mysterienphilosophie... mochte es ... geflissentlich vertilgt worden sein."[58]

2. Kapitel

DER AUSBAU DER LOGOSLEHRE
IN DER STOA

In die Zeit zwischen Heraklit und der stoischen Philosophen=
schule fällt Leben und Wirksamkeit der drei Großen der grie=
chischen Philosophie: Sokrates (470—399), Platon (427—347) und
Aristoteles (384—322). Sie haben zum Ausbau der Logosidee
nichts beigetragen. Zwar kannten sie Heraklit — Aristoteles hat
uns einige seiner Worte erhalten —, ihre Beziehung zum Logos
war aber eine andere als die Heraklits vor ihnen und der Stoiker
nach ihnen. Sie waren Logos=erfüllt, wie es Justinus Martyr
später von Sokrates bezeugte; sie wirkten aus der Kraft, die
Heraklit als den Logos bezeichnet hatte, aus dem Vertrauen
zur menschlichen Gedankenkraft, die mit der Weltordnung aus
einer Wurzel entspringt und dieser Weltordnung also gewach=
sen ist. Sie sprachen und schrieben *aus* dem Logos — bis zur
Ausbildung der Logik durch Aristoteles —, aber sie sprachen
nicht *über* den Logos.

Aus Heraklits erhaltenen Fragmenten ergibt sich seine für
jene Zeit charakteristische Anschauung von den menschlichen
Wesensgliedern. Er unterscheidet, was im Menschen *„Erde"* ist
(der stoffliche Leib), was zum *„Wasser"* gehört (Lebenskräfte)
und als drittes die *Seele.* An Stelle des vierten zentralen We=
sensgliedes steht bei ihm der *Logos,* aber als eine übergeord=
nete, allen Menschen gemeinsame und noch nicht individuali=
siert erlebte Kraft. Heraklit würde zu diesem Logos noch nicht

44

„Ich" gesagt haben. In seinem Worte „Nicht ich, sondern der Logos" (S. 33) fehlt noch, was Paulus entsprechenden Aussagen hinzufügte: $\dot{\varepsilon}v$ $\dot{\varepsilon}\mu o\acute{\iota}$ = in mir. Bei Heraklit wirkt der Logos als noch außer= und übermenschliche Quelle der Gedanken= offenbarung. Und dies gerade ändert sich in der Weiterentwick= lung der Gedankenkraft in dem Schritte zu Sokrates. In ihm ist der Logos als *individuelle* Kraft tätig. Er empfängt nicht mehr aus dem Logos, er hat vielmehr das Bewußtsein, seine Gedan= ken selbst zu bilden, und sieht seine Aufgabe darin, diese Fähigkeit seinen Schülern zu lehren. Der Logos ist im Ich des Sokrates tätig, aber Sokrates gibt ihm nicht diesen Namen. Die Anschauung vom Makrologos, vom Logos, der das All durch= waltet und von dorther auch als Vernunft in den Menschen hin= einragt, verschwindet bei Sokrates, seinem Schüler Platon und dessen Schüler Aristoteles. Wie überall ist auch bei ihnen die Icherkraftung zunächst mit einem Verlust kosmischer Bewußt= seinsinhalte erkauft. In der Philosophie Platons ist davon zwar noch manches erhalten. Aber die Verbindung des Innersten im Menschen, des Ich, mit dem Kosmos, die durch den Logos= gedanken gegeben ist, erscheint auch bei Platon wie eine geistige Nabelschnur durchschnitten. Die Philosophie hatte damit die Schwelle von dem griechisch kolonisierten Kleinasien mit sei= nen alten Mysterientiefen nach Europa überschritten.

Die stoischen Denker, die den Logosgedanken wieder auf= nahmen, kamen großenteils wieder aus Kleinasien oder von den östlichen Inseln des Mittelmeeres. Der Begründer dieser Schule, Zenon (336—270) war wohl Jude und kam von der Insel Cypern. Von den vier bekannten Schülern Zenons stammte Ariston von der Insel Chios, Persaios ebenfalls aus Cypern, Herillos aus Carthago in Nordafrika und der Nachfolger Zenons in der Leitung der Schule, Kleanthes (331—231), aus Assos in Kleinasien. Das nächste Haupt der Schule, Chrysippos (280—204), war wieder Kleinasiate aus Soli in Cilicien. Und damit lag die Heimat sämtlicher Vertreter der älteren Stoa außerhalb des europäischen Festlandes.

Auch der erste Leiter der sogenannten mittleren Stoa, der ebenfalls Zenon hieß, kam wie Paulus aus Tarsos in Cilicien; sein Nachfolger Diogenes aus der griechischen Kolonie Seleu= cia in Babylonien. Archedemos wieder aus Tarsos. Boethos († 119) stammte aus Sidon, Panaitios (180—110) von der Insel Rhodos und der bekanntere Poseidonios (135—51) aus Apamea in Syrien. Somit war die gesamte stoische Philosophie und mit ihr der Ausbau der Logoslehre das gemeinsame Werk von Män= nern, die aus den griechischen Kolonien Asiens, Phoeniziens, Syriens und Afrikas kamen. Der Philosophiegeschichte ist die= ser eigenartige Umstand natürlich nicht verborgen geblieben. Doch läßt sich seine volle Bedeutung erst ermessen, wenn man nicht nur ältere orientalische Einflüsse in diesen Kolonialgebie= ten in Betracht zieht, sondern mehr als diese noch den spezifi= schen Unterschied der eigentlich europäischen Bewußtseins= stufe, wie sie durch Sokrates, Platon und Aristoteles vertreten war, von derjenigen, die am asiatischen Ufer des Mittelmeers ausgebildet war. Die Logoslehre haben wir als eine letzte Gabe der Mutter Asia an das europäische Geistesleben zu betrach= ten.

Die stoische Schule hat ihren Namen von einer Säulenhalle (= Stoa) am Markt von Athen, die ihr als Lehr= und Versamm= lungsort diente. Diese Halle war von dem berühmten Maler Polygnot mit Bildern geschmückt, die den Sieg der Griechen über die Perser bei Marathon (490 v. Chr.) verherrlichten. Diese Schlacht und die Seeschlacht bei Salamis verhinderten das Übergreifen einer asiatischen Großmacht auf die Geburtsstätte des europäischen Geistes. Was sich aber vor Polygnots Gemäl= den in jener Säulenhalle abspielte, war eine Bestätigung des Weltgesetzes, nach dem ein physisch unterlegenes Volk (und hier ein ganzer Erdteil) geistige Einflüsse auf den Sieger aus=

übt. Gewiß ist die Stoa auch an der eigentlich europäischen Auf=
gabe der Ausbildung des reinen Denkens nicht vorbeigegangen.
Ihre Vertreter brachten aber gerade aus den Provinzen des be=
siegten Perserreiches Elemente mit, die es auf dem europäischen
Festland nicht gegeben hatte. So ist z. B. die Lehre vom Urfeuer,
die von Heraklit auf die Stoa überging, immer als im Zusam=
menhang mit dem Parsismus stehend angesehen worden.

Zur Zeit der Stoa war nun Griechenland schon vom Römer=
reich besiegt und politisch abhängig. Und wiederum war jenes
Weltgesetz wirksam: Die stoische Philosophie eroberte Rom
wie keine der anderen Philosophenschulen. Ja sie besetzte sogar
den Thron des römischen Cäsars. Schon der oben bereits er=
wähnte Panaitios lehrte in Rom und gewann den jüngeren
Scipio für die stoische Lehre. Cicero und Pompejus hörten
Poseidonios in seiner Schule auf Rhodos. Der jüngere Cato
war Stoiker. Dies alles schon zur Zeit der „mittleren" Stoa.
Das letzte Kapitel der Geschichte dieser Schule schrieben aber
dann die Römer selbst, wenn auch noch weithin in griechischer
Sprache: Der Philosoph Seneca (3—65 n. Chr.), der Ritter Muso=
nius Rufus, ein Freund des Kaisers Titus, der freigelassene
Sklave Epiktet († um 120 n. Chr.) und schließlich der Stoiker
auf dem Thron der Cäsaren, der Kaiser Marc Aurel (121—180).
War Seneca von Nero noch gezwungen worden, Selbstmord zu
begehen, mußte Epiktet unter dem philosophenfeindlichen Kai=
ser Domitian Rom verlassen, so hatte sich in Marc Aurel die
Stoa nun auch der höchsten Machtposition bemächtigt. Das
Rom unter Marc Aurel bot eine paradoxe geistige Physiogno=
mie: Ein letzter Logos=Jünger auf dem Thron in einer Stadt, in
einem Reich, in dem schon seit mehr als einem Jahrhundert die
gefährdeten Altäre des menschgewordenen Logos standen.

Und diese Paradoxie wurde tragisch: Als Marc Aurel noch
der designierte Nachfolger des Antoninus Pius war, richtete
Justinus Martyr seine Verteidigungsschrift für die Christen

namentlich auch an ihn. Der Thronfolger war schon mit zwölf Jahren Stoiker geworden. Justin nennt ihn daher „Verissimus", den Wahrheitssucher. Diesen Titel hatte Marc Aurel schon vom Vorgänger des Antoninus Pius, von Hadrian, empfangen. Und Justin mochte besondere Hoffnungen auf diesen Adressaten seiner Apologie gerichtet haben. Als Marc Aurel selbst Cäsar war, richtete Athenagoras von Athen eine andere Verteidigung des Christentums an ihn. Ob der Empfänger auch nur persön= lich Notiz davon genommen hat oder ob sie in der kaiserlichen Kanzlei hängen blieb, wissen wir nicht. Wir wissen aber, daß die Christenverfolgungen auch unter diesem Cäsar nicht auf= hörten.

Der Logos spermatikos

Ein ganz eigenartiges, wenn nicht überhaupt einzigartiges Ereignis in der Geschichte der menschlichen Ideen war die Bil= dung des Begriffes eines Logos spermatikos durch die stoischen Philosophen. Schon das Wort Logos bedeutete ja keinen Be= griff im späteren strengen Sinne. Es müßte vielmehr mit einer ganzen Reihe von Begriffen umschrieben werden, wie schon oben erläutert. War dieses Wort auch in der älteren Stoa nicht geradezu der Name für ein göttliches Wesen, so schillerten doch die damit bezeichneten Vorstellungen nach der Seite wesenhafter Kraftwirkungen in Kosmos, Erde und Mensch. Nun wurde dieses Siegelwort mit dem griechischen σπερματικός verbunden. Die genaueste Übersetzung dieser Vokabel dürfte in diesem Zusammenhang „als Same wirksam" lauten. Die Wirksamkeit des Samens ist aber der Urprozeß alles *Lebens*. So bildete der Logos spermatikos eine Gedankenform, die das geistige Grundwesen der Welt, eben den Logos, mit der Vor= stellung keimenden Lebens verband. Wer die bis heute geltende Übung[1] für das Beweglichmachen des Vorstellungslebens

48

kennt, sich das Keimen und Wachsen einer Pflanze aus dem Samenkorn möglichst anschaulich geistig zu vergegenwärtigen, der wird ermessen können, was jener stoische „Begriff" des Logos spermatikos bedeutete. Eine Modifikation und Spezi=fizierung der Logosidee, gewiß. Darüber hinaus geradezu eine besondere Kategorie der Gedankenformen. Aber außerdem ein Ereignis für das denkende Bewußtsein selbst. Denn wo das Denken das Leben ergreift, wird es auch vom Leben ergriffen. Daß sich in der gesamten späteren Philosophie und Naturwis=senschaft das Prinzip des Lebens dem Denken entzogen hat, bedeutete nicht nur das Fehlen eines weiteren Begriffes in der Kategorie der vorhandenen Begriffe, sondern bezeugte eine Gedankenqualität, aus der das Leben entwichen war, die also nur noch dem toten Stoffe gerecht werden konnte, der Welt von Maß, Zahl und Gewicht.

Die Entstehung des Gedankens vom Logos spermatikos bei den Stoikern bedeutete einerseits ein Offenbarwerden des Le=bensprinzipes aus dem Logos und andererseits eine geistige Bewältigung aller Erscheinungen des Weltlebens durch die im Menschen wirksame Logosfähigkeit.

Der Gedanke des Logos spermatikos, des Logos, der das Prinzip alles Lebens enthält, war die geistesgeschichtliche Vor=bereitung des johanneischen Wortes: „In ihm war das Leben — ἐν αὐτῷ ζωή ἦν."

*

Bevor wir nun in die Betrachtung der Lehre vom Logos sper=matikos eintreten, werfen wir einen Blick auf das stoische Welt=bild im Ganzen. Ein Satz des letzten der großen Stoiker, des Kaisers Marc Aurel, bezeugt uns, daß der Urgedanke Hera=klits noch bis zum Ende der stoischen Schule lebendig war. Er lautet fast wörtlich wie bei Heraklit:

Alles entsteht gemäß dem Logos und wird von ihm ge=
leitet.[2]

Die gleichen drei Vokabeln wie bei Heraklit und im Prolog
des Johannesevangeliums: πάντα, γίγνεσθαι und λόγος.
Aber die Formel hatte noch das κατά (= gemäß) des Heraklit
(siehe S. 25) und war an der so bedeutsam veränderten Formel
des Johannes, die zur Zeit Marc Aurels schon etwa 70 Jahre alt
war, vorbeigegangen.

Den Logos, durch den alles entstanden ist, nennt Marc Aurel
an der gleichen Stelle den „das Wesen des Alls Durchwaltenden
(διοικῶν)", ebenfalls ein formelhafter Ausdruck, der in der
Logosophie immer wieder begegnet. Für die Stoiker war die er=
schaffene Welt dem Logos nicht entfallen. Er durchwaltete viel=
mehr seit der Schöpfung das Ganze der Welt und alle ihre ein=
zelnen Gebilde. So wurde aber der Kosmos selbst für Marc
Aurel zu einer universalen Wesenheit:

> Stelle dir den Kosmos immer als ein einziges Lebewesen
> (ζῷον) vor, von einheitlichem Wesen (οὐσία) und mit *einer*
> Seele.[3]

Der Satz hat das Gepräge einer Übungsanweisung, die ein
bestimmtes Weltgefühl ergeben sollte. Wenn auch hier der
Logos nicht genannt ist, so kam doch diese Anschauung von der
Welt als einem großen, einheitlichen, lebendigen und beseelten
Wesen durch die Logosidee zustande. Dies wird klar durch
einen ähnlichen Satz des Poseidonios:

> Der ganze Kosmos ist ein Lebewesen, durchseelt und vom
> Logos durchdrungen.[4]

Das Lebewesen Welt wird also von den Stoikern als aus den
gleichen Wesensgliedern bestehend dargestellt wie der Mensch.
Das dichteste dieser Glieder wird als ὕλη (Hyle) bezeichnet, der

Stoff. Als ζῷον (Lebewesen) hat der Kosmos Anteil an den Lebenskräften. Er hat drittens eine Seele (ψυχή), und schließlich lebt und wirkt der Logos als sein geistiges Wesensglied in ihm.

Zenon, der Begründer der Stoa, legte seinen Schülern den Gedanken der belebten und logosdurchdrungenen Welt durch einen Vergleich nahe. Er sagte:

> Wenn ein Ölbaum melodisch spielende Flöten hervorbrächte, würdest du dann zweifeln, daß ihm eine gewisse Kenntnis des Flötenspiels eigen ist? Oder wenn auf den Platanen rhythmisch tönende Lauten wüchsen, so würdest du natür= lich gleichfalls urteilen, daß die Platanen musikalisch sind. Warum soll man also das Weltall nicht für lebendig und logoshaltig (λογικόν) halten, da es doch lebendige und logosbegabte Wesen aus sich erzeugt?[5]

Eine Anschauung von der Art dieser Erzeugung sollte nun der Gedanke des Logos spermatikos vermitteln. Anathon Aall, nächst seinem Vorgänger Max Heinze[6] der verdienstvollste Forscher auf dem Gebiete der Logoslehre, schreibt voll Bewun= derung: „Der Logos spermatikos, ein ideeller Weltsame, ist der mächtigste Versuch, das All=leben, die allgemeine Zeugungs= kraft der Natur, in ein einziges geistiges Universalprinzip zu= sammenzufassen."[7] Und in der Tat kann die Versenkung in diesen Gedanken im Großen, das heißt im Blick auf das Weltall, eine ähnliche, nur stärkere Wirkung auf das Bewußtsein aus= üben wie die Versenkung in die Wachstumskraft eines Samen= korns im Kleinen.

Die Lehre vom Logos spermatikos ist ein ausgedehntes und vielfach verzweigtes Gedankengebäude, das wir hier nur in einigen Grundzügen darstellen. Den ersten Satz entnehmen wir einer Schrift, die einer der frühesten christlichen Apologeten, Athenagoras, zur Verteidigung des Christentums an den Kaiser Marc Aurel gerichtet hat. Athenagoras wußte wohl, daß der

Kaiser selbst Stoiker war, und führte so unter anderen Philo=
sophen den Gründer der Stoa, Zenon, ins Feld:

Das bildende Feuer (πῦρ τεχνικόν), das seinen Weg nimmt
zur Erschaffung der Welt, umfaßt in sich alle samenwirk=
samen Logoi, denen gemäß alles und jedes nach der Not=
wendigkeit (εἱμαρμένη) entsteht.[8]

Wir begegnen hier zunächst wieder dem Feuer als der Ur=
substanz der Schöpfung. Es wird als technikon bezeichnet, und
das heißt ganz wörtlich: „künstlerisch schaffend". Die Welt war
für die Stoiker ein Kunstwerk. Die seit Heraklit immer wieder=
kehrende und bis zur Identität gehende Nachbarschaft von
Logos und Feuer ließ wohl einem mit der Logosophie ver=
trauten Griechen ein Wort Christi in einem bedeutsamen Lichte
erscheinen:

Feuer auf die Erde zu werfen bin ich gekommen. Und was
will ich anders, als daß es schon entbrannt wäre![9]

Erschien später dieses Wort eben lediglich als ein emphati=
scher Ausdruck für den Willen Christi, so erweist sich das darin
enthaltene Bild auf dem Hintergrund der alten Logoslehre als
präzise Eröffnung. Wie der Logos im Urfeuer wirksam war
und wie er im Endfeuer die Ergebnisse der Weltentwicklung
scheiden wird, so brachte Christus das Feuer als seelisch=geisti=
ges Element auf die Erde. Wir finden in den Worten, mit denen
die Jünger von Emmaus ihre Eindrücke schildern: „brannte
nicht unser Herz in uns", dieses Feuererlebnis an Christus aus=
gedrückt und werden in der Biographie Justins des Märtyrers
das gleiche Erlebnis geschildert finden.

Der nächste Ausdruck ὁδῷ βαδίζον (= den Weg gehend)
ist eine in der Stoa häufige Formel. Der „Weg" aber bedeutet
dabei seit Heraklit den Gang der Welt durch ihre planetarischen
Zustände, wie wir heute sagen würden, den Weg aus geistigen

Zuständen in die physischen und wieder zurück. So würde z. B. der Untergang unserer jetzigen Erde und ihre Metamorphose in das Neue Jerusalem im Sinne der Stoa als ein Teil dieses „Weges" zu bezeichnen sein. Zenons Satz besagt nun, daß in diesem weltbildenden Feuer die Logoi als „ideeller Weltsame" enthalten waren. Die hier begegnende Mehrzahl vom Logos spermatikos hat viel zu denken gegeben. Denn sie löst in der stoischen Philosophie die Einheit des Logos spermatikos nicht auf. Man konnte sich nur nicht mehr anders ausdrücken als durch einen Plural, wenn man das Eingehen des Logossamens in die ungezählten Gebilde der Welt darstellen wollte. Die Stoiker hatten nicht das Bedürfnis, sich über diesen abstrakten Wider= spruch ihrer singularischen und pluralischen Logosvorstellung zu erklären. Sie hatten offensichtlich noch eine andere Beziehung zur Zahl, die, wie wir hier sehen, z. B. darin besteht, daß sie sich die Mehrzahl durch Teilung aus der Einheit hervorgegangen denken, ohne daß dadurch im Falle einer *geistigen* Einheit deren Singularität aufgehoben würde. Die späteren christlichen Denk= schwierigkeiten mit der Drei=Einigkeit wären bei den Stoikern nicht aufgetreten.

Eine Darstellung der Lehre vom Logos spermatikos im Zu= sammenhang mit dem Urfeuer findet sich bei dem Verfasser der ersten christlichen Kirchengeschichte, Eusebios von Cäsarea († 340):

> Das erste ist das Feuer, das gleichsam als Samen des Alls die Logoi enthält, die Ursachen von allem, was entstanden ist, was entsteht und was sein wird.[10]

Daraus geht hervor, daß die Wirksamkeit jener Logoi nicht mit der Schöpfung aufhört. Sie wirken weiter in allem, was noch entsteht. Wir müßten aber auch sagen: was noch geschieht; denn das Verb gignesthai umfaßt durchaus auch diesen Begriff, so daß nicht nur die Entstehung der Wesen, sondern auch das

Geschehen auf der Erde von den Logoi durchwaltet wird. Marc Aurel warnt geradezu vor einer Beschränkung der Vorstellung vom Logos spermatikos auf das Wirken der Samen im engeren Sinne, also auf die Entstehung der Wesen. Er sagt:

> Alles Vorhandene ist gewissermaßen der Same dessen, was aus ihm werden (mit ihm geschehen) soll. Du aber stellst dir nur *das* als Same vor, was in die Erde oder in den Mutter= schoß fällt. Das ist eine zu beschränkte Ansicht.[11]

Steht also auch alles Geschehen, alle Geschichte unter dem Zeichen der Logoi, so auch alles, was die Zukunft bringt. Wie umfassend das gemeint ist, geht aus einem Satz Plutarchs her= vor:

> Der Kosmos wird durch das Endfeuer ($\dot{\varepsilon}\varkappa\pi\dot{\upsilon}\varrho\omega\sigma\iota\varsigma$) in den Samen zurückverwandelt.[12]

Wie also in der ausgebildeten Pflanze unter der Wärme der Sonne der Same heranreift, so hat das Weltenfeuer der Stoiker die Mission, aus dem absterbenden Kosmos die Logoi spermatikoi für eine künftige Weltbildung wieder zu ent= wickeln.

Lesen wir einmal einen Satz aus dem zweiten Petrusbrief in diesem Zusammenhang:

> Die Himmel und die Erde, die jetzt bestehen, sind vom selben Logos zu einem Schatzhaus gemacht. Sie werden für das Feuer aufbewahrt bis zum Tage der Krisis und des Ausscheidens der gottlosen Menschen.[13]

Man hat bisher immer nur an drei Stellen das Wort Logos als Namen für den Sohnesgott gelten lassen wollen (Joh.=Prolog, I. Joh. 1, 1 und Apk. 19, 13) und hat diese Bedeutung an allen Stellen ausgeschlossen, wo zu dem Worte Logos noch die nähe= ren Bezeichnungen „Gottes" oder „des Herren" usw. hinzu=

treten. Dies letztere ist auch an dieser Stelle der Fall. Im Vers vorher ist vom Logos Gottes gesprochen und in dem zitierten Vers ist mit dem Worte „vom *selben* Logos" darauf Bezug genommen. Es ist aber doch gar nicht zu übersehen, daß hier vom Logos im gleichen Sinne die Rede ist, wie im Prolog des Johannesevangeliums. Der Logos als der Schöpfergeist hat die unvergänglichen Werte in der Schöpfung aufgespeichert ($\vartheta\eta\sigma\alpha\nu\varrho\iota\zeta\varepsilon\iota\nu$). Und sie werden bewahrt, bis sie beim Untergang von Himmel und Erde durch das Feuer wieder in geistige Zu=stände versetzt werden.

Tritt schon bei Heraklit das Symbol des Feuers als Bild für die Funktionen des Logos bei der Erschaffung und der physi=schen Auflösung der Welt auf, so treffen wir auch im Neuen Testament für das Ende der erschaffenen Welt die Bilder des Feuers und des Christus als Weltenrichter.

Aus unserem Zusammenhang fällt auch ein Licht auf eine Paulusstelle, über die wir wohl bisher weggelesen haben, ohne etwas Besonderes zu bemerken:

> Das Werk eines Jeden (was ein Jeder getan hat) wird offen=bar werden. Der Tag wird es offenbaren; denn es wird im Feuer enthüllt werden; und welcher Art eines Jeden Werk ist, wird das Feuer erweisen.[14]

Auch diese Sätze vom Feuer treten im Zusammenhang mit Christus, dem jetzt Mensch=gewordenen Logos, auf. Denn vor=hergeht der bekanntere Satz: „Denn einen anderen Grund kann niemand legen außer dem, der schon gelegt ist, welcher ist Jesus Christus" (V. 11). Die mit den oben zitierten Sätzen an=gekündigte Entscheidung durch das Feuer fällt nun, je nachdem das Werk auf diesen gelegten Grund gebaut ist oder auf „Gold, Silber und Edelsteine . . ." (V. 12). Mit dem „Tag" ist der „jüngste Tag" gemeint und mit dem Feuer also ohne Zweifel die Auflösung der erschaffenen Welt durch das Feuer, die Ekpyrosis der Stoiker. Dabei muß bemerkt werden, daß das Feuer bei Paulus im Sinne des späteren Fegefeuers oder Höllenfeuers nir= gends auftritt. Letztere verengte und verängstigte Begriffe sind aber Rudimente der Anschauung vom kosmischen Feuer, die ja über Heraklit hinaus zum Urwissen der Menschheit gehörte. — Wir treffen also auch bei Paulus auf die Anschauung, daß, was mit Christus verbunden ist (oder stoisch gesprochen: das Logos= Durchdrungene), im Weltenfeuer bestehen wird. Paulus stammte aus dem gleichen Tarsos, in dem seit langer Zeit eine Schule der Stoiker bestand. Er ist zweifellos mit der Philosophie der Stoa in Berührung gekommen.[15] Man hat ein wörtliches Zitat aus Kleanthes in seinen Briefen gefunden. Trotzdem wäre die Annahme, er habe stoische Lehren „übernommen", eine ziemlich banale Vorstellung. Der Sachverhalt ist vielmehr der, daß er sein ureigenes Wissen gelegentlich in Wendungen aus= drückte, die an die griechische Logosophie anklingen oder ihr sogar entnommen waren. Daß sich Christologie und Logosophie gegenseitig bestätigen, liegt aber in der Natur der in ihren Wur= zeln gemeinsamen Sache, eben des Logos.

*

Ein weiteres Stadium der Weltentstehung durch den Logos spermatikos gibt ein anderes Wort Zenons wieder:

> In den Anfängen verwandelt die in sich selbst ruhende Gottheit alles Bestehende durch den luftförmigen Zustand in den wäßrigen. Und wie bei der Zeugung der Same (vom Wäßrigen) umhüllt ist, so bleibt die Gottheit als Logos spermatikos der Welt im Wäßrigen zurück, macht sich die Ursubstanz dienstbar . . . und bildet zuerst die vier Ele= mente.[16]

Wir treffen also bei Zenon auf die gleiche Kosmogonie, die wir bei Heraklit gefunden haben (siehe S. 34). Die Weltbildung

geht auch hier aus den feineren in die dichteren „Aggregat=
zustände", nur daß hier bei den Metamorphosen durch den
luftförmigen in den wäßrigen Zustand noch nicht an unsre
materiellen Elemente zu denken ist. Denn diese entstehen ja
hier nach Zenon erst aus dem Wirken des Logos spermatikos
im Wäßrigen (τὸ ὑγρόν). Unsere Erde hat bei ihrer jetzigen
Entstehung noch einmal abgekürzt die Zustände durchlaufen,
die sie in ihrer Gesamtentwicklung in den sogenannten plane=
tarischen Zuständen als „Saturn", „Sonne" und „Mond" hinter
sich hat. Zenon bezieht sich offenbar auf diese Wiederholung
des Weges durch die Zustände des Feurigen, Gasartigen und
Wäßrigen. Denn erst unsere jetzige Erde hat die vier materiel=
len Elemente ausgebildet. Und Zenon sagt nun, daß der Logos
spermatikos nicht in die Stofflichkeit mit eintritt, sondern im
„Wäßrigen" zurückbleibt. Wir haben uns unter diesem Wäß=
rigen folglich nicht das physische Wasser vorzustellen, sondern
das Reich des Ätherischen, der Lebenskräfte. Und der Vergleich
mit der Zeugung wird dadurch erst völlig entsprechend. Wie der
physische Same vom Feuchten umhüllt wird und in ihm allein
gedeihen kann im Mutterschoß wie in der Erde, so wird der
Logos spermatikos von den ätherischen Kräften aufgenommen,
dringt aber in eigener Wesenheit nicht weiter bis in die Sinnlich=
keit vor. Der griechische Arzt Aëtios überlieferte uns darüber
das Folgende:

Die Alten bezeichneten die körperlosen Logoi, welche die
Körper umgeben, als Urformen (σχήματα).[17]

Daraus geht hervor, daß die Logoi spermatikoi zwar körper=
los und unstofflich, aber den „Alten" noch übersinnlich wahr=
nehmbar waren. Es ist der „Ätherleib", der die Körper umgibt.
Und in ihm nahmen die Alten noch die Urformen wahr, die
den physischen Gebilden zugrunde liegen. Damit aber sind ja
die Logoi nun vollends aus der Kategorie der Begriffe in die=

jenige des übersinnlich Wesenhaften versetzt. Die Logoi wur=
den nicht ausgedacht, sondern wahrgenommen. Davon sprach
Aëtios noch im 6. christlichen Jahrhundert.

Auch zu der Zenon=Stelle über das Wirken des Logos aus
dem Wäßrigen gibt es im Neuen Testament eine Entsprechung,
und zwar wieder im 2. Petrusbrief, zwei Verse vor dem oben
herangezogenen Worte:

> Denen, die es wollen, bleibt verborgen, daß die Himmel
> schon früher gewesen sind und daß die Erde kraft des Logos
> Gottes aus dem Wasser und durch das Wasser entstanden
> ist.[18]

Hier ist nun sicher anzunehmen, daß der Schreiber dieses
Briefes sich auf alttestamentliche Textstellen bezog. Die ersten
Verse der Genesis schildern die Erschaffung der festen Erde aus
dem Urwasser durch das Wort Gottes.[19] Und der Anfang des
24. Psalms, der erst durch Rudolf Frielings Übersetzung und Er=
läuterung wieder ganz zugänglich ist[20], spricht vom selben
Stadium der Schöpfung. Wenn gleichwohl ein unabweisbarer
Zusammenklang mit Sätzen der Stoiker vorliegt, können wir
daraus nur schließen, daß Reste einer Urweisheit in der da=
maligen Welt noch bei verschiedenen Völkern, hier also bei
Griechen *und* Israeliten, wirksam waren. Der Text des Petrus=
briefes geht allerdings in zwei Richtungen über die alttesta=
mentlichen Sätze hinaus. Einmal tritt das erschaffende Welten=
wort nur im Substantiv „Logos" auf, während im ersten Moses=
buch zwar das Bild des Sprechens der Elohim für den Schöp=
fungsakt gebraucht ist, aber nur durch das Verb „bara" aus=
gedrückt wird. Das Substantiv „Logos" hat aber eben im Zu=
sammenhang des Neuen Testamentes, d. h. nachdem das
„Wort" Fleisch geworden war, schon einen Klang, der es minde=
stens in die Nähe eines Namens bringt. Die textkritischen
Fragen, welche Bücher des Neuen Testamentes früher geschrie=

ben sind, ob also der Verfasser z. B. des Petrusbriefes die Logo=
sophie des Johannes schon kannte oder ob er das Wort Logos
noch in einem nicht auf Christus bezogenen Sinne gebrauchte,
etwa nur als Bild, dürften den Geist des ersten Christentums
verkennen. Sie gehen von der durch nichts bewiesenen, dem
geistigen Leben jener Zeit aber ganz unangemessenen Annahme
aus, daß ein Wort, ein Begriff, ein Gedanke erst dort entstan=
den sei, wo er zuerst literarisch nachzuweisen ist.

Und zum anderen gehen die Ausdrücke „aus dem Wasser
und durch das Wasser" über die bildhaften Sätze von 1. Moses
und Psalm 24 hinaus und ergeben erst hier den genauen Ge=
danken einer Entstehung der Erde aus dem wäßrigen Zustand
und ihres Durchganges durch einen solchen. Ob nun der Aus=
druck $\lambda\delta\gamma\sigma\varsigma$ $\tau\sigma\tilde{v}$ $\vartheta\varepsilon\sigma\tilde{v}$, das Wort Gottes, im Sinne der Johan=
nesschriften auf Christus bezogen ist oder nicht, der zeit=
genössische Leser bezog es jedenfalls auf die in der ganzen
damaligen Welt verbreitete Vorstellung des Logos und las jene
Sätze als im genauesten Einklang mit der herakliteisch=stoischen
Lehre. Wir begegnen im Neuen Testamente häufig der Wen=
dung: „damit die Schrift erfüllet werde". Gemeint ist dort, daß,
was jetzt mit und durch Christus geschieht, die Erfüllung der
prophetischen Worte des Alten Testamentes bedeute. Wenn
wir uns vorstellen, daß gebildete Griechen mit den Logos=Stel=
len des Neuen Testamentes in Berührung kamen, so können
wir eine ähnliche Wirkung auf sie erwarten, wie sie jene Formel
auf die Bekenner des Alten Testamentes ausübte. Es waren
hier wie dort nur Einzelne, die „Ohren hatten, zu hören". Solche
aber gab es eben auch unter den „heidnischen" Griechen, und in
erster Linie dürfte dabei die Logosophie das Entscheidende ge=
wesen sein. Wir wissen es von Athenagoras, Justinus Martyr,
Clemens von Alexandria und anderen.

Mit Ehrfurcht sei nun noch das Geheimnis eines Wortes
aus dem Munde Christi selber berührt, mit einer Frage, wie sie

einem stoischen Logosophen aufgestiegen sein mag, wenn er las:

Ὁ σπόρος ἐστὶν ὁ λόγος τοῦ θεοῦ.
Der Same ist das Wort Gottes.[21]

Mit diesem Satze erläutert Christus den Jüngern das Gleich=
nis vom Säemann. Und ganz eindeutig bezieht sich das Gleich=
nis und die Erläuterung auf die Verkündigung des Wortes
Gottes unter den Menschen.

Nun ist uns aber durch die ersten Worte des Johannes=
evangeliums das „Wort" zum Namen des Christus vor seiner
Menschwerdung geworden. Und unsre Gedanken sind erfüllt
von der Eröffnung, daß alles Entstandene durch dieses „Wort"
entstanden ist.

Können wir uns vorstellen, daß Christus selbst nicht wußte,
was Johannes von ihm sagte?

Klang etwa in dem Säemannsgleichnis etwas mit und nach
aus dem Urbeginne?

Worauf beziehen sich die geheimnisvollen Worte, die dem
Gleichnis folgen: Es ist nichts verborgen, was nicht offenbar
würde?

Der Logos im Menschen

Die stoische Lehre macht einen grundsätzlichen Unter=
schied in der Beziehung des Logos zu den Naturwesen einer=
seits und zur Seele des Menschen andrerseits. Als samenhafte
Logoi werden nur die Geistkeime der organischen Naturwesen
bezeichnet. Nach einer zusammenfassenden Wiedergabe der
stoischen Anschauung darüber, die wir Sextus Empiricus ver=
danken[22], werden diese Logoi spermatikoi zwar vom Kosmos
hervorgebracht, verbleiben aber gewissermaßen in seinem
Schoße und entfalten sich im Bereiche des kosmischen Kraft=

feldes. Zu den organischen Gebilden dürfen wir in diesem Sinne auch den menschlichen Organismus rechnen. Die Keime der Menschen als *geistiger* Wesen werden dagegen vom Kos= mos abgespalten. Sie trennen sich von ihm. So waltet im Be= reiche der Logoi spermatikoi, also in der ganzen organischen Welt, die Weisheit des Kosmos als eines einheitlichen Vernunft= wesens. Im Menschen=Innern aber leben abgespaltene Logos= Monaden (ἀπόσπασμα), deren Entfaltung zum Selbstbewußt= sein nicht zwangsläufig erfolgt, eben nicht vom Kosmos be= sorgt wird. Justinus Martyr gebrauchte dafür den Ausdruck: der Same des Logos (σπέρμα τοῦ λόγου) im Menschen. Wir werden darauf noch zurückkommen.

In voller Übereinstimmung damit befindet sich nun wieder eine Stelle aus dem ersten Petrusbrief:

> Ihr seid wiedergeboren nicht aus vergänglichem Samen, son= dern aus unvergänglichem durch den lebendigen und über= dauernden Logos Gottes. Denn alles Fleisch ist wie das Gras und seine Herrlichkeit wie die Blüte des Grases. Ver= dorrt ist das Gras und die Blüte abgefallen. Aber das Wort des Herrn bleibt in Ewigkeit.[23]

Die griechischen Worte sind dabei nicht die in der Stoa ge= bräuchlichen, die letzten Sätze sind ein Zitat aus Jesaias, und das Ganze ist nicht auf die Entstehung des Menschen bezogen, sondern auf seine geistige Wiedergeburt durch den Logos Gottes.

Aber die Parallelen: vergänglicher Same — Gras (das hier eben in poetischer Stellvertretung für die organischen Gebilde steht), und unvergänglicher Same kraft des Logos — Menschen= seele weisen doch auch über die psychologische Bedeutung die= ser Sätze hinaus auf einen mitenthaltenen kosmischen Sinn. Denn die Beziehung des Grases zu den vergänglichen Samen besteht doch allein in seiner Entstehung aus denselben. Und wenn nun auch nicht ausgesprochen ist, daß in gleicher Weise das Menschenwesen aus dem unvergänglichen Samen durch den Logos entstanden ist, so bildet doch diese durch den Vergleich nahegelegte Analogie den unausgesprochenen Hintergrund für das Wirken des verkündigten Gottes=Wortes in den Seelen. Mit dem Vers 11 des ersten Kapitels des Johannesevangeliums gesprochen: In sein Eigentum, in das vom Urbeginne her zu ihm Gehörige kommt der Logos, wenn er jetzt durch die Chri= stus=Verkündigung an die Menschenseelen herandringt.

Deutlich ist in dieser Briefstelle die gleiche Unterscheidung der Beziehung von Kreatur und Mensch zum „Samen" (zur hervorbringenden Kraft) und zum Logos gemacht, die wir in der Stoa antreffen. Daß die einzelnen kreatürlichen Gebilde, Pflanzen, Tiere und Menschenleiber, vergehen und daß nur die Logoi spermatikoi überdauern und im physischen Samen der nächsten Generation der vergänglichen organischen Wesen weiterwirken, das lehrte auch die Stoa. Der Mensch aber war für sie in seinem geistigen Bestande selbst ein Logoswesen und vom Logos ansprechbar.

*

Die Einzigartigkeit der Beziehung des Menschen zum Logos kommt auch darin zum Ausdruck, daß sie sich erst mit der Ent= wicklung des Bewußtseins anbahnt. Darüber berichtet der Ma= zedonier Johannes Stobäus, der um 500 n. Chr. für seinen Sohn eine Anthologie aus dem gesamten griechischen Schrifttum zusammenstellte:

Die Stoiker sagen, daß der Logos nicht sofort mitgeboren werde, sondern sich erst später aus den Wahrnehmungen und Vorstellungen erbilde, und zwar um das 14. Lebens= jahr.[24]

Sehen wir uns das griechische Wort genauer an, das hier mit „erbilden" übersetzt ist, so ergibt sich noch eine genauere Vorstellung dieses Vorganges. Συναϑροίζεσϑαι heißt wörtlich „sich zusammensammeln". Das Auftauchen des Logos in der Seele wurde also einerseits abhängig gedacht vom Erwachen des vollen Bewußtseins eben am Beginne des dritten Jahrsiebts. (Vorher schlummerte der Same des Logos nach stoischer Auffassung in der Seele.) Andererseits kommt aber dieses Erwachen des Logos im Menschen dadurch zustande, daß die logoserfüllte Umwelt nun bewußt wahrgenommen und vorgestellt wird. Der Mikrologos im Menschen entzündet sich am Makrologos der Welt. Wir treffen hier also auf ein uraltes Erkenntnisprinzip, das auch Rudolf Steiner in mehrfachen Abwandlungen formulierte. Eines seiner Spruchworte lautet:

Das Innere finden wir im Äußeren,
Das Äußere finden wir im Inneren.[25]

Wiederum sei nur mit einer Frage auf ein Ereignis verwiesen, das die Evangelien berichten. Und sagen wir es mit aller Zurückhaltung indirekt: Was mußte ein Grieche empfinden, der mit diesem Wissen um das Erwachen des Logos um das 14. Lebensjahr herum vertraut war, wenn er den Bericht vom zwölfjährigen Jesus im Tempel las? Wenn er bedachte, daß die griechische Einteilung des Lebens in Jahrsiebte (ἑβδόματα) bei den Völkern des Orients nur mit einer gewissen Beschleunigung anwendbar ist. Und wenn er in Betracht zog, daß der Jesusknabe das Wesen war, das in jene einzigartige Beziehung zum Logos treten sollte?

*

Die Urverwandtschaft des Logos im Menschen mit dem Wesen des Weltalls kennzeichnet Poseidonios mit einem Vergleich, der uns durch Goethe bekannt ist:

Wie das Licht vom lichtartigen Auge wahrgenommen wird,
. . . so soll man das Wesen des Weltalls mit der ihm ver=
wandten (wörtlich: mit entstandenen — συγγενής) Ver=
nunft (Logos) begreifen.[26]

Goethe brachte dieses Erkenntnisprinzip in die Form:

Wär' nicht das Auge sonnenhaft,
Wie könnten wir das Licht erblicken?
Lebt' in uns nicht des Gottes eigne Kraft,
Wie könnt' uns Göttliches entzücken?

Eigenartig an dieser Entsprechung ist, daß Goethe zu diesem
Spruch bemerkt, er wolle das in der „jonischen Schule" so
häufige Wort, nach dem Gleiches nur durch Gleiches erkannt
werde, und die Worte „eines alten Mystikers" in Reimen aus=
drücken. Der alte Mystiker ist Jakob Böhme, wie Rudolf Steiner
nachgewiesen hat.[27] Und seine Worte lauten:

Gleich wie das Auge des Menschen siehet bis an das Gestirn,
daraus es seinen anfänglichen Ursprung hat, also siehet auch
die Seele in das göttliche Wesen, darin sie lebet.

Goethe kannte aber außerdem das folgende Wort Plotins,
an das sich seine Verse am engsten anschließen:

Nie würde das Auge die Sonne sehen, wenn es nicht son=
nenhaft (ἡλιοειδής) geschaffen wäre. Und so könnte die
Seele das Schöne nicht sehen, wenn sie nicht schön gewor=
den ist.[28]

Dabei ist zu bedenken, daß das Schöne bei Plotin wie in der
ganzen griechischen Welt nicht allein im ästhetischen Sinne
verstanden wird. Das Schöne ist als der Ausdruck des Guten
und Wahren gemeint. Das Zitat stammt aus der Schrift: „Über
das Schöne", und aus dem Zusammenhang geht hervor, daß
Plotin meint, die Seele habe ihre Schönheit selbst zu bewirken.

So hat dieser Ausspruch eine andere Nuance als derjenige des Poseidonios, der zwar auch eine Aufforderung enthält, gleichzeitig aber im Nachsatz die genuine Beziehung des Logos zum Wesen des Weltalls betont.

Der Grundgedanke, daß Gleiches nur von Gleichem erkannt werde, welcher den gemeinsamen Nenner der angeführten Texte darstellt, verdient in diesem Zusammenhang besondere Würdigung. Er ist ein spezifischer Ausdruck der mit der Logosidee gegebenen Weltanschauung. Diese enthält ja den Gedanken, daß das erkennende Subjekt in seiner geistigen Veranlagung auf dieselbe Quelle zurückweise wie das zu erkennende Objekt, die erschaffene Welt, nämlich auf den Logos. Und da der erkennende Geist des Menschen selbst vom Wesen des Logos ist, ist er auch dann seinem Erkenntnisobjekt „gleich", wenn er sein Erkennen auf die geistige Welt, auf die Gottheit richtet. Der menschliche Geist erhält durch diesen Gedanken seinen hohen Adel. Er ist Geist vom Geiste der Welt, und im Prinzip ist ihm keine Erkenntnisschranke gesetzt.

Ob Heraklit diesen Gedanken schon formuliert hat, wissen wir bei der bruchstückhaften Erhaltung seiner Schrift nicht. Doch ist er in den erhaltenen Fragmenten schon im Keim vorhanden. Bei Poseidonios (135—41 v. Chr.) ist er noch ausdrücklich auf die Logosidee gestützt. Einen weiteren Ausdruck findet er in einer etwa 20 n. Chr. erschienenen Schrift „Astronomica", als deren Verfasser sich ein sonst nicht bekannter Manilius nennt. Wir finden dort die Sätze: „Wer könnte den Himmel kennen, wenn nicht durch eine Gabe des Himmels (in seinem Geiste); und wer könnte Gott erfahren, der nicht selbst ein Teil der Götterwelt ist?"[29]

Celsus, ein Philosoph, der um 180 n. Chr. eine Schrift gegen das Christentum verfaßte, zieht wie Poseidonios den Vergleich zwischen der Sehkraft und der Erkenntnisfähigkeit: „Das geistig Erkennbare wird vom Geiste, das Sichtbare vom Auge erkannt. Was nun in der sichtbaren Welt die Sonne bedeutet, die selbst weder Auge noch Sehkraft ist, aber für das Auge die Ursache des Sehens bildet, und für die Sehkraft, daß sie sich durch sie (die Sonne) ausbildet, und für die sichtbaren Dinge, daß sie gesehen werden; und für alles Wahrnehmbare, daß es entsteht; für sich selbst aber wahrlich auch, daß sie (die Sonne) gesehen wird, das gleiche bedeutet für die erkennbaren Dinge jener (der Logos), der ja auch selbst weder erkennender Geist, noch Erkennen, noch Wissenschaft ist, sondern Ursache für die Erkenntnisfähigkeit und für die Betätigung dieser Fähig= keit, daß sie um seinetwillen geschieht."[30] Über Poseidonios hinaus tritt in diesen Worten das Motiv auf: Die Sonne schafft das Auge, damit sie auch selbst gesehen wird, und der Logos bildet die Erkenntniskraft, um selbst erkannt zu werden. Daß das Erkanntwerden des Logos durch das von ihm geschaffene menschliche Erkenntnisorgan auch für ihn selbst einen erstreb= ten Zustand ausmacht, der über die Entwicklung der mensch= lichen Individualitäten hinaus für die Gesamtkonstitution der Welt ein neues Stadium bedeutet, das ist wohl der höchste Ge= danke, der auf diesem Gebiete zu fassen ist.

Nehmen wir zu diesen Aussagen des Poseidonios, des Mani= lius und des Celsus als späteste diejenige des Plotin (204—270) hinzu, die oben angeführt ist, so haben wir die Geschichte des Gedankens von dem nur vom Gleichen zu erkennenden Gleichen durch vier Jahrhunderte verfolgt. Sie stellt ja gleichzeitig die Entfaltung eines Erlebnisses dar, welches das erwachende Den= ken an sich selbst hatte: das Erlebnis seiner kosmischen Her= kunft.

Die Vermutung einer literarischen Abhängigkeit der genann= ten antiken Autoren voneinander, die höchst unwahrscheinliche Annahme einer Beeinflussung Böhmes durch dieselben wie die nachweisbare Bekanntschaft Goethes mit Plotin berühren nur sekundäre Gesichtspunkte. Goethe hätte den Gedanken Plotins

nicht aufgegriffen, wenn er ihm nicht als Ausdruck seiner eige=
nen Anschauungen erschienen wäre. Es handelt sich bei diesem
Gedanken um ein Urerlebnis des Erkenntnisstrebens an sich
selbst, das in der logosophischen Geistesströmung zuerst auf=
getreten ist.

Fragen wir uns nun einmal: Wie müßte der Logos, auf dem
dieses Prinzip der gegenseitigen Erkenntnisfähigkeit des Glei=
chen beruht, wie müßte der Logos selbst, persongeworden, den
Gedanken zum Ausdruck bringen, dessen Geschichte wir eben
verfolgt haben? Der Logos müßte ja von sich selbst sprechen
und von der Erkenntnisbeziehung zwischen sich und den Men=
schen, denen er die Erkenntnisfähigkeit für ihn selbst ver=
liehen hat. Wir finden im Johannesevangelium (10, 14) diesen
gesuchten Satz in klassischer Einfachheit und Klarheit:

Ich erkenne das Meine und das Meine erkennt mich.
γινώσκω τὰ ἐμά, καὶ γινώσκουσίν με τὰ ἐμά.

Der Logos, das Weltenwort, ist älter als alle Logosophie.
Wir verfolgen hier die Geschichte der letzteren im Raum der
griechischen Sprache. Hätten ihre Grundanschauungen, hätte
die ihr eigene Haltung des Menschengeistes gegenüber der gei=
stigen Welt in entsprechender Form nicht von Anfang an in der
Menschheit gewaltet, es hätte niemals eine religiöse oder er=
kenntnismäßige Beziehung zu den Göttern entstehen können.

Die Grundprinzipien der Logosophie lassen sich im alten
Indien (Wah), in Persien (Honover) und Ägypten (Hermes)
keimhaft ebenso nachweisen wie im Judentum, im Neuen Te=
stament und bei späteren Denkern, die keine Kenntnis davon
hatten, daß sich logosophische Urweisheit in ihren Gedanken
regt. Wir dürfen aber die im ersten Morgenstrahl des Gedan=
kenbewußtseins der Menschheit erblühte griechische Logoso=
phie als die Enthüllung einer Urweisheit ansehen, die sich frü=
her im Schleier halbmythologischer Anschauungen verbarg und

die wieder hinter einer Wolkendecke verschwand, um nur bis=
weilen einen Strahl ihres Lichtes in erleuchtete Geister zu
schicken.

*

Wir trafen schon bei Heraklit auf den Satz von dem Logos,
der in der Seele heranwächst (S. 26). Noch am Ende der
stoischen Schule finden wir diese Anschauung in Geltung.
Seneca sagt:

> Die Natur hat uns als bildsame Wesen entlassen, und sie
> gab uns eine unvollständige ratio (Vernunft, Logos), die
> aber vollendet werden kann.[31]

Ratio, das ist das lateinische Wort für Logos bei den römi=
schen Stoikern. Es hat schon einen wesentlich anderen Klang
als das griechische Urwort. Und der Bedeutungsumfang ist ent=
scheidend verengert. Die Vorstellung von einem Weltenwort
ist daraus entschwunden, denn ratio bedeutet nur noch Ver=
nunft. Eine Vernunft, die dem Weltall zugrunde liegt und im
Menschen zum Bewußtsein kommen kann. Wenn auch der
Begriff Logos damit im wesentlichen Sinne wiedergegeben wird,
so mußte doch das lateinische Wort unwillkürlich die damit
verbundenen Vorstellungen und Empfindungen verändern.

Der Satz Heraklits wie der des Seneca können uns heute
fast naiv vorkommen, wenn wir sie im modernen Sinne auf
die Vernunft beziehen. Denn für uns ist es ebenso eine
Binsenwahrheit und kein Ergebnis des Philosophierens mehr,
daß sich die menschliche Vernunft erst im Laufe des Lebens
ausbildet, wie die uns bekannte Beobachtung, daß sie erst in
einem gewissen Alter einsetzt. Wie ist es zu verstehen, daß da=
mals die führenden Geister solche Erfahrungen als bedeutsame,
durch Jahrhunderte weitergegebene philosophische Sätze fest=
hielten? Wir können gerade dabei einen wichtigen Schritt der

Entwicklung des Bewußtseins beobachten. Denn das vernünf=
tige Denken, das Philosophieren, war ein absolutes Novum,
das gradweise von den entwickeltsten Menschen ergriffen wurde.
Die Grade können fast für jedes Jahrhundert nachgewiesen
werden. Heraklit befindet sich in diesem Sinne auf einer ersten
Entwicklungsstufe, Sokrates schon auf der nächsten, die skep=
tische Schule wieder auf einer anderen usw. Wir belauschen
dabei die Faszination der Denker durch dieses neue Vermögen.
Die Erkenntnisstimmung der Menschheit war vorher von dem
Verlöschen der früheren Bewußtseinsfähigkeiten, der übersinn=
lichen und zuletzt der mythologischen, bestimmt. Nun aber war
etwas Neues durchgebrochen: der Logos. Und wir müssen uns
vorstellen, daß es Jubelrufe waren, die sich in solchen Sätzen
ausdrückten: ψυχῆς ἐστιν λόγος ἑαυτὸν αὔξων: In der Seele
ist nun etwas wirksam, was nicht schwindet, nicht abnimmt,
sondern im Wachsen ist: der Logos! Und für die Römer eben
die Ratio! Diese erste Begeisterung ist es, die den Sätzen der
griechischen Denker diesen Morgenglanz, diesen hellen Fan=
farenton verleiht.

Wir dürfen allerdings auch nicht übersehen, daß jene grie=
chischen ersten Erfahrungen mit der Vernunft noch transparent
waren. Das Denken erlebte sich noch nicht in sich selbst oder im
Haupte abgeschlossen. Als Sitz des Logos wurde bezeichnender=
weise überhaupt nicht der Kopf, sondern die atmende Brust er=
lebt.[32] Die Stimme galt als Teil der Seele, und wo sich im Atem=
strom die Worte aus der Seele lösen, dort hatte der Logos so=
zusagen seine Werkstatt im Menschen.[33] Und wie nun der
atmende Mensch sich im ständigen Austausch mit der Luft
außerhalb seines Leibes erlebt, so war für die frühen griechi=
schen Denker der Logos eine Weltsubstanz, die außen und
innen ist und im Austausch von außen und innen erlebt wird.
Von einem göttlichen Anhauch (aliquis afflatus divinus) spricht
noch Cicero[34], und in den Tagen der wiederauflebenden Antike

schrieb Raphael die Worte „Numine afflatur" (von der Gott=
heit angehaucht) neben seine symbolische Gestalt der Poesie.

So ist nun wohl verständlich, daß es für Heraklit und noch
für Seneca etwas Erregendes war, zu bemerken, daß sich der
Keim des Logos im Menschen regt und ausdehnt. Und daß auch
der veränderte Klang des Wortes Ratio das ursprüngliche Er=
lebnis nicht ausschloß, bezeugt ein anderer Satz Senecas: „Die
Ratio ist nichts anderes als ein Teil des göttlichen Geistes (spi=
ritus divinus), der in den menschlichen Körper ergossen ist."[35]
Ziehen wir noch in Betracht, daß das Wort spiritus gleichzeitig
Geist und Anhauch bedeutet, so haben wir in einem einzigen
Wort die ursprüngliche Art des Logoserlebens ausgedrückt.

In der stoischen Psychologie ist noch ein dunkler Begriff
oder besser gesagt, ein Begriff für eine dunkle Seelenregung,
immer wieder mit der Logoslehre eng verknüpft. Es ist der
Begriff der $\delta\varrho\mu\acute{\eta}$ (Hormē). Die bisher nicht geglückte und
kaum noch ernsthaft versuchte Klärung dieses Begriffes be=
dürfte einer besonderen Untersuchung. Wenn Aall diese Hormē
„eine innere Bewegung in der Seele, und zwar auf etwas All=
gemeingültiges hin, in eine vom Logos bezeichnete Richtung"[36]
nennt, so ist das nur bedingt richtig. Denn eine Reihe von Aus=
sagen der Stoiker über diese Seelenregung wäre damit nicht ge=
troffen. Eindeutig ist die Hormē als eine unbewußte oder nur
halbbewußte Strebigkeit in der Seele aufzufassen, etwa im
Sinne jenes „dunklen Dranges" aus dem Goethe=Wort: „Der
gute Mensch in seinem dunklen Drange ist sich des rechten
Weges wohl bewußt", wobei ja dieses „wohl bewußt" als
das Ergebnis eben eines „dunklen Dranges" und damit als
halbbewußt zu denken ist. Weiterhin trifft die Auffassung der
Hormē als eines inneren Werde=Dranges, als einer Art Ent=
sprechung und Fortsetzung der physischen Wachstumsenergie
in den Seelenbereich, in allen Fällen die stoischen Aussagen.
Und vermutungsweise sei ausgesprochen, daß es sich dabei um

die noch nicht ganz individuell erlebte innere Regung des Karma, des Schicksals, handelt.

Sehen wir nun weiter, was Cicero über die Rolle der Hormē bzw. des Logos in der Seele sagt:

> Wie uns die Glieder so gegeben sind, daß sie zu einer be= stimmten Art (ratio) zu leben gegeben erscheinen, so ist uns der innere Drang, den die Griechen Hormē nennen, nicht zu einer beliebigen Lebensart, sondern zu einer be= stimmten Form des Lebens gegeben, in gleicher Weise ist sie Ratio (Vernunft, Logos) und vollendete Ratio (perfecta ratio, ausgebildeter Logos).[37]

Dabei ist zunächst zu bemerken, daß die Parallele zwischen den naturgegebenen Gliedern und der Hormē im lateinischen Text in einer nicht übersetzbaren Weise weiter geht, als auf den ersten Blick in Erscheinung tritt. Denn die durch die Be= schaffenheit der Glieder bestimmte Art des Leibeslebens wird auch als Ratio (Logos) bezeichnet. Der letzte Satz des Zitates beweist aber, daß dabei nicht an eine vereinfachte Bedeutung des Wortes, etwa im Sinne von „Art und Weise" gedacht ist, sondern daß Ratio im vollen Sinne des stoischen Logos ver= standen werden soll. In der durch ihre Beschaffenheit vorge= schriebenen Lebensart der Naturgebilde, zu denen auch der Menschenleib gehört, offenbart sich eben der Weltenlogos, wie sich der erst auszubildende Logos im Menschen kraft der Hormē in der Lebensführung des Menschen zeigt.

Wir gewinnen aus diesem Satze die stoische Anschauung, daß jener „dunkle Drang" den Menschen mit dem Logos in Beziehung setzt. Insoweit die Hormē in die Menschenseele gesenkt ist, ist sie ein Geschenk des Makrologos wie auch unsere Glieder. Und insofern sie den Menschen zu einer bestimmten Lebensführung veranlaßt, wird sie identisch mit dem auf= strebenden Mikrologos im Menschen.

Worin nun die so bestimmte Lebensführung besteht, erfah=
ren wir durch das Wort:

Der Logos ist den Logikern (Logosjüngern) zu einer immer
vollendeteren Selbstbeherrschung gegeben, so daß ihnen
das Leben gemäß dem Logos völlig zur Natur wird; denn
dieser (der Logos) ist der Bildner der Hormē.[38]

Hier tritt der Logos als ethischer Faktor auf. Er hat die
Aufgabe, die vielfältigen Regungen der Seele zu beherrschen
und sich als inneres Ordnungs= und Führungsprinzip durchzu=
setzen. Auf dem Logos ist die gesamte stoische Ethik aufgebaut,
und diese stand ja, je später desto mehr, im Vordergrund des
Interesses dieser Schule. Der Logos führte als eine innerseelische
Kraft auf dem Gebiete der Ethik notwendigerweise zum Prinzip
der Freiheit. Daß der Logiker keiner äußeren Gesetze und Ge=
bote bedarf, sondern der Stimme des Logos in seinem Innern
folgt, war Anschauung der ganzen Schule. Und damit erwies
der Logos der Menschheit auch den Dienst, sie auf moralischem
Gebiete auf das christliche Prinzip vorzubereiten.

Unser Satz sagt aber noch etwas Weiteres aus: Der Logos
wird zum Bildner ($\tau\varepsilon\chi\nu\iota\tau\eta\varsigma$) der Hormē, zum Bildner also jenes
„dunklen Dranges" in der Seele, hinter dem das halbbewußt
drängende Schicksal zu vermuten ist. Insoferne diese Vermutung
richtig ist, wäre der Logos als Herr des Schicksals, des persön=
lichen Karma anzusehen. Und damit wäre schon vor 2000 Jah=
ren ein Gedanke vorgebildet, der auf Christus bezogen erst in
der Anthroposophie zur Ausgestaltung kam. Sollte aber der
Begriff der Hormē auf die Bedeutung eines allgemeiner aufzu=
fassenden inneren Werdedranges beschränkt werden müssen,
so würde unser Satz immer noch besagen, der Logos vermittelt
dem Menschen ein „Bild des, das er werden soll".

*

Es konnte nun gar nicht ausbleiben, daß auch die Frage nach dem Wesen der Individualität, nach dem Ich, in der Stoa be= handelt wurde. Denn der ganze Logosgedanke oder, besser ge= sagt, das Wirken der Logoskraft, drängte in diese Richtung. Wir werden nicht erstaunt sein, wenn wir die Stoiker erst mühevoll mit dem Ichproblem ringen sehen. War doch dieses Ringen eine Funktion des eben erst in den Seelen erstehenden Wesensgliedes, das wir als Ich bezeichnen. Erstaunlich ist viel= mehr, mit welcher Sicherheit das Tasten jener Denker in den beiden in Betracht kommenden Richtungen sich bewegt. Wir lesen zunächst bei Marc Aurel:

> Mit den Göttern lebt, wer ihnen eine Seele zeigt, die tut, was der Daimon (Genius) will, den Zeus einem jeden als Beherrscher und Führer gegeben hat, eine Abspaltung von seinem eigenen Wesen. Dieser (Daimon) ist eines jeden Geist (νοῦς) und Logos.[39]

Diesen Daimon des Menschen treffen wir bekanntlich schon bei Sokrates und Platon an. Er wurde dort als geistige Wesen= heit betrachtet, die nicht mit der irdischen Persönlichkeit des Menschen identisch ist, sondern sie überschwebt und ihr die Freiheit läßt, sich von ihm zu entfernen oder ihn in sich zur Wirksamkeit zu bringen. Marc Aurel bezeichnet nun diesen Daimon als aus dem Wesen Gottes hervorgegangen und damit selbst von göttlicher Wesensart. Wessen Seele einen reinen Spiegel dieses Daimon darstellt, der lebt dadurch in Gemein= samkeit mit den Göttern.

Wir haben damit eine ziemlich genaue Beschreibung des „höheren Ich", das nicht in die irdische Persönlichkeit eingeht, sondern als Geistwesen, als persönlicher Genius des Menschen, in den geistigen Welten zurückbleibt und eine Art Mittelglied zwischen dem Erdenmenschen und Christus darstellt. Wir müs= sen aus den bereits dargestellten Teilen der stoischen Lehre erwarten, daß dieser Daimon eine unmittelbare Beziehung zum Logos hat. Und dies tritt ja auch im letzten Satz der Marc= Aurel=Stelle in Erscheinung. Der Daimon wird geradezu mit dem Logos identifiziert.

Wie die Beziehung der kreatürlichen Gebilde zum Logos mit dem Begriffe der Logos=Samen bezeichnet wird, so wird der Logos selbst hier der Daimon genannt, insoferne er als „höhe= res Ich" des Menschen wirksam ist.

Wir könnten im Sinne Marc Aurels etwa sagen: Das eigent= liche Wesen des Menschen ist verborgen in dem Logos in der geistigen Welt. (Denn es ist ja von der Art des göttlichen We= sens.) Wenn aber der Logos als Daimon im Menschen wirksam wird, zeigt sich die Seele den Göttern als erfüllt von dem Logos= Daimon und lebt damit ihr eigentliches Wesen. Bei Paulus lesen wir aber in der Sprache des Christentums:

> Euer eigentliches Leben ist verborgen mit Christus in dem Gotte. Wenn aber Christus, der euer Leben ist, offenbar wird, so wird sich auch euer eigentliches Wesen mit ihm offenbaren im Leuchten des Geistes ($\delta\acute{o}\xi\alpha$).[40]

Wenn es unstatthaft erscheint, den Logos Heraklits und der Stoa mit Christus zu identifizieren, so sei gesagt, daß dies auch keineswegs beabsichtigt ist. Es soll aber nachgewiesen werden, wie die Stoa bis in Einzelheiten in der Logoslehre Gedanken= bilder und sogar Sätze geprägt hat, in denen man nur das Wort Logos mit dem Namen Christus auszutauschen hat, um zu neu= testamentlichen Anschauungen und Sätzen zu gelangen. Bei Rudolf Steiner findet sich die Bemerkung: „Was der Grieche ge= dacht hat, was der Grieche empfunden hat, das bildet das *Kleid* für das heraufkommende Christentum in dem Johannesevan= gelium."[41] Und wir dürfen hinzufügen: nicht nur im Johannes= evangelium, sondern im ganzen Neuen Testament. Freilich

bleibt dann noch die Frage offen, wie es kam, daß das Gedan=
kenkleid der Stoa der Gestalt des heraufkommenden Christen=
tums angemessen war.

Dem Ich=Bewußtsein, also dem „niederen Ich", das sich im
Menschen ausbildet, suchen die Stoiker mit dem Begriff des
ἡγεμονικόν (Hegemonikon) beizukommen. Wörtlich heißt das
etwa: das Führungsprinzip der Seele. Bezeichnend für das sei=
ner selbst noch nicht ganz sichere Ich=Bewußtsein der Griechen
ist, daß dieses Hegemonikon noch als ein Es, ein Neutrum vor=
gestellt wurde. Und die Aussagen der Stoiker darüber sind
die undeutlichsten ihres ganzen philosophischen Gebäudes. Die
klarste Beschreibung dürfte Plutarch (50—125) mit folgenden
Worten gegeben haben:

> Die Stoiker sagen, das Hegemonikon sei das höchste Glied
> der Seele, das die Vorstellungen, die Kraft der Gedanken=
> verbindung, die Wahrnehmungen und die Seelenbewegun=
> gen ausführt. Es wird von ihnen Logismos genannt.[42]

Damit ist gesagt, daß sich dieses Hegemonikon aller seeli=
schen Tätigkeiten und Regungen bemächtigt, die an sich schon
vorhanden waren, jetzt aber vom Ich kontrolliert und ausge=
führt werden. Die Bewußtseinsfunktionen, die die Verbindung
mit der Außenwelt herstellen, die Wahrnehmungen und Vor=
stellungen, aber auch die innere Verarbeitung derselben durch
das ordnende Denken (συγκατάϑεσις) sind in den Bereich die=
ses Hegemonikon einbezogen, und auch die inneren Seelen=
regungen (ὁρμαί) sind ihm unterworfen. Das Wort Logismos
ist kaum zu übersetzen. Als Bezeichnung für das Hegemonikon
bedeutet es: das dem Logos entsprechend handelnde Prinzip.
Wir können bei den Sätzen über das Hegemonikon geradezu
die Geburt des Ich aus dem Logos beobachten.

Ein anderer dieser Sätze lautet:

Wie der Apfel in seinem einen Körper die Süßigkeit und den Wohlgeruch hat, so hat das Hegemonikon die Vorstel= lungen, die Kraft der Gedankenverbindung, die Hormē und den Logos in sich zusammengefaßt.[43]

Die Zusammenfassung aller Seeleninhalte und Bewußtseins= vorgänge in einem einheitlichen Herrschaftprinzip wird durch den Vergleich mit dem Apfel veranschaulicht. Auch die Hormē, jener schicksalhafte dunkle Drang in der Seele, wird nun der Führung durch das Ich unterworfen. Wenn der Logos hier mit den anderen genannten Regungen und Vorgängen der Seele gleichgesetzt erscheint, so ist das eine ungenaue Subsummie= rung, die durch die anderen Aussagen über die Beziehung des Hegemonikon zum Logos zurechtgerückt wird. Gemeint ist, daß auch das Walten des Logos im Hegemonikon eine Individuali= sierung erfährt. Und so ist ja doch das Wesen des Ichbewußt= seins im Ganzen zutreffend umschrieben.

*

Die zuletzt betrachtete Stelle aus Marc Aurel (S. 73) er= brachte schon den Gedanken, daß die Seele, die tut, was der Daimon will, dadurch „mit den Göttern lebt". Und begründet war dieser Satz damit, daß der Daimon ja selbst ein Teil des göttlichen Wesens ist. Wenden wir uns nun zu den Anschauun= gen der Stoa von der Beziehung der menschlichen Persönlichkeit zur Gottheit, so diene uns ein Satz bei Diogenes Laërtius zur Verdeutlichung dieses Gedankens:

Die Tugend und die Lebensart dessen, der zu seinem Dai= mon in ein gutes Verhältnis getreten ist ($ὁ εὐδαίμων$), be= steht darin, daß er alles tut gemäß dem Einklang ($συμφωνία$ – Symphonie) zwischen dem jedem zugeteilten Daimon mit dem Willen des Lenkers des Alls.[44]

Mit diesem Lenker des Alls (der hier schon mit dem Sub=
stantiv διοικήτης statt des gewöhnlichen Partizips διοικῶν be=
zeichnet ist) dürfte gemäß stoischem Sprachgebrauch der Logos
gemeint sein, wenn auch, wie wir sehen werden, sinngemäß
transparent für die höchste Gottheit. Nehmen wir den Satz
Senecas hinzu:

> Der Logos (ratio) ist den Göttern und Menschen gemein=
> sam. Bei den Göttern ist er vollkommen, bei den Menschen
> vervollkommnungsfähig[45],

so wird vollends klar, daß es sich um eine Gemeinschaft zwi=
schen Gott und den Menschen handelt, die durch den Logos
bzw. den Daimon gestiftet wird. Ein Fragment des Areios Didy=
mos rundet dieses Gedankenbild ab:

> Zwischen den Göttern und Menschen herrscht Gemeinsam=
> keit (κοινωνία) durch den Anteil, den sie am Logos haben,
> der auch das Gesetz des Werdens der Welt ist.[46]

Nun ergibt sich im ganzen Umfang das grandiose Gefühl
der Einheit mit der göttlichen Welt und der Schöpfung, die der
Logos den Stoikern vermittelte. Wird der Logos auch nicht
geradezu als göttliches Wesen bezeichnet, so ist er doch weit
mehr als ein „Philosophem", ein Begriff, der sich etwa mit dem
modernen Begriff der Vernunft erschöpfen ließe. Er muß min=
destens als eine universale Macht verstanden werden, der die
Natur gehorcht und die den Mittler zwischen Mensch und Gott
darstellt. Bedenken wir noch, daß das Wort für Gemeinsamkeit
im letzten Zitat Koinonia lautet, das die römischen Stoiker mit
Communio übersetzt haben, so finden wir wieder eine der
christlichen Grundwahrheiten in der Logoslehre vorgebildet.
Wir brauchen nur wiederum das Wort Logos durch den Namen
Christus zu ersetzen, und wir haben die neutestamentlichen
Grund=Sätze über die durch Christus begründete Verbindung des

Menschen mit Gott. Wir müssen andrerseits sogar zugeben, daß im späteren kirchlichen Christentum ein Teil der Koinonia, der umfassenden Gemeinsamkeit verloren ging, die dem Griechen durch seinen Logos gegeben war: die innere Einheit mit der Naturwelt. Dieser Verlust war einschneidend. Er ließ die Natur, die Erde, aus dem religiösen Bereich herausfallen. Das war die eigentliche und verhängnisvollste Säkularisation, die dem Chri=stentum durch die Kirchen selbst widerfahren ist. Und weiter=hin war das Christentum durch diesen Verlust auf die reine Innerlichkeit beschränkt und damit in der tödlichen Gefahr, als eine subjektive Angelegenheit betrachtet zu werden.

Die dem Menschen durch den Logos erteilte Würde um=schreibt Epiktet mit den Worten:

> Der Mensch erlangt die Würde eines Tischgenossen der Götter und nicht nur eines Tischgenossen, sondern sogar eines Mitregenten ($\sigma\upsilon\nu\acute{\alpha}\varrho\chi\omega\nu$).[47]

Es kann uns eigenartig berühren, wie hier das Bild des Sit=zens an *einem* Tische gewählt ist, um die Koinonia, die Com=munio mit den göttlichen Wesen auszudrücken. Epiktet starb etwa 120 n. Chr., also etwa 90 Jahre, nachdem seine symbo=lische Vorstellung erfüllt und zum Markstein der Weltgeschichte geworden war. Es kann ja nicht an eine Übernahme des Abend=mahls=Ereignisses als bildliche Vorstellung in sein „Handbuch" gedacht werden. Vielmehr handelt es sich bei dieser Imagina=tion vom Sitzen am Tische der Götter, vom gemeinsamen Essen mit ihnen wieder um ein Ur=Bild des höheren Bewußtseins, wie wir noch in einem anderen Falle sehen werden und wie es aus den verschiedensten Religionsbereichen belegt werden kann. Im griechischen Geistesleben taucht dieses Bild schon bei Empedo=kles (etwa 490—430) auf (Diels, Fr. 147).

Es ist nicht zu erwarten, daß wir die Tischrunde mit den Göttern als symbolischen Ausdruck in der christlichen Literatur

wiederfinden, nachdem ja der Tisch des Herren in den christ=
lichen Gemeinden errichtet war. Wir treffen aber in einem Pau=
lusbriefe auf ein verwandtes Bild:

> Ihr seid nun nicht mehr Fremdlinge und Aushäusige
> (πάροικοι), sondern Mitbürger der Heiligen und Haus=
> genossen Gottes.[48]

Die durch den Logos veränderte Beziehung des Menschen zu
den Göttern drückt Seneca durch folgende Worte aus:

> Der Logosdurchdrungene ist Genosse der Götter, nicht ein
> untertänig Flehender.[49]

Da der Grieche den Logos nur immanent, d. h. in sich selbst
erlebte, nicht aber als ein göttliches Wesen außerhalb seiner
selbst, nicht wie die Christen den Mensch=gewordenen Sohn
Gottes verehrten, ist zu verstehen, daß die den stoischen Sätzen
entsprechenden Stellen des Neuen Testamentes einen ehrfürch=
tigeren Abstand zwischen Gott bzw. Christus und dem Men=
schen wahren, als es bei Epiktet oder Seneca der Fall ist. So un=
terscheidet sich ein Wort aus dem Munde Christi von dem sehr
ähnlichen des Seneca, das wir eben kennengelernt haben. Chri=
stus sagt nach Johannes:

> Ich nenne euch nicht Sklaven, weil der Sklave nicht weiß,
> was sein Herr tut. Ich nenne euch aber Freunde; denn ich
> habe euch alles zur Kenntnis gebracht, was ich von meinem
> Vater gehört habe.[50]

Wir hören hier mit den Worten Christi selbst, daß er die
Menschen nicht nur erlösen und nicht nur im „Glauben" mit
Gott verbinden wollte, sondern ihnen auch die volle Einsicht
in sein eigenes Wissen und in den Weltenwillen Gottes ver=
mitteln wollte. Er erfüllte damit als göttliche Person die An=
schauungen, die die Stoiker vom Weltprinzip des Logos hatten.

Und wenn Seneca die so entstehende Würde des Menschen mit dem Wort „Genosse der Götter" bezeichnete, so wählt Christus den noch intimeren Begriff „Freunde".

Die Differenzierung der beiden verglichenen Worte besteht aber eben darin, daß die rein philosophische Beziehung der Stoiker zum Logos ausschloß, daß sie sich ihm gegenüber als Flehende (supplex) empfanden, während der Christ keine Scheu hat, seine religiöse Beziehung zu dem Sohne Gottes auch als die eines Bittenden zu erleben. Und dieser Übergang von einer rein philosophischen zu einer religiösen Haltung gegenüber dem Weltenworte war es, der verhinderte, daß die Stoiker, die zur Zeit Christi lebten, in größerer Zahl den Logos in Christus erkannt hätten. Ein in die „Knechtsgestalt" erniedrigter, leiden= der und schimpflich hingerichteter Logos war ihnen nicht faßbar.

*

Nach allem, was wir schon vom Denken der Stoa über den Logos kennengelernt haben, ist es nicht anders zu erwarten, als daß dieses universale Prinzip für sie nächst der Vereinigung mit den Göttern auch die Gemeinschaft unter den Menschen bildete. Wieder bei dem Kaiserphilosophen finden sich die Sätze:

> Gleichwie die einzelnen Glieder zu dem einheitlichen Ganzen des Körpers, so verhalten sich trotz ihrer Trennung die ein= zelnen logosdurchdrungenen Wesen zueinander. Auch sie sind zum Zusammenwirken eingerichtet. . . . Sage dir oft: ich bin ein Glied der Einheit der Logoswesen. Erklärst du dich aber nur für einen *Teil* des Ganzen, so liebst du die Menschen noch nicht von Herzen.[51]

Würden wir den ersten dieser Sätze von einem personifizier= ten Logos selbst zu seinen Jüngern gesprochen denken, so

müßte er lauten: Ich bin der ganze Körper und ihr seid die Glie=
der. Wir treffen diesen Satz in einem Gleichnis Christi an, nur
in ein anderes Bild gefaßt:

> Ich bin der Weinstock, ihr seid die Reben. Wer in mir bleibt
> und ich in ihm, der bringt viele Frucht; denn ohne mich
> könnt ihr nichts tun.[52]

Die Metamorphose des philosophischen Satzes in den des
Gleichnisses ist nun eben dadurch bedingt, daß der Logos in
Christus zur Offenbarung gekommen ist. Und so hat die Aus=
sage über die Unfähigkeit der abgetrennten Glieder ihren
Akzent verschoben. Kam es dem Philosophen auf das *Zu=
sammen*wirken der Logiker untereinander an, so dem Gleichnis
auf das Bleiben der Teilwesen im Geiste des Ganzen. — Aus
dem letzten Satz des Marc=Aurel=Zitates geht darüber hinaus
hervor, daß der Logos für die Logiker auch den Geist der *Liebe*
bedeutet hat. Und damit ist ja in diesen Worten der Keim zum
Gedanken der Kirche, der Gemeinschaft in Christus, wie auch
das christliche Grundprinzip der Liebe enthalten.

In anderer Weise spricht sich der kaiserliche Philosoph über
die Gemeinschaftsbildung durch den Logos aus:

> Hier (bei der Gemeinschaft der Menschen) ist nicht eine
> Gemeinschaft von Blut und Samen, sondern die Gemein=
> schaft des Logos.[53]

Dieser Satz ist von dem stoischen Gedanken des Logos=
Samens in den einzelnen Menschen eingegeben. Und er führt
auf diesem Wege in die unmittelbare Nähe des Johannes=
prologs:

> Die den Logos aber aufgenommen haben . . ., sind nicht aus
> dem Blute, nicht aus dem Willen des Fleisches und nicht
> aus dem Willen des Mannes, sondern aus Gott entstan=
> den.[54]

Wird damit ausgesprochen, daß es das gottgeschaffene Geist=
wesen im Menschen ist, das die Fähigkeit hat, den fleisch=
gewordenen Logos zu erkennen, und daß durch dieses Erkennen
und Aufnehmen die Wiedergeburt dieses Geistwesens ein=
tritt, so finden wir diesen Gedanken auch bei Marc Aurel gleich
im Anschluß und als Begründung seines obigen Satzes ausge=
drückt:

> Der Geist eines jeden ist ein Gott und ein Ausfluß der
> Gottheit.[53]

Das ungeheuerliche Wort, das Christus aus den Psalmen
heranzog, um zu begründen und zu verteidigen, daß er von sich
selber sagte, er sei der Sohn Gottes, muß für einen Stoiker und
Logosophen einen zwar ebenso erhabenen, aber gleichzeitig
auch einen exakten Inhalt gehabt haben:

> Steht nicht geschrieben in eurem Gesetz: „Ich habe gesagt,
> ihr seid Götter." Wenn aber jene Götter genannt werden,
> zu denen der Logos Gottes ergangen ist, wie könnt ihr sagen:
> du frevelst, wenn ich sage: ich bin der Sohn Gottes.[55]

Für einen Stoiker wäre mit diesem ungeheuren Satze „Ihr
seid Götter" zwar etwas Höchstes, aber nichts Unverständliches
gesagt. Er bedeutete für ihn eine genetische und keine hier=
archische Aussage; d. h. ein Stoiker würde ihn nicht so ver=
stehen, daß etwa der Mensch in seinem Entwicklungsstadium,
seinem Vollkommenheitsgrade den Göttern gliche, sondern so,
daß der geistige Teil des Menschen seinem Ursprung nach von
der Substanz der Götter sei. Und so ist er gewiß auch im Psalter
wie von Christus gemeint gewesen.

Lassen wir uns nun durch Marc Aurel zu einer kleinen Ab=
schweifung von dem eben zu behandelnden Gegenstande ver=
leiten. Der dem oben zitierten folgende Satz lautet bei ihm:

Du hast vergessen, daß niemand etwas ihm ausschließlich Eigenes besitzt, sondern daß sein Kind wie sein Leib und selbst seine Seele aus jener Quelle (aus der Gottheit, wie auch der Logos) ihm zugekommen ist.[53]

Es ist nun nicht mehr zu verkennen, wie der Stoiker durch seinen Logos über den Bereich der reinen Philosophie hinaus in das Gebiet frommer Empfindungen getragen wird. Eine Stimmung der Dankbarkeit gegenüber der Gottheit als der Quelle alles Seins durchweht unverkennbar diesen Satz. Und die christliche Parallele dazu ist nun weitergehend logosophisch als der Stoiker:

Christus ist der Erstgeborene der Schöpfung. Denn in ihm ist alles erschaffen, was im Himmel und auf Erden ist, das Sichtbare und das Unsichtbare, die Throne und die Kyriotetes, die Archai und Exusiai. Das alles ist durch ihn und auf ihn zu erschaffen.[56]

Damit hat Paulus die Aussage des Johannesprologes aufgenommen und mächtig ausgebreitet. Für ihn ist die Verehrung des Schöpfers von der Verehrung des Christus als des Logos schon nicht mehr zu trennen. Und wenn sich die Dankbarkeit für den Quell alles Seins bei Marc Aurel dem Weltengrund zuwendet, so ist sie in diesem Paulusworte auf den Logos gerichtet. Bei Paulus war also im vollen Umfang lebendig, was logosophische Stimmung auch gegenüber dem, was auf der Erde ist, auch gegenüber dem Sichtbaren, empfindet.

Das anschließende Pauluswort leitet uns zu unserem Gegenstand zurück:

Christus ist das Haupt des Leibes, nämlich der Gemeinde.[56]

Der Logosgedanke bringt in diesem Worte das gleiche Bild für die Beziehung des einzelnen Christen zu Christus und für das Wesen der christlichen Gemeinschaft hervor, das wir bei Marc Aurel für die Bildung der Logosgemeinschaft angetroffen haben (S. 80). Wenn nun bei Paulus Christus das Haupt jenes mystischen Leibes genannt wird, während wir bei Marc Aurel den Logos als die Summe der Glieder oder besser als ihre Ein= heit zu verstehen haben, so entspricht dies der realen Individua= lisierung, die der Logos in dem Christus für Paulus erfahren hatte.

*

Nicht mehr einen Teil der Logoslehre im engeren Sinne, aber ihr konsequentes Ergebnis bildet die Sehnsucht der Stoiker nach einer Universalgemeinschaft aller Menschen über den Rassen, Völkern und Staaten. Dieses Ideal eines Weltstaates mußte auftauchen gemäß der Anschauung, daß die Teilung der Menschheit in Völker und Staaten ein Ergebnis der leiblichen Geburt aus „Blut und Samen" sei, daß aber der Logos eine universelle Bruderschaft aller Menschen schaffe, die an ihm teilhaben. So taucht schon bei dem Begründer der Stoa, bei Zenon, der Satz auf:

Wir sollten nicht in Staaten und Völkern getrennt leben, die alle ihr besonderes Recht haben, sondern glauben, daß alle Menschen unsere Volksgenossen und Mitbürger seien.[57]

Damit machte sich der Anspruch auf die Katholizität der Ge= meinschaft der logosteilhaftigen Menschen geltend, und somit hatte die Stoa auch das christliche Ideal einer die ganze Mensch= heit umfassenden Kirche vorgebildet. Dieses Ideal hatte bei Zenon noch die Tendenz zur Bildung eines realen Weltstaates, in dem eine alle Menschen umfassende Liebe herrschen sollte.[58] Später und besonders bei der römischen Stoa nahm es den Charakter einer ideellen Gemeinschaft an. Einen für unsere

Ohren fast apokalyptischen Beiklang hat der letzte Satz, der in der Stoa über dieses Ideal geschrieben wurde:

Der Mensch ist Bürger jenes höchsten Staates (Stadt), zu dem sich die einzelnen Staaten wie die Häuser zu einer Stadt verhalten.[59]

Das griechische Wort Polis bedeutet Stadt und Staat. Im ersten Satzteil wird es gerade in dieser Doppelbedeutung ge= braucht, wobei sich auf die Bedeutung „Staat" die Unterord= nung der übrigen Staaten bezieht, auf die Bedeutung „Stadt" aber der Vergleich mit den einzelnen Häusern. Und so taucht wirklich die Imagination einer „Stadt der Höhe" ($\pi\acute{o}\lambda\iota\varsigma$ $\tau\tilde{\eta}\varsigma$ $\mathring{a}\nu\omega\tau\acute{a}\tau\eta\varsigma$) am Ende der stoischen Sehnsucht auf. Bedenken wir noch, daß das Wort Höhe hier natürlich qualitativen Sinn hat, so kommen wir mit dem Bild einer „Stadt der Vollendung" sehr in die Nähe der christlichen Eschatologie und ihres zen= tralen Symbols.

*

Als letztes Kapitel der stoischen Logosophie sei nun die Unterscheidung des $\lambda\acute{o}\gamma o\varsigma$ $\mathring{\varepsilon}\nu\delta\iota\acute{a}\vartheta\varepsilon\tau o\varsigma$ und $\lambda\acute{o}\gamma o\varsigma$ $\pi\varrho o\varphi o\varrho\iota\varkappa\acute{o}\varsigma$ in Kürze dargestellt. Es handelt sich dabei um die Fixierung eines sehr verschiedenen Erlebnisses am Logos, je nachdem, ob er noch innerhalb der Seele verborgen wirkt oder ob er in Wor= ten geäußert wird. $\mathring{E}\nu\delta\iota\acute{a}\vartheta\varepsilon\tau o\varsigma$ (endiathetos) dürfte am ge= nauesten mit „der sich im Innern formierende" Logos übersetzt werden, während $\pi\varrho o\varphi o\varrho\iota\varkappa\acute{o}\varsigma$ (prophorikos) den geäußerten Logos bedeutet. Ein Wort Platons kann am klarsten veranschau= lichen, welche inneren Vorgänge mit dem Logos endiathetos gemeint sind:

Das Denken ist der Logos, den die Seele selbst mit sich selbst ganz durchgeht (durchnimmt, zu Ende denkt, $\delta\iota\varepsilon\xi\acute{\varepsilon}\varrho\chi\varepsilon\sigma\vartheta a\iota$) über das, was sie ins Auge faßt.[60]

Das Gedankenerlebnis ist es also, was dem Begriff des Logos endiathetos zugrunde liegt. „Das Denken nenne ich das in der Seele im Schweigen Ertönende", sagt Porphyrios. Durch den Gegensatz zum Logos prophorikos wird der Begriff noch deut= licher. Porphyrios sagt darüber an der gleichen Stelle:

> Der sich äußernde Logos ist die Stimme, die mittels der Zunge verlauten läßt, was innerlich in der Seele durch= gemacht ist. Allgemeingültig ist diese Äußerung, und sie hat keine Wahl, sondern allein den Gedanken des Logos.[61]

Das Verständnis dieses Begriffspaares setzt Erlebnisse am Gedanken und am Sprechen voraus, die heute selten geworden sind. Das griechische Wort $\pi\acute{a}\vartheta\eta$, das hier mit „durchmachen" übersetzt ist, hat ja den Geschmack des Erleidens, des bedräng= ten Erlebens. Nemesios nennt den Logos endiathetos eine „Be= wegung der Seele"[62], was übrigens ein geläufiger stoischer Ter= minus ist. Was damit gemeint ist, brachte Sokrates (in Platons „Theätet") damit zum Ausdruck, daß er die Geburt des Ge= dankens in der Seele mit einer Schwangerschaft, sich selbst aber gegenüber seinen Schülern mit einer Hebamme verglich. Die innere Bedrängnis durch einen entstehenden Gedanken, das Wehenartige seiner Ausgeburt ist im abstrakten Geistesleben der Gegenwart keine häufige Erfahrung. Und so ist alles, was in neuerer Zeit über die Gewalt des im Innern wirkenden Logos geschrieben wurde, so unzureichend, daß dieser griechische Be= griff geradezu erst wieder hergestellt werden muß.

Nicht viel anders steht es um den Logos prophorikos. Schon die Bildung dieser Begriffszweiheit weist darauf hin, daß der Eintritt des Gedankens in die Sprache für den Griechen den Logos in eine andere Qualität versetzte und in eine andere Dimension. Daß die Äußerung des Gedankens im Worte „keine Wahl hat", gibt zu verstehen, daß die Worte für den Stoiker ihrerseits eine jeder Willkür entzogene Beziehung zum Logos hatten. Die Sprachlehre des Chrysipp geht von dem Gedanken aus, daß die Urworte gemäß den einzelnen Teilen und Gegen= ständen der Schöpfung und damit beide gemäß dem Logos ent= standen seien.[63] Wie aber zu jedem Gegenstand ein bestimm= tes Wort gehört, so wurde auch bei der Äußerung des Gedan= kens nach dem einzig möglichen Ausdruck in der Sprache ge= sucht, der damit eben schlechterdings gültig war. Diese Parallele muß noch weiter gezogen werden, um das Logoserlebnis zu ahnen, das sich hinter dem λόγος προφορικός verbirgt. Wie der Makrologos selbst mit den erschaffenen Wesen und Gegen= ständen die vorhandenen Worte der Sprache entstehen ließ, so geschieht nun eine Art ideeller Fortgang der Schöpfung durch den Mikrologos. Der Sprache werden Gebilde abgerungen, denen kein äußerer Gegenstand mehr entspricht, die aber den ἔννοιαι τοῦ λόγου, den aus dem Logos hervorgehenden Ge= danken eine Art Sprachleib verschaffen.

Wir greifen ein wenig vor und lassen durch ein späteres Wort unsern Gegenstand erhellen. Lag an sich dem Begriff des er= schaffenden Logos schon das Bild zugrunde, daß die Schöpfung eine *Äußerung* der Gottheit sei, vergleichbar der Gedanken= äußerung des Menschen mittels der Sprache, so finden wir doch diese Gleichung in der griechischen Philosophie, soweit ich sehen kann, nicht vor. Dagegen trat sie bei den griechischen Kirchenvätern sogleich auf, denen sich gerade unser Begriffs= paar aus guten Gründen dafür anbot. So lesen wir bei Theo= philus, dem Bischof von Antiochia, gegen Ende des zweiten Jahrhunderts:

Gott zeugte mit seiner Weisheit (σοφία) seinen Logos, den er im eigenen Innern verschlossen hielt (ἐνδιάθετος). Die= sen Logos gebrauchte er nun als Mittel aller seiner Schöp= fungen. — Als aber Gott die Dinge alle, die er zu erschaffen beschlossen hatte, hervorbringen wollte, da erzeugte er den Logos der Äußerung (προφορικός).[64]

Wir begegnen hier einer dreifachen Abstufung des Gottes=
geistes in der Richtung der Schöpfung. Die Figur der Sophia,
der Urweisheit, tritt uns im Bilde der Mutter des Logos endi=
athetos entgegen. Gemeint ist damit, daß die Weisheit Gottes
umfassender ist als der Teil seines Geistes, der sich der Erschaf=
fung der Erde zuwandte. Und dann treffen wir eben unser Be=
griffspaar auf Gott angewandt hier wieder: den „im Innern ver=
schlossenen" und den sich „äußernden" Logos. Stellte der
erstere eine Art geistigen Bauplan der Schöpfung dar, so führte
der letztere das Weltgebäude auf.

Aus dieser Anwendung unseres Begriffspaares auf die Schöp=
fung gewinnen wir den vollen Einblick in die Bedeutung, die es
auch für das Logoswalten im Menschen hatte: Würde ein
Mensch mit einem Gedanken sterben, ohne ihn ausgesprochen
zu haben, so würde dieser Gedanke nicht aus einem geistigen
Zustand, nicht aus der geistigen Welt hervorgetreten sein, die
auch das Bewußtsein des Menschen wie eine Landzunge um=
faßt. Wird er aber geäußert, so zieht er gleichsam die Worte
der Sprache an sich, wie nach stoischer Auffassung die logoi
spermatikoi die Materie an sich ziehen, und fügt der Schöpfung
zwar kein stoffliches, doch aber ein reales und wirksames Ge=
bilde hinzu, das die Natur nicht hervorzubringen vermag.

3. Kapitel

DIE LOGOSLEHRE IM JUDENTUM

Im Judentum konnte eine der Logoslehre verwandte Gedan=
kenwelt nur bei einer bestimmten Gruppe von Menschen Fuß
fassen. Es sind die bei Jeremias (18, 18) neben den Priestern
und Propheten genannten „Weisen". Aus ihren spärlichen
Spuren im Alten Testament geht hervor, daß sie in Schulen ge=
bildet wurden, nicht dem geistlichen Stande angehörten, son=
dern den Königen und später den anderen Staatsoberhäuptern
als Rater und Schreiber dienten. Man darf bei dem Amt des
Schreibers allerdings nicht an moderne Stenographen denken.
Es war wohl ähnlich wie in Ägypten ein hohes Amt, das eben
nur mit „Weisen" besetzt wurde. Ferner weiß man, daß diese
Weisen eine scharf abgesonderte Klasse bildeten und daß ihre
Schule mindestens bis in das 8. vorchristliche Jahrhundert zu=
rückgeht.[1] Unbekannt ist, wer diese Schule eingerichtet hat
und worin ihre Bildung bestand. Einiges darüber können wir
uns durch Rückschlüsse aus der reichen Literatur vorstellen, die
aus dieser Schule hervorgegangen ist. Es ist dies die sogenannte
Weisheits= und Spruchdichtung unter den kanonischen und
apokryphen Büchern des Alten Testamentes. Zu ihr gehören
die „Sprüche Salomos", das Buch Hiob, der Prediger, Jesus
Sirach und die Weisheit Salomos.

In diesen Büchern herrscht die Weisheit in einem zweifachen
Sinne. Einmal eben im gewöhnlichen Sinn des Wortes als eine
vorphilosophische, noch nicht aus dem reinen Denken hervor=

gehende Lebensweisheit, die sich nach der praktischen Seite als erfahrungsreiche Klugheit, nach der ideellen als dichterische und oftmals mythologische Bilderwelt bekundet. Dann aber tritt in diesen Büchern die Weisheit als personifizierte Gestalt auf, als Sophia, die sogar selbst als Sprechende figuriert. Was über sie und von ihr selbst ausgesprochen wird, bringt sie in nächste Nähe unseres Logos.

Die Forschung ist sich heute darüber einig, daß diese Gestalt der Sophia nicht aus Griechenland in das Judentum gekommen ist. Sie hätte sich ja, da sie in diesem Sinne in der griechischen Philosophie gar nicht auftritt, nur aus dem Logos in eine weib= liche Gestalt verwandeln können. Über die Beziehung dieser Figur der Sophia zu der des Logos ist ohne eindeutiges Ergebnis viel geschrieben worden. Wir werden sehen, wie weit ihre Identität geht. Der Ausgangspunkt für eine Differenzierung beider Gestalten ist ebenso einfach wie bisher kaum benutzt. Er besteht darin, daß der Logos als männliches, die Sophia eben als weibliches Wesen empfunden wurde. Der Unterschied der Logoslehre von der der Sophia besteht nicht in erster Linie und jedenfalls grundsätzlich nicht im Lehrinhalt, sondern in einer verschiedenen Qualität des Bewußtseins. Zur Annahme ver= schiedener Bewußtseinsstufen kann man sich aber in der offi= ziellen Forschung noch immer nicht entschließen, obwohl dieses Phänomen sich aus den Dokumenten geradezu aufdrängt. Es sind verschiedene Arten des Bewußtseins, die die gleiche innere Erfahrung durch eine weibliche oder durch eine männliche Bild= gestalt ausdrücken. Und nicht nur die gleiche innere Erfahrung, sondern auch den gleichen Weltfaktor. Wir könnten es in eine Formel bringen: Die Sophia lebt in Bildern, der Logos denkt. Das Bilderbewußtsein, das dem Denken voranging, schuf die Gestalt der Sophia, in der Logosgestalt erlebte sich das er= wachende Gedankenbewußtsein. Es kann schon aus diesem Grunde gar keine Frage sein, welche von beiden die ältere ist.

Richtig ist wohl die neuere Annahme, daß man Entsprechungen zur Gestalt der Sophia im Orient und in Ägypten findet. Als das typische historische Schicksal beider Gestalten kann angesehen werden, daß die Sophia über Byzanz in die Ostkirche kam und dort bis in die Gegenwart (Bulgakow, Solovieff) lebendig blieb, während der Logos nach Westen ging und in Rom erlosch. Für das Verhältnis beider zueinander findet sich in der valentinischen Gnosis die genaue Formel:

Ὁ λόγος ὁ τῆς μητρὸς ἄνωθεν τῆς Σοφίας[2]
Der Logos der Mutter in der Höhe, der Sophia.

Wenn auch hier nicht unmittelbar von einem Sohnesverhältnis des Logos zur Mutter Sophia gesprochen wird, so ist doch das gleiche Abstammungsverhältnis auch ausgedrückt durch das Bild des jener Mutter entströmenden „Wortes". Dabei sei ausdrücklich betont, daß es sich hier nicht um eine Untersuchung der Beziehung von Logos und Sophia in einem absoluten Sinne handeln kann, sondern um diese beiden Gestalten als Symbole der Bewußtseinsentwicklung, als die sie in der hier herangezogenen Literatur in Betracht kommen.

*

Als das älteste der erhaltenen jüdischen Weisheitsbücher sind die „Sprüche Salomos" anzusehen, die ja in den gewöhnlichen Bibelausgaben enthalten sind. Auf den Namen Salomos lauten nicht weniger als vier dieser Schriften. Eben diese „Sprüche", dann der „Prediger", die „Weisheit" und die erst 1906 gefundenen „Oden", die sich gnostischen Anschauungen nähern. Dazu eine Anzahl der Psalmen. Salomo war eben für das Judentum der Inbegriff des Weisen. Die meisten dieser Bücher sind zweifellos später niedergeschrieben. Ob auch die Sammlung der Sprüche Salomo zu Recht abgesprochen wird, bleibe dahingestellt. Ein Teil der Sammlung ist jedenfalls unter dem

König Hiskia (um 700) zusammengestellt, wie dort selbst ver=
merkt ist (25, 1). Aus philologischen Gründen und wegen der
doch bemerkten Andersartigkeit der Gedankenführung gegen=
über Aristobul, der um 150 v. Chr. schrieb, versetzt man heute
dieses Spruchbuch auch im ganzen tiefer in die vorchristlichen
Jahrhunderte.[1] Wir kämen also auch mit den etwas späteren
Teilen jener „Sprüche" ungefähr in die Zeit Heraklits.[3] Um so
lehrreicher, nun die Sophia der „Sprüche" neben den Logos
des Ephesiers zu stellen. Die Sophia spricht:

> Der Herr hat mich gehabt im Anfang seiner Wege. Ehe er
> etwas schuf, war ich da.
>
> Ich bin eingesetzt von Ewigkeit, von Anfang, vor der Erde.
>
> Da die Tiefen noch nicht waren, da war ich schon geboren.
> Da die Brunnen noch nicht mit Wasser quollen.
>
> Ehe denn die Berge eingesenkt waren, vor den Hügeln war
> ich geboren,
>
> Da er die Erde noch nicht gemacht hatte und was darauf ist,
> noch die Berge des Erdbodens.
>
> Da er die Himmel bereitete, war ich dabei, da er die Tiefen
> auslotete.
>
> Da er die Wolken droben erfestigte, da er festigte die Brun=
> nen in der Tiefe,
>
> Da er dem Meer das Ziel setzte und den Wassern, daß sie
> nicht überschreiten seinen Befehl, da er den Grund der
> Erde legte:
>
> Da war ich *der Werkmeister* bei ihm und hatte meine Lust
> täglich und spielte vor ihm allezeit.
>
> Und spielte auf seinem Erdboden und *meine Lust ist bei
> den Menschenkindern.*
>
> So gehorchet mir nun, meine Kinder. Wohl denen, die meine
> Wege gehen.[4]

Wir Menschen haben ja auch nach den inzwischen eingetrete=
nen Wandlungen des Bewußtseins noch die „Empfindungs=
seele"[5] in uns, aus der eine solche Sprache kommt. Sie fühlt
sich unmittelbar wieder angesprochen bei der Versenkung in
solche ruhevollen Bilder. Diese Imaginationen werden in uns
wieder lebendig. Und auf diesem Wege allein wird sich einmal
die leidige Hypostasenfrage lösen, d. h. das Problem, ob die
Sophia nur eine personifizierte Vorstellung sein soll oder als
Wesenheit gemeint ist. Wer diese Verse auch geschrieben hat,
er würde ohne jedes Verständnis vor dieser Fragestellung
stehen.

Aus dieser wunderbaren, webenden Bilderwelt können wir
uns dann in Gedanken umprägen, daß die Sophia sich hier
selbst mit den Eigenschaften und Aufgaben ausstattet, die von
den Stoikern dem Logos beigelegt wurden. Der Logos war ja
selbst zuerst noch eine Bildgestalt. Aber er sprach nicht mehr
zu seinen Jüngern, sondern er lernte das Sprechen *in* ihnen und
durch sie. Daß er dann je später desto mehr zwischen einem
Wesen und einem „Philosophem" schillerte, ist sein ureigenes
Schicksal. Wir finden also bei der Sophia in Bildern, was den
Logos als Gedanken umgibt: Das Sein vor der Erschaffung
der Welt, die kosmische Rolle des „Werkmeisters" bei dieser
Erschaffung und die Aufgabe der Leitung „bei den Menschen=
kindern". Die alte Weisheit wurde ebenso als die gleiche erlebt,
die sich in der weisheitsvollen Gestaltung der Welt äußert, wie
der im Menschen sich regende Logos als das Vernunftuniversum
erlebt wurde, das der Schöpfung zugrunde liegt.

*

Wenn wir nun einen Blick auf den schon genannten Aristobul
werfen, so geschieht es weniger, weil er etwa für die Entwick=
lung der Logosophie viel geleistet hätte.[6] Das Wenige, was uns
Euseb, der erste Historiker des Christentums, von ihm auf=

bewahrt hat, läßt ihn als einen Geist erscheinen, in dem sich jüdische Offenbarungstradition mit griechischem Denken be= gegnete, aber zu keiner vollen Einheit verbinden konnte. Seine Geistesart ist es, die in diesem Zusammenhang interessiert als Übergangserscheinung vom Geiste der „Sprüche" zur späteren jüdischen Literatur. Sein Denken besteht im wesentlichen aus Reflexionen über jüdisches und griechisches Geistesgut und über den Zusammenhang dieser beiden Elemente. Letzterer besteht für ihn darin, daß die ganze griechische Philosophie und schon die orphischen Sprüche vom Alten Testament, vor allem von Moses, beeinflußt seien. Den natürlich gar nicht zu erbringenden Nachweis erzwingt er auf eine nicht mehr einwandfreie Me= thode, die auch vor Umfälschung griechischer Sätze nicht Halt macht. Die Uneinheitlichkeit seiner Anschauungen geht auch daraus hervor, daß drei Figuren, die den Raum des Logos ein= genommen hatten, bei ihm ohne erläuterte gegenseitige Be= ziehung nebeneinander stehen. Der Logos selbst, die Sophia und eine abstrakte Figur, die in der anonymen griechischen Schrift $\Pi\varepsilon\varrho\grave{\iota}$ $\varkappa\acute{o}\sigma\mu o\upsilon$, „Über das Weltall", an die Stelle des kos= mischen Logos getreten war. Es ist dies die $\delta\acute{\upsilon}\nu\alpha\mu\iota\varsigma$, die „Kraft". Wir beschränken uns hier, ohne die letztgenannte Variante des Logosgedankens zu erörtern, auf die Art und Weise, wie Logos und Sophia bei Aristobul auftreten.

Man darf die göttliche Stimme nicht als gesprochenes Wort ($\lambda\acute{o}\gamma o\varsigma$ $\acute{\varrho}\eta\tau\acute{o}\varsigma$) nehmen, sondern als Werke ausführend, so wie Moses im Gesetz uns die ganze Erschaffung des Kosmos als Worte Gottes ($\lambda\acute{o}\gamma o\iota$ $\vartheta\varepsilon o\tilde{\upsilon}$) bezeichnet hat. Es heißt da jedesmal: Gott „sprach", und es geschah. Ich glaube, daß Pythagoras, Sokrates und Platon, nachdem sie alles erforscht hatten, dieser Lehre folgten. Sie behaupteten ja, Gottes Stimme zu hören, wenn sie den Weltenbau betrachteten, wie er von Gott geschaffen und erhalten wird.[7]

94

Aus dieser Stelle kann man den Sachverhalt ziemlich genau erkennen. Aristobul hörte von der Logoslehre, schrieb sie den falschen Autoren zu und wurde durch sie an das „Wort Gottes" im Sinne des Alten Testamentes und speziell als an das Schöp= fungssymbol der Genesis erinnert. Dabei geht aber für ihn der Begriff Logos nicht über eine allegorische Bedeutung hinaus, wie er auch über die Hand, das Antlitz, das Gehen und Stehen Gottes im allegorischen Sinne geschrieben hat. Die Sophia=Stelle lautet:

> Man könnte dasselbe (die Erschaffung des Lichtes) auch von der Sophia sagen. Denn alles Licht ist aus ihr. Einige aus der Schule der Peripatetiker sagen, sie sei eine Art Fackel. Wer ihr nachfolge, werde im ganzen Leben unerschüttert be= stehen. Noch weiser und schöner sagt einer unserer Vorfah= ren, Salomo, sie habe vor Himmel und Erde geherrscht.[8]

Von einem Sophia=Gedanken in diesem Sinne, der bei den Peripatetikern, also in der Schule des Aristoteles, vorhanden gewesen sein soll, wissen wir nichts. Auch hier muß eine Ver= wechslung vorliegen. Die Berufung auf Salomo bezieht sich da= gegen auf die oben abgedruckte Stelle aus den „Sprüchen". Der Radius der Wirksamkeit der Sophia von der Erschaffung des Lichtes bis zur Erleuchtung des Menschen ist beibehalten. — Aristobul erscheint uns als ein nicht recht glücklicher Vorläufer der modernen Quellenforschung. Was bei dieser immer wieder zu bemerken ist, tritt bei ihm in deutlicher Art in Erscheinung: Geist aus zweiter Hand, das Reflektieren über den literarischen Niederschlag von Gedanken, die selbst weder gefaßt noch ganz verstanden werden können.

Aristobul hat kaum mehr zu jener alten Weisheitsschule ge= hört, von der am Anfang dieses Kapitels die Rede war. Er galt schon den Kirchenvätern als Begründer einer neuen Schule, nämlich der jüdischen Philosophenschule in Alexandria. Sie ver=

dient zwar diesen Namen nicht im Sinne der griechischen Philo=
sophie. Denn ganz hat sie sich aus der älteren Geistesart des
vorderen Orients nie herauslösen können. Das zeigt sich auch,
wie wir sehen werden, bei ihrem bedeutendsten Vertreter, bei
Philo. Gegenüber jenen älteren jüdischen Schulen stellt sie aber
insofern etwas Neues dar, als sich in ihr nun der mächtige Ein=
fluß griechischen Geistes geltend macht. Bei Aristobul ist zu
beobachten, wie diese Befruchtung zunächst eine Art Zersetzung
bewirkte. Die alte Bewußtseinsart löst sich auf, und die neue
wird nicht voll entwickelt. Später, bei Philo, entstand daraus ein
einheitlicheres, wenn auch nicht im strengen Sinne philosophi=
sches Geistesgebilde.

Wir haben uns vorzustellen, daß neben der Schule Aristobuls
die ältere jüdische Geistesart in einer Schule in Alexandria wei=
terlebte. Ihr gehört z. B. das Buch der „Weisheit Salomonis" an,
das etwa 50 Jahre vor der Zeitenwende niedergeschrieben
wurde, also 100 Jahre nach Aristobul. Darin ist die Geistesart
der „Sprüche" noch ohne wesentliche Veränderung erhalten.
Daß sie sich übrigens auch in Aristobul gelegentlich noch regte,
sehen wir an einem wunderbaren Bildausdruck, den er geschaf=
fen hat. Wir sahen, daß die Stoa nicht den Kopf, sondern die
Brust als Sitz des Logos betrachtete. Diesen Gedanken brachte
Aristobul in das Wahrbild: „Das Herz ein geistiges Gefäß."
Diese frühe Imagination des Kelches werden wir bei Philo an
bedeutsamer Stelle wiederfinden.

Aus der Weisheit Salomos lassen wir die Sophia=Lehre als
nicht unmittelbar zu unserem Thema gehörig außer Betracht
und sehen uns das Bedeutsamste ihrer Logos=Bilder an. Die
Worte sind an Gott gerichtet:

> Dein allmächtiger Logos sprang, von den königlichen Thro=
> nen des Himmels scheidend, als Streiter herab mitten auf die
> unheilvolle Erde. Deinen wahren Auftrag als scharfes

Schwert führend, stand er und erfüllte alles mit dem Tod.
Den Himmel berührend, schritt er auf der Erde.[9]

Die Weisheit Salomos ist in den Teilen, die sich auf übersinn=
liche Dinge beziehen, visionär wie die „Sprüche". Sie bietet uns
hier eine apokalyptische Imagination. Der Übergang der Logos=
Idee von Griechenland in das alexandrinische Judentum macht
sie nun zu einer unverkennbar als Wesenheit gemeinten — wenn
wir nicht sogar sagen dürfen — wahrgenommenen Gestalt.

Es ist ein Gerichtsmotiv, bei dem diese Logos=Vision auf=
taucht. Diese Stelle der „Weisheit Salomos" handelt vom Tod
der Erstgeburt in Ägypten. Die Feier des Passahlammes ist ein=
gesetzt. Und in der Nacht der ersten Begehung dieses Festes
stirbt alle Erstgeburt der Ägypter. Die Häuser der Israeliten
werden verschont. Das Blut des Passahlammes an den Türen
ihrer Häuser hält diese Plage fern. Moses aber erhält die Wei=
sung, alle Erstgeburt in Israel dem Herren zu heiligen (2. Mos.
12,13).

Durch den Gegensatz des Ersterbens der Erstgeburt der
Ägypter und ihrer Heiligung im Volke Israel werden die Ereig=
nisse durchsichtiger. Die Zukunft des älteren Volkes, des in den
Niedergang geratenen Ägyptertums, wird abgeschnitten. Träger
der Zukunft wird jetzt das ausziehende israelitische Volk mit
seiner besonderen Mission. Der Logos tritt hier als Richter in
einem Völkergericht am Ende einer großen Kulturperiode auf,
wie er in der späteren christlichen Vorstellung der Richter am
Jüngsten Tage ist.

Nimmt man den Tod der Erstgeburt der Ägypter nicht als
physisches Ereignis, sondern als Symbol für die zu Ende ge=
hende Mission eines versinkenden Volkes[10], so verliert die
Vorstellung des Logos als des Bewirkers dieser Wendung ihren
krassen Charakter. Und das errettende Blut des Passahlammes
an der „Türe" erscheint in diesem Zusammenhang als prophe=

tisches Logos=Motiv. — Der Logos ist ja die „Erstgeburt" im umfassenden Sinne und — richtig verstanden — das Prinzip der Erstgeburt für die Schöpfung und ihre Geschicke.

Philo

Von der Persönlichkeit Philos ist nicht viel bekannt. Er lebte etwa 25 vor bis 50 nach Christus in Alexandria. Aus vorneh= mem jüdischem Priestergeschlecht stammend, war er zeitlebens ein strenggläubiger Israelit und hielt auf die genaue Befolgung des mosaischen Gesetzes. Seine Bildung war umfassend. Neben den Büchern des Alten Testamentes kannte er griechische Dich= tung und Philosophie wie ein gebildeter Hellene. Seine Sprache war Griechisch. Ob er Hebräisch verstand, wird bezweifelt. Er benutzte und zitierte das Alte Testament ausschließlich nach der griechischen Übersetzung, der sogenannten Septuaginta. Diese Übersetzung war im 3. vorchristlichen Jahrhundert entstanden für die zahlreichen Juden, die, in der griechischen Welt, vor allem in Alexandria lebend, die Sprache ihres Volkes nicht mehr be= herrschten. Philo betrachtete den Text dieser Übersetzung eben= so als inspiriert wie den hebräischen Urtext.[11] Mit der Sprache war indessen auch griechischer Geist in die Septuaginta einge= drungen, und zwar in dem Maße, daß man diese Übersetzung als ein erstes Erzeugnis des alexandrinischen Schrifttums be= zeichnet hat, d. h. als ein Ergebnis der Begegnung alttestament= licher Frömmigkeit und griechischen Denkens.

Aus dem Lebensgange Philos ist nur ein einziges Ereignis be= kannt. Als die Bedrückung der Juden in Alexandria seitens der Griechen unerträgliche Formen annahm, sandten sie im Jahre 40 n. Chr. eine Delegation an den Cäsar Caligula nach Rom. Philo wurde zum Führer dieser Abordnung bestellt. Daraus geht hervor, daß er bei seinen Volksgenossen in hohem An=

sehen stand. Aus seiner Beschreibung dieses Unternehmens ist abzulesen, daß er sich im allgemeinen von der öffentlich=politi= schen Seite des Lebens fernhielt, sich aber in dieser Notlage voll für seine Glaubensgleichen einsetzte.

In welcher Sukzession Philo mit dem vorangehenden Geistes= leben seines Volkes verknüpft war, ist nicht zu erkennen. Ari= stobul war der erste jüdische Denker, der mit seinem Namen hervortrat. Doch schrieb er anderthalb Jahrhunderte vor Philo. Zwischenglieder sind uns nicht bekannt. Die in diesen 150 Jah= ren niedergeschriebenen Bücher, z. B. die Weisheit Salomos, kön= nen, wie schon bemerkt, nicht in einem Stilzusammenhang mit Aristobul gesehen werden. Sie sind aus einer älteren Strömung hervorgegangen, der es eigen war, keine Verfassernamen zu führen. Und das hat wohl seinen Grund darin, daß der Visionär sich als Werkzeug, nicht aber als Verfasser seiner Schriften er= lebt, als Griffel, nicht als Autor. Hat doch noch Rilke eine An= zahl von Gedichten, die ihm von einer visionären Erscheinung zukamen, nicht als die seinen angesehen.

Ungelöst ist das Rätsel, wen Philo mit jenen „tiefer denken= den Männern" meint, die er häufig in seinen Büchern anführt. Aus der Art dieser Erwähnungen geht hervor, daß es sich um eine persönliche mündliche Tradition handelt. Die Bezugnahme auf diese Männer hat nie die Form des Zitierens aus einer Schrift. Es erfolgt auch nie die Nennung eines Namens. Wir be= gegnen hier zum erstenmal den Vertretern eines älteren Typus des geistigen Lebens, auf die wir noch öfter stoßen werden. Sie bleiben verborgen, sie sind namenlos, sie schreiben nicht. Aber sie haben einzelne Menschen zu Schülern. Die formelhaft wie= derkehrende Bezeichnung „tiefer denkende Männer" weist in die Richtung eines tieferen Wissens, nicht etwa eines präziseren Denkens. Von den bekannten, aber nur in schwachen Konturen erkennbaren geistigen Strömungen des späten Judentums kom= men jene Angehörigen der Weisheitsschulen oder die Essäer, die Philo bestens bekannt waren, als die tiefer Denkenden in Betracht. Philo befindet sich aber in keiner Abhängigkeit von ihnen. Er nennt sie immer mit Ehrerbietung, nimmt aber ge= legentlich auch Abstand von ihren Anschauungen. Und dieser Umstand dürfte wieder bezeichnend sein für die Entfaltung einer intellektuellen Freiheit gegenüber ehrwürdigen älteren Traditionen, wie sie sich um die Zeitenwende in der Persönlich= keit Philos vollzog. Seinerseits bemerkt er dann zu gewissen Stellen seiner Schriften, daß sie nur für „Eingeweihte" gemeint seien. Eine Untersuchung dieser Stellen, die hier zu weit führen würde, ergäbe eine ungefähre Vorstellung von dem, was Philo unter dem tieferen Wissen versteht.

Gegenüber den griechischen Philosophen nimmt Philo eine Haltung ein, die auf die Empfindung eines tieferen Zusammen= hanges mit ihnen schließen läßt. Diese Beziehung erschöpft sich für ihn nicht auf der intellektuellen Ebene, indem er die Lehren dieser Männer anerkennt und mit ihnen arbeitet. Seine Bezeich= nungen für sie sind dem religiösen Sprachschatz entnommen. „Göttliche Männer" sind ihm Heraklit, Zenon, Kleanthes. Und Platon, dessen Ideenlehre er in seine Anschauungen einbaute, ist ihm ein „Heiligster". Die griechischen Lehrer bilden nach seiner Empfindung einen „heiligen Verein"[12]. Darin kommt das dunkle Gefühl einer geistigen Bruderschaft, eines spirituellen Ordens, zum Ausdruck, das wir in der gesamten logosophischen Strömung immer wieder antreffen. Diesen Charakter hatte das Sprechen der Stoiker von Heraklit, und so und noch viel deut= licher sprachen später die griechischen Kirchenväter von ihren Vorgängern im Logos. Die Logiker fühlen sich über 700 Jahre wie in einer einzigen spirituellen Sukzession stehend, von *einem* Geiste getragen, der ihnen die Gedankenkraft gab und der sich dann den Christen als der Sohn Gottes enthüllte.

*

Von Philo sind uns etwa 50 Bücher vollständig, einige weitere in Bruchstücken erhalten.[18] Unter diesen Büchern sind freilich Schriften im Umfang unserer heutigen Broschüren zu verstehen. Trotzdem ist die ganze Fülle des Werkes Philos im Rahmen dieser Schrift auch nicht annähernd zu umreißen. Das Denken stellt sich bei Philo eine neue und besondere Aufgabe. Es sucht die Offenbarung im Alten Testament zu verstehen, zu erläutern und mit dem philosophischen Denken der Griechen in Einklang zu bringen. Man kann diese Wendung wohl als eine Abirrung der Philosophie von der Richtung des reinen Denkens zu der dienenden Rolle bezeichnen, welche sie im ganzen Mittelalter im Dienste der Religion gespielt hat. Andererseits kann man darin bei Philo keinen Verrat am freien Gedanken empfinden. Seine Geistesart drängte ihn zu dieser Art der Anwendung des Denkens. Er hat keine Erniedrigung dieses Vermögens darin gesehen. Denn in ihm selbst war eine ältere Bewußtseinsform, die dem Offenbarungselemente angemessen und ohne kritische Regung ergeben war, mächtiger wirksam als das neuere griechische Denken, so sehr er es auch bewunderte. Nach einem geschlossenen philosophischen System sucht man bei ihm vergebens. Dagegen hat er es in der Sprache des imaginativen Denkens zu originalen Neuschöpfungen gebracht. Würde man die Teile seiner Schriften für sich nehmen und zu einem Buche zusammenstellen, die sich in reiner Bildhaftigkeit ausdrücken, so würde eine Schrift entstehen, die sich zwischen dem Alten und Neuen Testament in die Bibel organisch eingliedern ließe.

Charakteristisch für Philo ist, daß er die in der Stoa gebildeten Begriffe oftmals sozusagen in die Bildersprache zurücktransponiert. So prägte er das Verhältnis des logos endiathetos zum logos prophorikos, also die Beziehung des schweigend innerhalb der Seele wirkenden Logos zu dem sich in der Sprache äußernden (Siehe S. 85 ff.) in folgendes Gleichnis: „Der eine Logos erscheint als Quelle, der andere als der Ausfluß. Der

Quelle gleicht der im Sinnen verharrende, dem Ausfluß der sich durch Mund und Zunge äußernde Logos."[14] Oder das Verhält= nis des *einen* Logos zu den zahllosen spermatischen logoi wird veranschaulicht durch den Koriandersamen, den man in belie= big viele kleinste Teile zerlegen kann, ohne daß eines dieser Teilchen die volle Keimkraft der ganzen Pflanze verliert. Diese Beispiele mögen gleichzeitig zeigen, daß bei solchen Gleichnissen an eindringlicher Anschaulichkeit gewonnen wird, was an intel= lektueller Trennschärfe verlorengeht.

Als Ausgangspunkt einer Darstellung von Philos Logoslehre nach den wichtigsten Richtungen hin bedarf es des Einblickes in seine Anschauungen vom Wesen Gottes selbst. Gegenüber der stoischen Logosophie, die von der inneren Erfahrung des Logos ausging und die übergeordnete höchste Gottheit niemals voll in ihr Blickfeld einbezog, steht für den gläubigen Juden Philo der Gott des Alten Testamentes an erster Stelle. Wenn er auch nicht viel über ihn zu sagen wagt und wenn auch dies Wenige fast verschwindet gegenüber der nach allen Seiten ausgebauten und komplizierten Logoslehre, so ist doch die letztere nur als der einzig zugängliche Weg zur Gotteserkenntnis gemeint. Es liegt nach Philos Anschauung im Wesen Gottes, daß er nicht unmit= telbar erkannt oder auch nur übersinnlich wahrgenommen wer= den kann. Alle Gotteserscheinungen des Alten Testamentes sind nach seiner Anschauung durch den Logos oder durch hohe Engel vermittelt. So die Schauerlebnisse Abrahams, Bileams, Moses' und der Hagar. In dieser Funktion wird der Logos als „gottesgleiches Bild", als „Abbild des Seienden (Gottes)", als „Engel der Vorsehung" bezeichnet.[15]

Von diesem Gedanken Philos aus fällt ein erhellendes Licht auf eines der Christusworte im Johannesevangelium (5, 46). In der großen Rede an die Juden, die ihm bereits nach dem Leben trachteten, sagt Christus:

Wenn ihr Moses glaubtet, so glaubtet ihr auch mir; denn er hat von mir geschrieben.

Das kann man freilich in dem engeren Sinne verstehen, wie es uns durch die Verweisungen der neueren Bibelausgaben auf einige prophetische Stellen in den Büchern Moses' nahegelegt wird. In diesem engeren Sinne hätte Moses eben das spätere Kommen Christi vorausgesagt. Sieht man dieses Christuswort auf dem Hintergrunde einer anderen Selbstbezeugung aus dem Johannesevangelium (8, 58): „Ehe Abraham geboren wurde, bin Ich", so haben wir die Voraussetzungen beisammen, es in einem umfassenden Sinne zu verstehen, wie es Philo und ihm folgend die frühen Lehrer des Christentums taten. Christus sprach schon zu Moses das „Ich bin der Ich bin" auf dem Berge der Offenbarung. Moses schrieb dann nicht von einem erst in ferner Zukunft erstehenden „Helden" und großen „Propheten", sondern von dem schon damals existierenden Logos=Christus, von dem er seine Offenbarung empfing.

So wenig das höchste Gotteswesen auch nur in der Schau für die Menschen in Erscheinung tritt, so wenig kommt es bei der Schöpfung mit dem Erschaffenen unmittelbar in Berührung. Auch hier ist der Logos der Ausführende. Wenn also Philo für Gott die Formel geprägt hat: τὸ ὄν (das Seiende) oder verstärkt τὸ ὄντως ὄν (wörtlich: das durch Sein Seiende), so haben wir unter diesem Sein eine Eigenschaft zu verstehen, die im Gegen= satz zum Dasein, zur Existenz steht. Gott ex=sistiert nicht, d. h., er ragt nirgends in das Dasein der Welt herein, sein „Sein" hat eine andere Qualität, die mit sub=sistieren am genauesten be= zeichnet werden könnte. Er ist die Sub=Stanz der Welten, die das Dasein alles Erschaffenen unter=hält. Über Gott kann auch schlechterdings nichts ausgesagt werden, als daß er in diesem Sinne subsistiert. Er ist ἄποιος (apoios), d. h. ohne Qualitäten, die mit menschlichen Begriffen und Worten zu fassen wären.

Nicht einmal das Schaffen, das Handeln, ist seinem Wesen eigen. Wo es beginnt, tritt eben der Logos, das schaffende Sohnes= wesen, in Kraft.

Die Stellung des Logos gegenüber der höchsten Gottheit wird in vielfachen Vergleichen und Bildworten ausgedrückt. Die all= gemeinste Formulierung lautet: „Höher als das Wort ist der Sprechende."[16] Das griechische Wortspiel λόγος — λέγων kommt nur voll zur Geltung, wenn wir etwas freier übersetzen: Höher als das Wort ist der, dem das Wort entströmt. Damit ist von dem Wort Logos ausgehend nicht nur ein Unterordnungs= verhältnis, sondern eine verschiedene Qualität des Seins be= schrieben. Denn wie der Sprechende durch das Wort erst zur Existenz bringt, was vorher im schweigenden Innesein noch nicht der Außenwelt angehörte, so ist auch der Logos „existent" gegenüber der verborgenen Seinsform Gottes.

Mit der Bezeichnung „der Erstgeborene" (πρωτόγονος) begin= nen die Attribute des Logos, die gleichzeitig seine Wesenhaftig= keit ausdrücken und eine Annäherung an die christlichen Vor= stellungen bedeuten. Wenn auch schon seit Heraklit der Logos als das Urprinzip der Schöpfung betrachtet wird und damit als ein Erstentstandenes anzusehen ist („er war, ehe die Erde war" Heraklit, siehe S. 34), so ist doch eine wesentliche Veränderung des Logos=Bildes darin zu erblicken, daß er nun als „der Erst= geborene" einem persönlich empfundenen höchsten Gottes= wesen gegenübersteht. Zur vollen Würdigung dieses Phäno= mens muß man bedenken, daß in Philos gesamtem Werk keine Spur davon anzutreffen ist, daß er mit dem gleichzeitig in Ent= stehung begriffenen Christentum in Berührung kam. Der Logos nahm bei ihm personellen Charakter an auf dem Hintergrund des jüdischen Monotheismus. Wenn uns auch in der Stoa schon eine „in sich selbst ruhende Gottheit" (siehe S. 56) begegnet, so ist sie doch weit eher ein höchstes philosophisches Prinzip als eine Vatergottheit im Sinne des Alten Testamentes. Nur ein

Angehöriger der Mosaischen Religion konnte dem Logos die Zwischengestalt geben zwischen der Gedankenfigur der Grie= chen und seiner Offenbarung in Christus. Diese Zwischengestalt entstand durch die vollkommene Personifikation mit den ent= sprechenden attributiven Aussagen. Sie hatte andererseits ihre Grenze in Philos Wort: „Der erhabene göttliche Logos erschien nicht in sichtbarer Gestalt."[17] Bedenken wir, daß dieser Satz in der Stunde der Epiphanie des Logos=Christus geschrieben sein könnte, so haben wir die ganze Tragik des Juden Philo vor Augen. Wie das gläubige Israelitentum den erwarteten Messias nicht erkannte, so hat Philo wohl gar keine Nachricht davon er= halten, daß die Erfüllung seiner Logosophie eingetreten war.

Diese Tragik erscheint noch tiefer, wenn wir sehen, daß der Logos von Philo nun sogar als $\upsilon\iota\acute{o}\varsigma$ $\vartheta\varepsilon o\tilde{\upsilon}$, als Sohn Gottes, be= zeichnet wurde.[18] Wenn das Gewicht dieser zwei Worte auch abgeschwächt wird durch den Umstand, daß dem Logos als dem erstgeborenen Sohn gelegentlich der Kosmos als zweiter Sohn ($\delta\varepsilon\acute{\upsilon}\tau\varepsilon\varrho o\varsigma$ $\upsilon\iota\acute{o}\varsigma$) an die Seite gestellt wird, so haben wir doch in dieser Benennung als „Sohn" einen weiteren Schritt auf dem Wege des Logos zur Personifikation zu erblicken. Bei dem ab= strakten Begriff eines übergeordneten Gottes, den wir in der Stoa antreffen, wäre es undenkbar gewesen, ihn auch nur gleichnishaft als Vater mit dem Logos als Sohn in Beziehung zu setzen.

Zur Klärung dieser Fragen bedarf es einer wenigstens skiz= zenhaften Andeutung der Entwicklung des Monotheismus. Die= ser hängt auf das engste mit der Ichentwicklung der Menschheit zusammen. Eine Menschheit vor der Ausbildung der Indivi= dualität wäre nicht in der Lage gewesen, sich die geistige Welt im Bilde *eines* Gottes vorzustellen. Die Voraussetzung dazu war, daß der Mensch die Fülle der eigenen Seelenkräfte unter das Szepter eines inneren Führungsprinzips, eines Hegemoni= kon, eben des Ich, gebracht hatte. Wie das Auge das Wahrneh=

mungsorgan für das Licht ist und die Seele das Organ für das „Göttliche" im allgemeinen und in seiner Vielfalt, so ist erst das Ich das Organ für den Einen höchsten Gott. Dieser Eine war und regierte zur Zeit der polytheistischen Religionen nicht weniger als später, und zur Zeit des Monotheismus gab es nicht weniger „Götter" in der geistigen Welt als früher. In der Ver= ehrung der vielen Götter spiegelte sich ein seelischer Zustand der Menschen, der weder das Walten der vielfältigen Kräfte, die sich in der Natur bekunden, noch derer, die den Mikrokosmos der Seele mit ihren verschiedenen Trieben, Kräften, Ängsten und Idealen bilden, in eine Einheit fassen konnte. Und so waren auch die vielen Götter keineswegs im gleichen Sinne geistige Personen, wie das im Monotheismus bei der Einen Gottheit ein= tritt. Es waren vielmehr Namen für unfaßbare Kräftewesen, die in *dieser* Beziehung noch eine gewisse Verwandtschaft hat= ten mit dem „Numinosen", das wir etwa bei Sturm oder Ge= witter, an der Herrlichkeit der Sonne oder der Gewalt des Wachstums erleben.

Der Weg durch die Logosophie von acht Jahrhunderten kann uns lehren, wie der reine christliche Monotheismus schrittweise am Logos und durch den Logos entsteht. Die innere Vernunft= kraft, die zugleich der Schöpfung zugrunde liegt, hatte auch in der Stoa schon die Stellung zwischen Gott oder den Göttern und dem Menschen inne, die später das Mittlertum des Sohnesgot= tes ausmacht. Aus dem Judentum kam die eigenartige, zwar strenge, aber durchaus noch nicht klar auf den Vatergott be= zogene Vorform des Monotheismus. Man könnte Jahve, den Gott des Volkes Israel, einen Statthalter des Vatergottes nen= nen, bis dieser durch den Sohnesgott offenbar wurde. Aber der jüdische Monotheismus erbrachte schon den Gedanken des philonischen Logos als Sohnes Gottes. Die Aufnahme dieser Gedankenform durch Johannes, Paulus und die frühen griechi= schen Väter ergab erst das eigentlich christliche Bild Gottes.

Der Monotheismus ist durch den Logos entstanden, der Vater=
gott wurde erst durch den „Sohn" offenbar. Wir sehen diesem
Prozeß bei Philo in einer wichtigen Phase zu. Sein τὸ ὄν, τὸ ὄντως ὄν (Das Seiende, das allein durch das Sein Seiende) ist
eben nicht mehr der Jahve des Alten Testaments, sondern eine
gültige Vorform des christlichen Vatergott=Bildes. Auf dem
Wege einer gewissen Abstraktion sprengt Philo die Grenzen
des jüdischen Gottes=Bildes und schafft sozusagen den Raum
für den christlichen Vatergott.

Bei der Erörterung der Frage, ob Philo unter seinem Logos
wirklich eine Person verstanden habe, eröffnet sich ein Ausblick
auf eine moderne Phase der Ich=Entwicklung. Heinze stand die=
ser Frage zwiespältig gegenüber. Einerseits kann er nicht leug=
nen, daß die philonischen Attribute des Logos, von denen schon
einige genannt sind, zu einer Bejahung dieser Frage veranlassen.
Andererseits tritt nun der Logos bei Philo mehrmals als ein
Wesen auf, das andere untergeordnete Wesenheiten, Engel und
„Kräfte" (δυνάμεις) in sich enthält. Dazu schreibt Heinze:
„Eine Person kann nicht verschiedene andere Personen zugleich
unter sich begreifen, eine Person muß stets substantiell sein."[19]
Wir stehen noch heute, 85 Jahre nachdem Heinze schrieb, im
allgemeinen auf der Stufe der Persönlichkeitsentwicklung, der
diese Schwierigkeit entspricht, sich ein personelles Wesen als
von anderen Wesen gleichsam bewohnt vorzustellen. Das Ich=
bewußtsein hat sich bisher an der Erdenaußenwelt entwickelt
und hat von der Körperwelt gewissermaßen auf sich selbst
übertragen, daß dort, wo ein Körper ist, eben ein anderer nicht
sein kann. Eine erste Phase der Ichentwicklung konnte nur ein=
treten, wenn das Bewußtsein der Alldurchdringlichkeit des
geistigen Wesensbereiches nicht vorhanden war. So war für die
gleiche Epoche auch ein Monotheismus erforderlich, der die
unendliche Fülle der geistigen Wesenheiten, der Götter, außer
Betracht ließ und sogar alles vernachlässigte, was in den christ=

lichen Dokumenten selbst darüber enthalten ist. Erst die jetzt beginnende nächste Phase der Entwicklung des Ichbewußtseins kann wieder der Alldurchdringlichkeit des Geistes wie der „Menge der himmlischen Heerscharen" standhalten, ohne sich selbst zu verlieren.

Die vielfach aufgetauchten Zweifel daran, ob Philo unter dem Logos ein persönliches Wesen verstanden habe, gehen alle wie dieser Heinzesche auf eine Vorstellung von der Persönlich= keit zurück, die auf geistige Wesen nicht übertragen werden kann. Philo hätte sicher eine solche Problematik überhaupt nicht verstanden, wiewohl er die Beziehung zu geistigen „Personen" gewiß nicht aus einem modernen Ichbewußtsein, wie es etwa aus Fichte sprach, sondern aus älteren Kräften herstellte. Wir werden im folgenden sehen, daß er das Logoswesen kraft eines verglimmenden, aber eben doch noch vorhandenen Bilder= bewußtseins erfaßte.

Bevor wir in die Betrachtung der Funktionen eintreten, in denen der Logos bei Philo auftritt, sei noch ein Blick auf die Stellung des Logos zu der Sophia geworfen. Wie zu erwarten, bewegt sich Philo dabei auf den Wegen seiner jüdischen Vor= gänger. Die erste gleichnishafte Stelle, die in Betracht kommt, schließt sich an eine Erläuterung der Flüsse des Paradieses an:

> Der göttliche Logos entspringt wie ein Fluß aus der Quelle der Sophia, damit er die göttlichen und himmlischen Keime und Gewächse in den das Gute liebenden Seelen begieße und tränke als (sein) Paradies.[20]

Unmittelbar vorher wird die Sophia in einer allegorischen Weise mit dem Garten Eden, also mit einem Urzustand der Schöpfung gleichgesetzt. Über Philos allegorische Methode kann man wohl verschiedener Meinung sein. Gerecht wird man ihr erst, wenn man in ihr von vornherein eine Gedankenlogik gar nicht sucht, sondern sich auf die ältere Geistesart der bild=

lichen Aussagen einläßt, die eine andere Gesetzmäßigkeit hat. Philo hat das Alte Testament nicht im neueren Sinne durch Allegorien kommentieren wollen, seine „Allegorien" entstammen selbst noch einem Übergangsstadium des Bilderbewußtseins. Wenn man es also gewaltsam finden mag, daß hier die Sophia in ein Identitätsverhältnis zum Paradies gesetzt ist, so ist schon der logische Begriff der Identität fehl am Platze. Dagegen kommt durch diese „Allegorie" eine Anschauung Philos zu einem gültigen bildhaften Ausdruck, nämlich der Rang und Charakter der Sophia. Wenn diese auch „die höchste und erste von den Kräften"[21] genannt wird, die Gott aus sich hat hervortreten lassen, so soll ihre Beziehung zum frühesten Zustand der Schöpfung gleichnishaft nichts anderes besagen, als daß sie je näher am Ursprung desto unmittelbarer zur Entfaltung kam.

Wenn nun der Logos — wie ein Fluß aus der Quelle — aus der Sophia entspringt, so ist damit zweierlei ausgedrückt. Einmal die Anschauung, daß es einen von Gott „gedachten" Weltplan gegeben habe, bevor er durch den Logos in die Existenz gebracht wurde. Diesen in sich selbst die Welt ersinnenden Gott stellt die zweite Person von Philos Trinität, die Sophia, dar. Darum wird sie die erste ($\pi\varrho\omega\tau\iota\sigma\tau\eta$) seiner Kräfte genannt. Darin liegt der Gedanke, daß Gott, bevor er an die Erschaffung der Welt „dachte", in einer noch verborgeneren Seinsform war als die Sophia; daß schon das Bilden des Urgedankens der Welt für Gott ein Hervortreten, einen ersten Schritt in der Richtung nach einem Außerhalb der göttlichen Innerlichkeit bedeutete. Wenn bei Philo wie in anderen spätjüdischen Schriften auch die Sophia in ähnlicher Weise wie der Logos an der Weltschöpfung beteiligt wird, so ist das nur ein logischer Widerspruch oder eine logische Gleichsetzung, nicht aber eine wesenhafte. Denn wenn die Sophia als die Inhaberin jenes Bauplanes angesehen war, so konnte sie ja an seiner Ausführung nicht ohne Anteil bleiben.

Bildhafte Aussagen sind gedanklich immer mehrdeutig. Und so liegt hier in dem Bilde des aus der Sophia hervortretenden Logos auch eine bewußtseinsgeschichtliche Aufeinanderfolge beschlossen. Jahrabertausende *empfing* die Menschheit in den Mysterienstätten die Weisheit, bevor der Logos den ersten Ge= danken in einer Menschenseele *erzeugte*. Dabei aber erlebte sich der Mensch nicht mehr nur als der Empfangende, sondern gleichzeitig als der Erzeuger. Nicht die Sophia, sondern der Logos wurde im Menschen zum Ich. Er „tränkt die himmlischen Keime *in* den Seelen".

Was durch das Gleichnis von Quelle und Fluß über das Ver= hältnis der Sophia zu dem Logos ausgesagt ist, kommt schließ= lich noch in einer unmittelbareren und umfassenderen Form in der folgenden Stelle zum Ausdruck:

> Dem Logos wurde ein göttliches und reinstes Elternpaar zuteil: Gott selbst als Vater, der auch der Vater des Alls ist, und die Sophia als Mutter, durch die das All zur Entstehung kam.[22]

Dieser Satz dürfte die erste Prägung eines Gedankens sein, der sich durch Jahrhunderte in der christlichen Welt weiterent= wickelte und in kaum mehr erkennbarer Form noch in die Ge= genwart hereinragt: Die himmlische Mutter des Logos. Zweier= lei Elemente flossen in der christlichen Sophia=Gestalt zusam= men. Von der einen Seite kam dieses Bild aus der Logosophie Philos. Daß es von den frühen Apologeten aufgenommen wurde, geht aus der Stelle bei Theophilus hervor, die oben (S. 87) schon zitiert ist. Auch dort erzeugt Gott mit der Sophia den Logos.[23] Bei diesem christlichen Bischof kann ja kein Zwei= fel sein, daß er an den Logos dachte, der sich in Christus offen= barte. Er suchte die Mutter des Logos=Christus in einer über= irdischen göttlichen Gestalt, eben in der Sophia.

Als zweites Element floß in das entstehende Bild der Gottes=
Mutter die Verehrung der irdischen Mutter Jesu, der Maria, ein.
Sie erschien ursprünglich nur als irdische Spiegelung der himm=
lischen Sophia. Und dies war für die Zeitgenossen durch eigene
Anschauung, für die folgenden Geschlechter durch das Evange=
lium wohl begründet. Der fast formelhafte Satz: „Sie bewegte
diese Worte in ihrem Herzen"[24] ließ sie als eine tiefe Seele
erscheinen, die den Geist der Offenbarungsworte mit der Kraft
des Herzens ergriff, mit einem „Herzdenken", das den über=
sinnlichen Wahrheiten in höherem Grade gerecht wird als das
„Kopfdenken". Wer aus der Logosströmung der griechischen
Philosophie kam, mußte aufhorchen bei diesem Satz: Sie be=
wegte die Worte in ihrem Herzen". Denn das Herz galt seit der
frühen Stoa als Organ für das „Wort". Dann erscheint Maria
unter dem Kreuz in eine intime Beziehung gesetzt zu dem Jün=
ger, der dem Logos im Herzen des Christus gelauscht hatte und
der dann das Logos=Evangelium schrieb. Daß man diese Be=
ziehung der Mutter Maria zu dem Logos=Jünger nicht als Zufall,
sondern als Ausdruck ihres Wesens ansah, in dem sich eine Art
Spiegelung des Sophia=Logos=Verhältnisses andeutete, mag der
Grund dafür gewesen sein, daß die Legende und tausend bild=
liche Darstellungen später Maria im Mittelpunkt des Pfingst=
ereignisses erscheinen lassen. Ihre Gestalt wirkt dabei ja ge=
radezu als Symbol einer bestimmten Seelenhaltung gegenüber
dem „Heiligen Geist", als Ausdruck dessen, was in den um sie
gescharten Jüngern vor sich geht. Überschreitet das geistige
Leben im Menschen die Zone der Gedanken, die als selbstgebil=
det erlebt werden, und erreicht es den Charakter eines begna=
deten Empfangens aus dem heiligen Geist, aus der Inspiration,
so wird dieser höhere Grad des Bewußtseins in der Sprache der
Bilder durch eine weibliche Gestalt wieder genau und richtig
dargestellt.

Als im Konzil von Ephesus (431) die irdische Mutter Jesu

zur Gottesgebärerin ($\vartheta\varepsilon o\tau\acute{o}\varkappa o\varsigma$) erhoben wurde, war das Un=
heil des Konzils von Konstantinopel (869), in dem der Geist
als dritter Wesensbestandteil des Menschen neben Leib und
Seele hinwegdogmatisiert wurde, schon im Keime veranlagt.
Die irdische Maria trat an die Stelle der himmlischen Sophia
als „Mutter Gottes". Der Logos=Aspekt des Christus wurde
verdunkelt, und die zum Logos gehörige himmlische Genealogie
verschwand. Nur in den östlichen Kirchen lebte die Gestalt der
Sophia weiter.

In der römischen Kirche wurde in einem 1500 Jahre dauern=
den Prozeß die menschliche Muttergestalt der Maria zu einem
halbgöttlichen Mittlerwesen zwischen den Menschen und Chri=
stus erhoben. Alle in der Menschheit noch vorhandenen seeli=
schen Regungen einer nach Schutz, Geborgenheit, Hilfe und
Fürsprache suchenden Kindlichkeit wurden auf diese Gestalt
geleitet und an ihr belebt, während der Sophia=Aspekt völlig
zurücktrat. So ist diese Gestalt ein eigenartiges Symbol einer
rückläufigen Bewußtseinsentwicklung geworden, die an Stelle
der schon seit Heraklit vorbereiteten Immanenz des Logos zwi=
schen diesen und die Seele noch ein Mittlerwesen, eine Für=
bitterin einschiebt, die schon ihrerseits der seelischen Außenwelt
angehört. Christus ist dadurch gleich um zwei Grade der unmit=
telbaren Erreichbarkeit entrückt.

*

Wenn die folgenden schönen Sätze über die Sophia auch ohne
Bezug auf den Logos sind, seien sie zur Charakteristik dieser
Figur doch angefügt. Inhaltlich ist das Gesagte auch auf den
Logos übertragbar, da es sich, wie erläutert, bei dem Gegensatz
von Sophia und Logos hier in erster Linie um Symbolgestalten
für verschiedene Bewußtseinsstufen, bei beiden aber oft um die
gleichen Funktionen gegenüber der Welt und dem Menschen
handelt.

Wie das Musikalische durch die Musik und das in jeder Kunst gelegene durch die betreffende Kunst angeeignet wird, so wird das Weise durch die Sophia wahrgenommen. Diese Sophia ist nicht nur gewissermaßen das Organ, mit dem das Licht gesehen wird, sondern sie sieht sich auch selbst. Sie ist das Urbild des Lichtes, die Sonne ist ihr Gleich= nis und Abbild.[25]

Oben wurde schon eine ähnliche Aussage des Poseidonios über den Logos angeführt (S. 64). Das Wesen des Weltalls werde mittels des Logos erkannt, durch den die Welt und die menschliche Vernunft entstanden ist. Bezeichnend für das We= sen der Sophia ist es nun, daß sie von Philo nicht als Erkenntnis= organ für die Welt, sondern für „das Weise" beschrieben wird. Der Drang nach Welterkenntnis, die Wissenschaften, sind erst im Logosstadium des menschlichen Bewußtseins aufgetreten. Die Sophia ist die Vermittlerin der intimeren Lebensweisheit der Seele. Über den Satz des Poseidonios hinaus geht dagegen Philos Bemerkung, daß die Sophia nicht nur ein Wahrneh= mungsorgan für das Weise sei, sondern in dieser Wahrnehmung zur Selbstschau komme. Denn dies ist ja der gedankliche Sinn dieser Bemerkung. Es tritt dabei wohl zum erstenmal der Ge= danke auf, daß die Entfaltung der menschlichen Erkenntnis= fähigkeit auch für die hohen geistigen Wesen Bedeutung hat. Sie „sehen sich selbst" im entwickelten Menschengeist wie in einem Spiegel zum erstenmal gleichsam von außen. Wie wir sahen (S. 65 f.), hat später Celsus den gleichen Gedanken zum Ausdruck gebracht.

Ein tiefes Wissen spricht sich auch darin aus, daß für Philo das Sonnenlicht und die Weisheit Offenbarungen derselben Kraft auf verschiedenen Ebenen sind. Eine Anschauung, die in der Anthroposophie ihre Erneuerung gefunden hat.

Diese Sätze Philos reihen sich als ein weiteres Glied in die

Geschichte des Gedankens ein, den wir oben (S. 64f.) von Posei=
donios bis zu Goethe verfolgt haben, des Gedankens, daß das
Gleiche vom Gleichen erkannt werde.

*

Die Anschauungen vom Hergang der Schöpfung durch den
Logos erfahren durch Philo mannigfache Erweiterungen. Ihn
beschäftigt in erster Linie die Beziehung, die der Logos dabei
zu Gott, seinem Vater, einnahm. Er wird in seiner Funktion bei
der Erschaffung der Welt schlechterdings der Erzeuger $\gamma\varepsilon\nu\nu\eta\tau\acute{\eta}\varsigma$
genannt:

> Der Erzeuger folgt den Wegen seines Vaters, und auf die
> urtypischen Musterbilder ($\pi\alpha\varrho\alpha\delta\varepsilon\acute{\iota}\gamma\mu\alpha\tau\alpha$ $\dot{\alpha}\varrho\chi\acute{\varepsilon}\tau\nu\pi\alpha$) des
> Vaters schauend schuf er die Urbilder ($\varepsilon\check{\iota}\delta\eta$).[26]

Die Bedeutung des Wortes Weg ($\dot{o}\delta\acute{o}\varsigma$) im Zusammenhang
der Logosophie haben wir schon bei Heraklit kennengelernt
(S. 32). Weg heißt hier: der Weltenlauf durch Entstehen und
Vergehen der einzelnen Phasen des Planeten. Das griechische
Verb, das die Beziehung des Logos zu diesen „Wegen des
Vaters" ausdrückt, ist im Deutschen kaum wirklich zu ver=
wenden. Es bedeutet „nachahmen" ($\mu\iota\mu\sigma\acute{\nu}\mu\varepsilon\nu\sigma\varsigma$), und darin
kommt zum Vorschein, daß jene „Wege" nicht gegangen, son=
dern getan werden.

Was oben über das Wesen der Weisheit ausgeführt ist, tritt
in diesem knappen Schöpfungsbericht deutlich in Erscheinung.
Philo nimmt eine Vor=Schöpfung von noch nicht existenten
geistigen Muster=Bildern durch das Gotteswesen an. Auf sie
schaut der Logos und bildet danach noch nicht die physische
Welt, sondern erst die Urbilder, die aber nun schon als hervor=
gebracht erscheinen, in einem Zwischenzustand zwischen den
noch im Innern der Gottheit verborgenen Muster=Bildern und
ihrem physischen Zustand. Schon existent, aber noch nicht

stofflich. Es geht daraus hervor, daß Philo wie Moses von einer doppelten Schöpfung wußte.[27]

Der wunderbare Bildausdruck für das Verhalten des Logos gegenüber seinem Vater: Er schaut die Werke des Vaters an und richtet sein eigenes Handeln danach, begegnet uns im Johannesevangelium wieder. Dort bezeichnet einmal Christus seine Beziehung zu seinem Vater mit den Worten:

> Der Sohn kann nichts tun aus sich selbst, als was er den Vater tun sieht. Was jener tut, das tut der Sohn in entspre=chender Art. Der Vater liebt den Sohn und zeigt ihm alles, was er selbst tut.[28]

Wir beziehen mit gutem Recht, was Christus hier von seinem Tun sagt, auf seine Taten als Mensch=gewordener Sohn Gottes während seines Erdenwandels. Denn Christus selbst hat sich nie historisch kommentiert und von seinem Anteil an der Schöpfung gesprochen. Diesmal waren seine Taten andere, und auf diese anderen Taten war jetzt sein ganzes Streben und Sin=nen und seine Offenbarung im Worte gerichtet. Trotzdem ist es auch voll berechtigt, dieses Gleichnis vom Anschauen der Taten Gottes und von ihrer Übertragung in die erschaffene Welt im umfänglichen Sinne zu verstehen. Und wir dürfen wohl anneh=men, daß etwa der Jünger Johannes den zweifachen Sinn sol=cher Worte verstand. So sehen wir bei Philo ein Bildwort für den Logos geprägt, das zur gleichen Zeit Christus auf sich selbst anwandte.

Das einfache Bild des Logos, der auf die göttlichen Muster=bilder schauend die geistigen Urbilder der Schöpfung formt, wird bei Philo in seinem Buche über die Weltschöpfung noch ausgestaltet. Philo spricht dort von einer Gedankenwelt ($\nu o \eta \tau \grave{o} \varsigma \; \varkappa \acute{o} \sigma \mu o \varsigma$), die von Gott am ersten Schöpfungstage ge=bildet wurde. Es wird betont, daß sie physisch noch nicht existent ist. Sie „hat noch keine Stätte außerhalb ($\chi \acute{\omega} \varrho \alpha \; \grave{\varepsilon} \varkappa \tau \acute{o} \varsigma$)".

Die doppelte Schöpfung, erst durch den Vatergott, dann durch den Logos, wird durch einen besonderen Vergleich ausgedrückt. Ein König, der eine Stadt erbauen will, sucht sich einen Bau= meister, der nach dem königlichen Willen den Plan der Stadt erst „in sich selbst entwirft" (διαγράφει ἐν ἑαυτῷ). Auch hier tritt also die Anschauung auf, daß auch die Schöpfung durch den Logos, der mit dem Baumeister gemeint ist, zunächst noch in übersinnlicher Form vor sich geht. In einer knappen Zusam= menfassung metamorphosiert Philo dann diesen Gedanken:

> Der Gedanken=Kosmos ist nichts anderes als der Logos des bereits welterschaffenden Gottes, wie eine gedachte Stadt nichts anderes ist als die Überlegung des Architek= ten, der eine sichtbare Stadt gemäß der gedachten schaffen will.[29]

Hier ist nun der Logos mit dem Gedanken=Kosmos Gottes selbst identifiziert. Zweihundert Jahre später finden wir diesen Gedanken bei Origenes wieder:

> Du fragst, wodurch es sich erweise, daß der Erstgeborene aller Schöpfung der Kosmos sein könne und mehr noch, wieso er mit der vielgestaltigen Sophia identisch sei: er ist es dadurch, daß er die Logoi von allem, was ist, in seinem Sein enthält. Die Logoi, durch die alles entstanden ist, was Gott in der Sophia geschaffen hatte — wie der Prophet sagt: Alles hat er in der Weisheit (Sophia) geschaffen. So mag er auch selbst der Kosmos sein, umso reichhaltiger, als die stoffliche Welt und, von ihr verschieden, als der von jeder Stofflichkeit freie Logos des gesamten Kosmos sich unter= scheidet von dem stofflichen Kosmos; denn dieser empfängt seine Gestalt nicht vom Stoffe, sondern von seinem Anteil am Logos und an der Sophia, die dem Stoffe seine Ordnung und Gestalt erteilen.[30]

Auch Origenes spricht hier von einer doppelten Schöpfung, einer ersten, die Gott unmittelbar in der Sphäre der Sophia voll= zog, und einer zweiten, die durch den Logos äußere Gestalt an= nahm. Der Sohnesgott ist selbst der „Kosmos", insofern er die Logoi, die Geistgedanken alles Entstandenen, in sich enthält. Für diesen Gedanken prägt Philo an anderer Stelle[31] das Bild: Der Logos ist das Buch, in das der Plan der Schöpfung eingeschrieben ist. Dieses Bild ist auch in der Apokalypse des Johannes anzutreffen. Auf dem Kuppelmosaik des Baptiste= riums der Orthodoxen in Ravenna liegt es als Logos=Symbol auf vier Altären, und wo heute noch aus alter Tradition „Das Buch" auf dem Altar der evangelischen Kirchen aufgeschlagen liegen bleibt, ist es das Logos=Zeichen, das bei Philo zuerst auftaucht. Insofern dieses Buch den Schöpfungsbericht enthält, ist es sogar noch im Sinne Philos auf den erschaffenden Logos bezogen.

Man kann freilich einen logischen Widerspruch konstatieren, wenn der Logos einmal als Baumeister der Welt und dann als Buch bezeichnet wird, in dem der Weltplan enthalten ist. Die Bildersprache Philos folgt aber anderen Gesetzen als denen der Logik. „Baumeister" ist ein Bildwort für den Logos, der den erst im Geiste bestehenden Urgedanken der Welt bereits aus= führt. Das Siegel „Buch" bezeichnet den Logos, insofern er den Bauplan und, wie wir sehen werden, auch den „Heilsplan" der Welt in sich enthält. Dem „Baumeister" verdanken wir unsere Existenz, dem „Buche" je nach unserer Erkenntniskraft die Offenbarung des Weltplanes und die Möglichkeit, „Mitarbei= ter" daran zu werden (siehe S. 76 ff.).

Was uns aus Philos (und Origenes') Darstellung einer zwei= fachen Schöpfung entgegentritt, kann einen aus dem herkömm= lichen Denken nicht leicht zu erfassenden Satz aus dem Opfer= kultus der Christengemeinschaft verständlich machen. Auch hier spricht der Text in knappster Form von zwei Akten der Schöpfung, von einer ersten „Fügung" des Weltgebildes aus

der Ursubstanz des Vatergottes und von einer folgenden „Ver=
wandlung" des zuerst geistig Gefügten in die Gestalt seiner
Erscheinung. Es handelt sich dabei um die gleichen Phasen der
Schöpfung, die Philo mit seinem erst erschaffenen Architektur=
plan der Welt und mit der folgenden Übertragung dieses Ge=
danken=Kosmos in die physische Existenz gemeint hat.

Dem mit dem Kultus der Christengemeinschaft vertrauten
Leser wird ja ebenso schon deutlich geworden sein, daß wir in
der Bezeichnung Philos für den Vatergott: τὸ ὄντως ὄν, das Ur=
Sein, die allem Dasein zugrunde liegende Substanz, das gleiche
Erlebnis des Weltengrundes finden, das in dem trinitarischen
Rahmengebet der Weihehandlung zum Ausdruck kommt. Und
daß in einer frappant ähnlichen Art hier wie dort der Logos
bzw. der Sohnesgott als das schaffende Weltprinzip verstanden
ist. Der Rückblick auf die griechische Logoslehre ist heute inso=
fern fällig, als er sozusagen wagrecht über die Senke der Zei=
ten eine Phase des Gefälles mit einer entsprechenden des
Anstiegs verbindet.

Findet sich schon bei Heraklit nahezu wörtlich ein Satz des
Johannesevangeliums vorgeprägt, so hat Philo das erste Wort
dieses Evangeliums bereits auf den Logos angewandt. Mehr=
fach treffen wir bei ihm Sätze an wie diesen:

Τέλειος λόγος ἀρχὴ γενέσεως.[32]
Der vollendete Logos ist das Urprinzip der Schöpfung.

Das Wort Archē bedeutet im Griechischen überhaupt nicht
„Anfang" im Sinne einer abstrakten Zeitbestimmung. Durch
die Übersetzung mit dem lateinischen „principium" wird deut=
lich, daß es sich bei diesem Worte um die Bezeichnung der Kraft,
des Prinzips handelt, aus dem ein „Anfang" kommen kann. Im
gleichen Sinne ist ja das Wort Archē im Prolog des Johannes=
evangeliums zu verstehen. Auf die Gefahr hin, selbst des My=
thologisierens geziehen zu werden, sei hier der fast unabweis=

bare Eindruck geäußert, daß sich der Logos, als er den Menschen die Kraft des Gedankens gab, von seiner Offenbarung in den ephesischen Mysterien bis in die Zeit seines Erdenwandels in dem Christus eine Art Leiblichkeit aus Gedanken, Worten und Bildern mittels der griechischen Sprache geschaffen hat. Von einem so umfassenden System von Zufällen zu sprechen, ist doch eigentlich ebenso unmöglich, wie es sich immer deutlicher als unhaltbar erweist, die Gleichklänge in den Evangelien und in der griechisch=alexandrinischen Logosophie auf den simplen Nenner des Abschreibens zu bringen.

Haben wir bisher Philo auf Gebieten kennengelernt, die man noch als philosophische und theologische bezeichnen kann, so haben wir ihm nun in Regionen zu folgen, die nach dem mo= dernen Sprachgebrauch „okkulte" genannt werden müßten. Dem Geiste jener Zeit folgend wäre es wohl richtiger, in Philo einen späten Eingeweihten oder eben einen der „tiefer for= schenden Männer" zu sehen. Zwar sind die Elemente seiner Lehre vom Urmenschen im ersten Buch Moses enthalten. Für das Bewußtsein sind sie gleichwohl verlorengegangen. Aus den beiden Schöpfungsberichten der Genesis entnahm Philo auch eine zweifache Erschaffung des Menschen oder genauer ge= sprochen eine Erschaffung in zwei Phasen. Den ersten Bericht (1. Moses 1, 27) bezog er auf die Bildung eines Urmenschen, der so wenig wie das geistige Urbild der Welt schon dem Erdenplan angehörte. Dem Text des Alten Testamentes ent= nahm er noch richtig, daß dieser Urmensch männlich und weib= lich in einem war. Seine Vorstellungen von diesem Ur=Men= schen faßt er in die Worte:

> Der nach dem Ebenbild (Gottes) geschaffene Mensch war die Idee, die Gattung, das Siegel ($\sigma\varphi\varrho\alpha\gamma\ell\varsigma$) des Menschen, rein geistig ($\nu o\eta\tau\acute{o}\varsigma$), unkörperlich, weder männlich noch weiblich, und von Natur unsterblich.[33]

Der häufige technische Ausdruck „Siegel" wird bei Philo immer dort gebraucht, wo es sich um die Prägung eines Gebil= des nach seinem geistigen Urbild handelt. Diese erste Schöpfung des Menschen verstand Philo also so, daß vom Menschen eben erst das Siegel, aber noch keine Prägung, erst die Gattung, aber noch nicht die Spezies, erst die Idee, aber noch nicht das physi= sche Gegenbild entstand. Erst die zweite Phase der Schöpfung, die Erschaffung im „Staub von der Erde" (1. Moses 2, 7), brachte den irdischen Menschen hervor, den Philo als „sinnlich wahr= nehmbar, von bestimmten Eigenschaften, aus Leib *und* Seele bestehend, entweder Mann oder Frau und von Natur sterb= lich"[34] ansah.

Aus dem Ganzen der philonischen Schöpfungslehre steigt nun die Frage auf: in welcher Weise war der Logos an der Er= schaffung des Menschen beteiligt? Wenn er den Gesamtplan der Schöpfung wie ein „Buch" enthielt und wenn er als „Baumei= ster" die Verwirklichung des geistigen Urkosmos leitete, auf welche Art war er an dem Urmenschen und an der zweiten Ent= stehungsphase des Menschen als des höchsten Erdengeschöpfes beteiligt? Es überrascht nach diesen Voraussetzungen nicht mehr, wenn wir für den Logos nun folgende Bezeichnung finden:

$\delta\ \check{\alpha}\nu\vartheta\varrho\omega\pi o\varsigma\ \vartheta\varepsilon o\tilde{v}$ — der Mensch Gottes
$\delta\ \check{\alpha}\nu\vartheta\varrho\omega\pi o\varsigma\ o\dot{v}\varrho\acute{\alpha}\nu\iota o\varsigma$ — der himmlische Mensch
$\delta\ \varkappa\alpha\tau'\ \varepsilon\dot{\iota}\varkappa\acute{o}\nu\alpha\ \check{\alpha}\nu\vartheta\varrho\omega\pi o\varsigma$ — das Menschen=Urbild

Der Logos ist also selbst dieser Urmensch, das Siegel, nach dem der Erdenmensch geprägt ist. In Goethes Sprache heißt das: Wie die Urpflanze als Individualität, als Gattungswesen selbst unsichtbar die Arten der einzelnen Pflanzen in ungezähl= ten Metamorphosen hervorbringt, so ist der Logos das Gat= tungs=Wesen, das Urbild, nach dem alle einzelnen Menschen entstanden sind.

Es hat gewiß in den ersten christlichen Jahrhunderten viele Menschen gegeben, die Philos Schriften kannten und dann das Johannesevangelium lasen. Mußten sie nicht ganz unwillkür= lich an den Logos als an das Urbild des Menschen erinnert werden, wenn sie dort diesen ahnungslos abgründigen Ausruf des Pilatus fanden, mit dem dieser Römer seinen unmittelbaren Eindruck von Christus noch in seiner Erniedrigung wiedergab: Ἰδοὺ ὁ ἄνθρωπος — Siehe *der* Mensch! War Philos Logos im genetischen Sinne als himmlischer Ur=Mensch verstanden, so trat in Christus das ethische Idealbild des Menschen auf der Erde in Erscheinung. Eine Empfindung für das Letztere mag Pilatus das Wort in den Mund gelegt haben, das für einen Logo= sophen diesen und gleichzeitig den kosmischen Sinn enthielt.

Philo hat noch nicht systematisch gedacht. Die Elemente sei= ner Logoslehre, die dieser Betrachtung zugrunde liegen, sind ohne Ordnung in seinen Schriften verstreut. Trägt man sie aber zusammen, so ergibt sich gleichwohl ein geschlossenes Gesamt= bild, das unserem modernen Erkenntnisbedürfnis Genüge tut. Wenn der Logos als der Träger und Gestalter des ganzen gött= lichen Weltplans betrachtet wird und gleichzeitig als das Urbild des Menschen, als der himmlische Mensch, so ergibt sich ge= danklich aus dieser seiner Doppelfunktion, daß zwischen dem Menschen und dem Kosmos durch den Logos eine bestimmte Beziehung entsteht. Hält der Logos in seinem Wesen die Ur= bilder aller Teile des erschaffenen Himmels wie der erschaffenen Erde umfaßt und wird er andererseits als Gesamtwesen „der himmlische Mensch" genannt, dem der Erdenmensch als Abbild entspricht, so ist der Erdenmensch als ein Abbild des Kosmos im kleinen aufzufassen. Und tatsächlich finden sich bei Philo die entsprechenden Äußerungen:

Der Mensch ist ein verkürzter Kosmos, der Kosmos aber ein großer Mensch.[85]

Philo setzt diesem Wort voraus: „Einige sagen . . ." und be=
zieht sich damit auf den schon vor ihm, z. B. bei Pythagoras,
vorhandenen Gedanken einer Entsprechung von Mikrokosmos
und Makrokosmos. Wir sehen aber, daß diese Anschauung sei=
nem eigenen Weltbild so vollkommen gemäß ist, daß sie aus
diesem selbst hätte hervorgehen müssen, wenn sie nicht schon
bestanden hätte. Diesen grundlegenden Gedanken breitet nun
Philo nach mehreren Seiten aus:

> Jeder Mensch ist durch seine Vernunft mit dem göttlichen
> Logos verwandt, da er als Abbild, als Abspaltung, als Ab=
> glanz seines seligen Wesens entstanden ist; in der Glie=
> derung seines Leibes aber gleicht er dem ganzen Kosmos, da
> er aus den gleichen Elementen zusammengesetzt ist.[36]

So erscheint das Menschenwesen nun in zweifacher Weise als
Schöpfung des Logos: dem Leibe nach als eine Abbreviatur des
Logos=erschaffenen Kosmos, als aus dessen Elementen zusam=
mengestrahlt; dem Geiste nach gleichsam in einer zweiten Ge=
burt unmittelbar aus dem Wesen des Logos erbildet. Nun fin=
det sich bei Philo noch ein Gleichnis für die Beziehung des Logos
zum erschaffenen Kosmos:

> Der Logos, der Älteste (Sohn) des Seienden (des Vaters), ist
> in den Kosmos wie in ein Gewand gehüllt, in Erde und Was=
> ser, in Luft und Feuer und in alles, was darin enthalten ist.[37]

Der Kosmos als Hülle, als selbsterzeugte Weltenleiblichkeit
des Logos — dieser Gedanke ist im Christentum seither kaum
aufgenommen worden. Und gerade die Wiederbelebung dieses
Gedankens ist es, die den christlichen Sakramentalismus allein
aus dem Bereich des Mirakulösen in das Licht der Erkenntnis
heben kann. Der Satz des Novalis von der „Allfähigkeit der
Erde, Leib und Blut Christi zu werden", erhält von dieser logo=
sophischen Seite her seine volle Ratio. Dem Gedanken Philos

wäre es entsprechend, in der Transsubstantiation irdischer Sub=
stanzen die Entzauberung der in ihnen enthaltenen Logoskräfte
aus einer inzwischen eingetretenen Verdunkelung und Ver=
unreinigung zu erblicken. Kein anderes Wesen als der Logos
könnte im Sinne Philos die Besiegelung seiner Wiederkunft in
die erschaffene Welt darin beschließen, daß die Bestandteile
seiner kosmischen Leiblichkeit, Brot, Salz und Asche für die
„Erde", Wasser, Wein und Öl für das „Wasser", Rauch und
Wohlgeruch für die „Luft", die Flamme und die brennende
Kohle für das „Feuer", geweiht und gewandelt in seinem Dienste
wirksam werden. Sind doch selbst die Farben, die an der kulti=
schen Kleidung erscheinen, nach Philo Erzeugnisse des Logos.[38]
Der Anteil des Menschengeistes am Logos (in der Sprache
Philos), der „Christus in uns", verleiht dem Menschen die Voll=
macht, mit den verborgenen Logoskräften der erschaffenen
Welt Sakramente zu vollziehen. Daß wir mit diesem Vorgriff
auf das Christentum die Grenzen Philos im Prinzip nicht über=
schreiten, möge das folgende Zitat erhärten:

> Es gibt zwei Tempel Gottes. Der eine ist der Kosmos, und
> in ihm waltet als Hoherpriester der Erstgeborene, der gött=
> liche Logos. Der zweite Tempel ist die logoserfüllte Seele.
> Darin ist Priester der wahre Mensch (πρὸς ἀλήθειαν ἄνθρω=
> πος). Sein sichtbares Abbild (der Priester) bringt dem Va=
> tergott die Gebete und Opfer dar. Er ist ermächtigt, das
> genannte Gewand (des jüdischen Hohenpriesters) anzu=
> ziehen, das ein Abbild des ganzen Himmels ist, damit ge=
> genseitig den heiligen Dienst verrichten der Kosmos am
> Menschen und der Mensch am All.[39]

Mit dem „wahren Menschen" ist niemand anders gemeint als
wiederum der Logos, und zwar der Mikrologos, der Logos als
der in der Seele in Verwirklichung begriffene himmlische
Mensch. Trägt der Priester als sichtbares Symbol dieses „wah=

ren Menschen" das Gewand, das ein Abbild des Kosmos ist, so stellt er den Logos in seiner Beziehung zum All im Kleinen dar. Wie der Logos vom Kosmos als von seinem Gewande ein= gehüllt ist, so zeigt der in der Priestergestalt in Erscheinung tretende Ur=Mensch in den Zeichen und Farben seiner Gewän= der ein Abbild des Kosmos sichtbar im heiligen Dienste. Haben wir oben bei der Betrachtung eines entscheidenden Satzes Phi= los über die Sophia gesehen, daß für sie ihr Eintritt in das menschliche Bewußtsein einen Akt der Selbst*erkenntnis* bedeu= tet, so finden wir in dem Priestergleichnis den in seiner kos= mischen und in seiner inner=menschlichen Funktion gegenseitig an sich selbst *handelnden* Logos dargestellt. Christus als der wahre Hohepriester ist ein Hauptmotiv des Hebräerbriefes. Der Anfang des 3. Kapitels lautet:

> So erkennet denn, ihr geweihten Brüder, die ihr der himm=
> lischen Berufung teilhaftig geworden seid, Jesus als den
> Sendboten und Hohenpriester unseres Bekenntnisses (ὁμο-
> λογία), der treu seinem Schöpfer dient, wie es auch Moses
> in seinem ganzen Hause getan hat. Er ist einer höheren
> Glorie erwürdigt worden als Moses, weil der Erbauer des
> Hauses einen höheren Rang innehat als das Haus selbst.
> Jedes Haus hat seinen Erbauer; das All hat aber Gott
> erbaut. ... Christus steht als der Sohn über seinem Hause.
> Und sein Haus sind wir.[40]

Genau wie bei Philo ist hier von den beiden Tempeln die Rede, in denen Christus als Hoherpriester waltet. Der Tempel des gotterbauten Alls und der Tempel der menschlichen Seele, die hier im besonderen als „Haus" des Christus bezeichnet ist.

Als letzter Aspekt des Makrologos sei nun derjenige geschil= dert, den Philo mit dem Bildworte τομεύς — der Zerteiler, kenn= zeichnet. Gemeint ist damit, daß der Logos die einheitliche Ur= substanz durch immer weitere Differenzierung und Scheidung stofflich und räumlich in die einzelnen Gebilde der Schöpfung zerteilt. Die Zwölfheit der Tierkreiskräfte, die Vierfalt der Ele=mente, die vielen Gattungen von Wesen, die weiter in die ein=zelnen Arten und Individuen geteilt werden, sind Phasen dieser Gliederung. Da der Logos aber selbst (in dem Plural der Logoi) in diese Aufteilung eingeht, ist dieser Prozeß gleichzeitig die Selbstzerteilung des Logos, sein kosmisches Opfer.[41]

Bei Heraklit findet sich das dunkle Wort: „Der Krieg ist der Vater aller Dinge."[42] Das war nicht militärisch gemeint. Es be=deutete vielmehr, daß sich alles Erschaffene in Polaritäten, Glie=derungen und Gegensätzen darstellt. Als Beispiel führt Heraklit an, daß es keine Musik gäbe ohne die Trennung der Töne.[43] Von Heraklits Buch sind ja nur einzelne Fragmente erhalten. Wahrscheinlich sind die Teile seiner Schrift, die den Satz vom fruchtbaren Krieg mit seiner Logoslehre in Beziehung setzen, nur verlorengegangen. Worin diese Beziehung besteht, wird bei Philo deutlich. Er meint das gleiche, wenn er alle einzelnen Bestandteile der Schöpfung durch immer weitere Trennung und Zerteilung entstanden sein läßt. Das Mittelglied zwischen Heraklit und Philo bildeten auch in dieser Hinsicht die Stoiker mit ihrem Logos spermatikos, das heißt mit der Aufgliederung des einheitlichen Logos in die geistigen Keime der einzelnen Dinge und Wesen.

Platon, den Philo gründlich kannte, hatte das Bild geprägt von der Weltenseele, die in der Form des griechischen Buch=staben Chi (X), also etwa in einer Figur, wie sie das sogenannte Andreaskreuz darstellt, auf dem erschaffenen Kosmos aus=gespannt ist. Das ist ein Sinnbild für die Ausbreitung des Geistigen in den Erdenraum, und die Vorstellung, die unwill=kürlich dabei entsteht, ist, daß es eine Aufopferung für den Geist oder für geistige Wesen ist, sich in Raum und Zeit, in Zahl und Form, in Körper und Stofflichkeit zu ergießen. Philo drückt die gleiche Vorstellung nur in anderer Weise durch sei=

nen Logos tomeus aus. Der Logos zerteilt sich selbst in die ausgespannte Welt der Schöpfung. Das Bild des Kreuzes wird von Philo nicht direkt verwendet, ergibt sich aber z. B. durch die Anschauung, daß der Logos auch den Tierkreis bildet, den Philo in „vierfacher Zerteilung in je drei Bilder"[44] darstellt, so daß zwei sich kreuzende Weltachsen entstehen. Und eine Vierheit bilden auch die Elemente. Doch liegt an diesem leisen Anklang an Platons Bild des Kreuzes weniger als daran, daß Philo den Logos in seiner Eigenschaft als Teiler und Selbstzer= teiler in die Richtung einer sich aufopfernden Wesenheit bewegt.

*

Den Übergang zur Betrachtung der zweiten Hauptmission des Logos, die dem bereits erschaffenen Erdenmenschen durch alle Zeiten gilt, mag eine Unterscheidung bilden, die Philo selbst am Schaffen des Logos gemacht hat. Er schreibt dem Logos zwei Vollmachten zu. Die eine nennt er die erschaffende Gewalt ($\delta\acute{v}\nu\alpha\mu\iota\varsigma\ \pi o\iota\eta\tau\iota\varkappa\acute{\eta}$). Sie bezieht sich eben, wie ihr Name sagt, auf die Erschaffung der Welt. Die andere nennt er die könig= liche Gewalt ($\delta\acute{v}\nu\alpha\mu\iota\varsigma\ \beta\alpha\sigma\iota\lambda\iota\varkappa\acute{\eta}$), „durch die der Demiurg das Erschaffene lenkt".[45] Gedacht ist dabei an die Lenkung des ganzen erschaffenen Kosmos durch die Erdenzeiten. Im Vorder= grunde steht aber die Leitung des Menschengeschlechtes. Diese nimmt nun bei Philo einen wesentlich anderen Charakter an als in der Stoa. Zwar kannten auch die Stoiker einen dem Logos übergeordneten „Gott". Doch war dies ein unbekannter Gott, dessen Charakter kaum über die Blässe eines höchsten philo= sophischen Prinzips hinausgeht. Der Blick der Stoiker ruhte fast ausschließlich auf dem Walten des Logos in der Seele, und zwar im Vernunftbereich, und von dort aus auf das Gebiet des sittlichen Lebens einwirkend. Daß der Logos dabei im Namen und Auftrag des höchsten Gottes handelt, lag außerhalb des Horizontes des stoischen Bewußtseins.

Für Philo war das On, das höchste Gotteswesen, mit dem vollen Charakter des im Mittelpunkt religiöser Verehrung und Opferriten stehenden jüdischen Gottes versehen. Der Logos, der Sohn Gottes, mußte notwendig in einer Mittelstellung zwischen Gott und Mensch den Ausgangspunkt seines Wirkens finden. Was er auch tut, geschieht in Ausführung eines höheren Willens. Dies trat schon bei der vorhergehenden Darstellung seines kosmischen Wirkens, seines Anteils an der Schöpfung, deutlich hervor. Und vollends hat seine Mission am Menschen dieses Gepräge. Er bleibt zwar wie bei den Stoikern der Erwecker der Vernunft. Doch ist sein Handeln am Menschen darauf nicht mehr beschränkt. Er wird zur ausgesprochen religiösen Gestalt.

Der allerzeugende Vater gab dem Erzengel und Ältesten, dem Logos, als erhabenes Geschenk den Auftrag, auf der Schwelle zu stehen und so das Gewordene von dem Erschaffenden zu scheiden. Er ist der Fürbitter des immer bedrohten Sterblichen bei dem Ewigen (Gott), aber auch der Gesandte des Herrn an das Untergebene. Er freut sich des Geschenkes und, sich zu seiner Würde erhebend, erklärt er es mit den Worten: „Und ich bin hingestellt mitten zwischen den Herrn und euch", weder ungezeugt wie Gott noch gezeugt wie ihr, sondern mitten zwischen diesen Polen, beiden als Bürge dienend: dem Erzeuger zur Sicherheit, daß das Erschaffene nie ganz die Zügel abwerfe und abfalle, indem es statt der kosmischen Ordnung die Unordnung annimmt; dem Gewordenen aber zur seligen Hoffnung, daß der gnädige Gott nie sein Auge vom eigenen Werke abwende.[46]

Die neutralen Worte für die Schöpfung: das Gewordene, das Sterbliche, das Untergebene, zeigen an, daß nicht nur der Mensch, sondern alle Kreatur gemeint ist. Im Menschen allein kommt die Bedrohung, die Abhängigkeit, die Sterblichkeit, die

Neigung zum Abfall und die Hoffnung auf Errettung zum Be=
wußtsein, aber sozusagen stellvertretend für die ganze Schöp=
fung, deren kritisches Schicksal mit diesen Begriffen charakteri=
siert ist. Und die Bezeichnungen für dieses Mittleramt des
Logos: Fürbitter ($\iota\varkappa\acute{\epsilon}\tau\eta\varsigma$), Gesandter, Bürge beziehen sich durch
ihren anthropomorphen Klang zwar in erster Linie auf den
Menschen, aber eben auf ihn als auf den Stellvertreter der gan=
zen erschaffenen Welt.

Die Bezeichnungen für die Hierarchien der geistigen Wesen,
Engel, Erzengel, Archai sind bei Philo, soweit ich sehen kann,
nicht im exakten Sinne gebraucht wie etwa bei Dionysius Areo=
pagita. Und so dürfte die hier angetroffene Bezeichnung des
Logos als Erzengel der allgemeinere Ausdruck für eine hohe
hierarchische Würde sein. Ohne ersichtliches System finden
wir den Logos auch Engel und Archē genannt.

Das Zitat aus dem 5. Buch Moses (5, 5): „Ich bin hingestellt
mitten zwischen den Herrn und euch" verrät durch seine Fort=
setzung, wie Philo dazu kommt, dieses Wort dem Logos selbst
in den Mund zu legen. Die Fortsetzung lautet: „damit ich euch
verkündige des Herrn *Wort*" und bezieht sich auf die Gottes=
offenbarung auf dem Berg Sinai. Diese aber verstand Philo,
wie schon erwähnt, als eine durch den Logos vermittelte Offen=
barung. Daß nun auch noch ausdrücklich gesagt ist, Moses habe
das *Wort* des Herrn zu verkündigen gehabt, mag für Philo eine
Bestätigung seiner Auffassung gewesen sein. Er konnte dem=
entsprechend den zitierten Satz als schon damals vom Logos
durch den Mund Moses' gesprochen verstehen.[47]

Da uns die christliche Logosanschauung vertraut ist, empfin=
den wir leicht zu wenig das Erstaunliche der Logosgestalt eines
Mannes, der nichts von Christus gewußt hat. Zug um Zug wird
nun der Logos von Philo mit Wesenseigenschaften ausgestattet,
die wir im Neuen Testament als Wesenszüge des Christus
wiederfinden. Es ist gar nicht mehr möglich, die Belegstellen

alle anzuführen. Die Mittlerstellung des Logos erfährt weiter etwa folgende Darstellung:

> Was er (der Logos) selbst besitzt, gibt er reichlich zum Nutzen derer, die es brauchen, und was er nicht bei sich selbst findet, darum bittet er den überreichen Gott. Dieser öffnet dann seinen himmlischen Schatz und regnet und schneit in Fülle seine Güter herab, so daß sie alle irdische Fassungskraft überströmen. Diese Güter pflegt er zu schen= ken, indem er sich nicht abwendet von seinem um Hilfe flehenden Logos.[48]

Hat man sich einmal dazu verstanden, eine geistige Führung der Menschheit anzuerkennen, oder kann man wenigstens auf dem Gebiete der positiven Ergebnisse des Geisteslebens der Menschheit eine planvolle Aufeinanderfolge gelten lassen, so muß es rein phänomenologisch zu den eklatantesten Beweisen für eine solche Führung gehören, daß Philo hier die schon durch 500 Jahre entwickelte Logoslehre in ein Stadium weitergebildet hat, das unmittelbar in die realen Ereignisse des Christuslebens einmündet. Da Philo ein Zeitgenosse Christi war, kann er diese Sätze zur gleichen Stunde geschrieben haben, als Christus das „hohepriesterliche Gebet"[49] sprach. Christus spricht dort ge= nau aus der Verbindung mit dem Vater nach oben, mit den Menschen nach unten, die durch Philos Sätze in markanter Weise gekennzeichnet ist. Hätte Philo selbst das Phänomen übersehen können, wie die reifsten Früchte seines Geistes ein letztes und höchstes Ergebnis der Logosophie bilden, das von der Vorsehung dazu bestimmt war, unmittelbar in die Bio= graphie des Mensch=gewordenen Logos einzumünden, so hätte er für diese Vorsehung den Namen gewußt. Da er den Logos nicht nur als den erschaffenden Gottes=Sohn betrachtete, son= dern auch als das Prinzip der Weltgeschichte, nannte er ihn den „Lenker und Steuermann" ($\delta i o\pi o\varsigma$ $\varkappa a i$ $\varkappa v\beta\varepsilon\varrho\nu\eta\tau\eta\varsigma$)[50] des Wel=

tenschiffes und hätte ihm auch die Steuerung der griechischen und seiner eigenen Logosophie in die genaue Richtung des Christuslebens in Palästina zugeschrieben.

Wenn Philo weiterhin den Logos als „Heiler der Kranken" (ἰατρὸς κακῶν)[51] bezeichnet, so ist damit auch der christliche Begriff des Heilands vorgebildet. Die Stelle, in der Philo diesen Ausdruck verwendet, dient zur Erklärung des Satzes 1. Moses 48, 16, wo Jakob von einem Engel spricht, der von allem Übel erlöst. Philo hält den Logos für diesen Engel. Damit ist die Be=zeichnung „Heiler" nicht im umfassenden kosmischen Sinne gemeint wie die oben angeführten Logos=Bestimmungen, son=dern eindeutig auf den Erdenmenschen bezogen. Dagegen muß das griechische κακῶν vielleicht sachlich und nicht personell verstanden, also mit „von den Übeln" statt mit „der Kranken" übersetzt werden. Das würde aber nichts daran ändern, daß dem Logos das Amt eines Heilers der Menschen zugesprochen wird. Philo konnte diese Anschauung auch sonst dem Alten Testamente entnehmen. Der Text der Septuaginta hat wieder=holt den Logos als Heiler. So findet sich in der Weisheit Salo=mos der Satz: „Dein Logos, o Herr, ist es, der alles heilt."[52] Und in den Psalmen konnte Philo gelesen haben: Der Herr „sandte seinen Logos und machte sie gesund und errettete sie, daß sie nicht starben".[53]

Zu den Aussagen Philos über den Dienst des Logos am Menschen gehört auch ein Wort, das in einem kosmischen Zu=sammenhange steht. Die Rede ist von der Errettung Lots aus dem untergehenden Sodom und Gomorrha. Er erreicht die Stadt Sägor (Zoar), als eben die Sonne aufgeht.[54] Da Philo an zahl=reichen Stellen den Logos mit der Sonne in Beziehung setzt, schreibt er hier geradezu: Moses „nennt den göttlichen Logos Sonne, da er das Urbild der Sonne ist, die den Himmel um=läuft". Das griechische Wort παράδειγμα (Urbild) wird von Philo stets für die geistigen wesenhaften Urgebilde verwendet, nach denen alle einzelnen Teile der physischen Welt gestaltet sind. Nennt er nun den Logos das Paradigma der Sonne, so heißt das: Der Logos ist der Geist der Sonne, die Sonne sein physischer Ausdruck. Bei der Errettung Lots versteht er dann den Logos in diesem Sinne als den Retter Lots. Er verallgemei= nert nun diesen Gedanken und fährt fort:

> Wenn nämlich der Logos Gottes unseren Erdenplan erreicht, leistet er denen, die der Tugend verwandt sind und ihr nachstreben, Hilfe und Beistand, indem er ihnen eine ganz vollendete Stätte der Zuflucht und Rettung bereitet.[55]

Das Vergleichsgegenstück zu dieser Stätte ist im Text des ersten Buches Moses die Stadt Sägor. Die Verallgemeinerung dieses Logosberufes führt aber (auch durch das Adjektiv παντελής – ganz vollendet) über die Vorstellung irdischer Zu= fluchtsstätten deutlich hinaus in die Richtung geistiger „Stät= ten". Und so sind wir mit diesem Logos=Bilde Philos in näch= ster Nähe des Christus=Wortes:

> In dem Hause meines Vaters sind viele Wohnungen (μοναί – wörtlich: Bleiben = Stätten des Überdauerns). Sonst würde ich euch nicht sagen: ich gehe hin, um euch die Stätte zu bereiten. Und wenn ich nun hingehe und euch die Stätte bereite, so komme ich wieder und nehme euch zu mir, damit ihr dort seid, wo ich bin.[56]

Ein Mysterium stellt die Tatsache dar, in wievielen verschie= denen Bildausdrücken gerade die jüdische Logosophie den Ab= stieg des Logos zur Erde begleitet. Oben schon trat in einer Stelle aus der Weisheit Salomos zum erstenmal die Imagination des auf die Erde „herabspringenden allmächtigen Logos" (S. 96) auf. In den eben wiedergegebenen Philo=Sätzen kommt der Logos zur Erde, wie die Sonne jeden Morgen wiederkommt. Um im Vergleich zu bleiben, wurde das griechische Wort für diese

Ankunft vorsichtig mit „erreicht" übersetzt. Es heißt aber eigentlich viel energischer: „ankommt" (ἀφίκηται). Und an zahlreichen Stellen begegnet bei Philo ein drittes Verb für diese Ankunft. Als Beispiel:

Καταβὰς ἀπ' οὐϱανοῦ, μᾶλλον δὲ πεσὼν ἐπὶ γῆν.[57]
Er steigt herab vom Himmel oder besser er fällt auf die Erde.

Christus nennt sich selbst mehrmals im Johannesevangelium

ὁ ἐκ τοῦ οὐϱανοῦ καταβάς[58]
den aus dem Himmel Herabgestiegenen

oder er sagt von sich selbst:

Καταβέβηκα ἀπὸ τοῦ οὐϱανοῦ.[59]
Ich bin vom Himmel herabgestiegen.

Fast formelhaft kehrt die gleiche Wendung an sechs weiteren Stellen in Joh. 6 wieder. Ebenso formelhaft treffen wir sie, mindestens 50 Jahre bevor Johannes sein Evangelium schrieb, in den Büchern Philos. Theoretisch wäre es möglich, daß Johannes sie kannte. Aber selbst wenn man annehmen wollte, Johannes wäre in der Wahl seiner Bildworte von Philos Formel beeinflußt worden — was dem Offenbarungscharakter seines Evangeliums keinerlei Abbruch tun würde, da sich auch übersinnliche Inspi= rationen in Sprache und Wortvorrat des Inspirierten kleiden — so bliebe das Auftreten dieses Bildwortes bei Philo, der nichts von dem realen Abstieg des Logos in das Fleisch wußte, ein um so größeres Geheimnis. Das Ergebnis wäre dann, wenn wir von den banalen Auffassungen solcher Anklänge ganz absehen, daß Philo zu Bildern und Formeln vordrang, die sich dem Evange= listen als gültige Ausdrucksmittel für seine Christusbotschaft anboten.

Schließlich taucht bei Philo auch noch der Gedanke einer Gottes=Sohnschaft auf, die der Logos den Menschen vermittelt. Dieser Gedanke entstand folgerichtig aus der Benennung des

Logos selbst als Gottes=Sohn (siehe S. 105). Wenn nach Philos Anschauung das höchste Ziel des Menschen darin besteht, sich mit dem Logos zu erfüllen, so ergibt sich daraus, daß der Mensch kraft dieser Einwohnung die gleiche Stellung zum Vatergott erreicht, die dem Logos=Sohne eigen ist. Mit Bezug auf ein Wort im 5. Mosesbuch[60] sagt Philo:

> Diejenigen, die von ihrer Erkenntniskraft ($\dot{\epsilon}\pi\iota\sigma\tau\eta\mu\eta$) Ge= brauch machen, werden rechtmäßig Söhne Gottes genannt.[61]

Die Würde der Gottessohnschaft, die hier bei Philo auf die erkenntnismäßige Beziehung zum Logos begründet ist, wird in der Bergpredigt durch Christus selbst denen zugesprochen, die Frieden schaffen und ihre Feinde lieben[62] und im Lukasevan= gelium denen, die auferstehen werden.[63] Was Philo in pro= phetischer Gedankenform ergriff, ist in den Evangelien auf die Früchte der Christus=Einwohnung bezogen. Die größte Ähnlich= keit mit dem Satz Philos hat in seinem generellen Sinne ein Pauluswort:

> Die vom Geiste Gottes geleitet werden, sind Söhne Gottes. Denn ihr habt nicht den Geist der Knechtschaft empfangen, um euch wieder zu fürchten, sondern ihr habt den Geist der Sohnschaft ($\upsilon\iota o\vartheta\epsilon\sigma\iota\alpha$) empfangen, in dem wir rufen: Abba, unser Vater.[64]

Mit diesen letzten Worten gelangen wir aber zu der großen von Christus gestifteten Schule der Gottessohnschaft, zum Vater=Unser. Durch die sogenannte Anrede dieses eigentlichen christlichen Gebetes wird ja die Erweckung des Sohnesbewußt= seins gegenüber dem Vatergott als Ur=Akt und Initium alles Betens eingesetzt.

Die tragische Grenze Philos, das Vorbeigehen an seinem Zeit= genossen Jesus Christus, ist oben bereits erwähnt (S. 105).

*

Aus dem Christusbild der neueren Zeit, das allem kosmischen Denken völlig entfremdet ist, erschien die Ansetzung der Feste des „Kirchenjahres" auf bestimmte Zeiten des natürlichen Jahreslaufes als fromme, aber doch unerklärliche Tradition. Philo liefert dazu das Erkenntnisprinzip, wenn er es auch nicht selbst auf die Ansetzung der christlichen Feste anwenden konnte. Aus der oben erwähnten innigen Beziehung zwischen Sonne und Logos geht schon hervor, daß auch die Taten der Sonne nirgends ohne den Logos gedacht werden. Zu den Taten der Sonne ge= hören aber die Jahreszeiten. Und so lesen wir:

> Der Tierkreis bringt durch seine vierfache Zerteilung in je drei Bilder die Jahreszeiten zustande, Frühling, Sommer, Herbst und Winter, vier Wandlungen, jede in den Grenzen von drei Bildern (des Tierkreises). Du bemerkst es an den Umgängen der Sonne gemäß dem in Zahlen sich bekunden= den, unerschütterlichen, zuverlässigen und wahrhaft gött= lichen Logos ... Durch den Logos werden diese Wandlungen und Jahreszeiten hervorgebracht.[65]

Damit liefert die Logosophie die Ratio für den christlichen Festkreis im Zusammenhang mit dem Sonnenjahr. Was sich als letzter unverstandener Rest eines kosmischen Christentums in der Ansetzung des Osterfestes auf den Sonntag nach dem ersten Vollmond des Frühlings noch mühsam erhält, ist das Prinzip der gesamten Eingliederung der Feste in den Jahres= lauf. Mit der Logosophie ging die ganze Naturseite, d. h. aber auch die kosmische Seite, des Christentums verloren. In der irischen Kirche war sie am längsten erhalten.

Die Erneuerung des Logosaspektes des Christentums, d. h. in diesem Falle die Wiederbelebung der philonischen Anschau= ung vom Zusammenhang des Logos mit dem Geiste der Sonne, wird vieles zur Belebung der christlichen Feste beitragen. Was die Sonne in den Jahreszeiten und ihren Wandlungen bewirkt,

wird nicht mehr als bloßes Naturgeschehen erlebt werden, son=
dern als die physische Seite eines innerlich erfühlbaren Durch=
ganges durch gesetzmäßige Stationen geistig=seelischer Zu=
stände des Kosmos. Die Christusfeste werden sich sinnvoll in
diese kosmischen Stationen einfügen. In dem Zusammentreffen
der Zeiten des Sonnenjahres mit den Christusfesten werden sich
die immer neuen Taten des Sonnen=Logos mit den Stationen
des Christuslebens begegnen, und so wird jedes Fest einen weite=
ren Schritt zur Wiedervereinigung des Logos mit Christus be=
deuten. Gerade an den Festen wird, mit Worten Philos zu
sprechen, der Mensch wieder seinen Dienst am Kosmos ver=
richten und der Kosmos am Menschen.

*

In eine noch ferne Zukunft weist die Charakteristik des
Logos, die Philo an die Exegese der Wanderung Abrahams an=
schließt:

> Solange er (Abraham) noch nicht die Vollendung erreicht
> hat, folgt er dem göttlichen Logos als Führer auf dem Wege.
> Die Prophezeiung lautete: „Siehe, ich sende meinen Engel
> vor dein Angesicht, damit er dich bewahre auf dem Wege,
> daß er dich führe in das Land, das ich dir bereitet habe.
> Halte dich an ihn und höre auf ihn; versage ihm nicht den
> Gehorsam. Denn mein Name ist mit ihm." Wenn er (Abra=
> ham) aber zur höchsten Erkenntnis vorgedrungen ist, wird
> er angestrengt laufen und den ehemaligen Führer auf dem
> Wege einholen. So werden beide Diener des allwaltenden
> Gottes.[66]

Das in dieser Stelle enthaltene Zitat ist die gekürzte Wieder=
gabe von zwei Versen des 2. Buches Moses, Kap. 23. Wieder
betrachtet Philo diesen Engel als den Logos, den er überall
dort am Werke sieht, wo Gott durch Boten oder Offenbarungen

im Worte die Geschicke der Menschheit leitet. Er nimmt dieses Beispiel des Logos=Engels bei Abraham, um daraus ein typi= sches Verhalten des Logos gegenüber dem Menschen abzu= leiten. Die Moses=Stelle selbst bietet keinen Anlaß, von einem „Einholen" des Logos durch den Menschen und von einer Wandlung des Führungsverhältnisses in eine Weggenossen= schaft und in einen gemeinsamen Dienst zu sprechen. Dies ist aber, wie auch aus anderen Stellen hervorgeht, Philos Aspekt der Entwicklung: Der Mensch dringt durch die Führung des Logos zu einer unmittelbaren Beziehung zu Gott als zur höch= sten Stufe der inneren Vollendung vor.

Damit ist dem Logosbild wiederum ein Zug eingefügt, der uns im Neuen Testament und vor allem im Johannesevange= lium als Aussage des Christus über sich selbst in vielen Ab= wandlungen begegnet: Der Führer und Helfer, der nichts für sich selbst erreichen will und immer über sich selbst hinaus= weist. Hierher gehören aus den Reden des Christus alle Worte, die als das Ziel seiner Mission das Hinführen zu seinem Vater nennen. Ferner die Erhebung der mit ihm verbundenen Menschen zu seinen „Freunden"[67], ja zu seinen „Brüdern"[68] und schließlich das verheißungsvolle Wort: „Wer an mich glaubt, der wird die Werke, die ich verrichte, auch verrichten, und er wird größere als diese verrichten."[69] An dem Verhalten des Logos im Alten Testament las Philo diese Eigenschaft ab, die seinen Logos als „Weg" und nicht als Ziel, als den selbstlosen Förderer der Men= schen bis zur „Einholung" erscheinen läßt. Eine kosmische Eigenschaft, die wir an Jesus Christus als persönlichen Wesens= zug wiederfinden.

*

Zuletzt sei eine Gruppe von Logosbildern zusammengestellt und erläutert, die einen mysteriösen Bezug auf das christliche Mysterium haben:

Die Einen wenden sich, wenn sie die Augen öffnen, abwärts zur Erde, streben nach dem Irdischen und essen sich den Tod. Wer aber seine Augen zum Äther erhebt und zu dem himm= lischen Reigen, der lernt zu dem Manna aufzuschauen, zu dem himmlischen Logos. Er ist die himmlische Speise der Unsterblichkeit für die Seele, die das Schauen liebt (φιλοθεάμων).[70]

Die Aufnahme des Logos in die Seele wird hier im Anklang an die Manna=Speisung in der Wüste mit dem Bilde des *Essens* ausgedrückt. Das gleiche Bild wird aber auch für die Erfüllung der Seele mit dem Irdischen gebraucht, wie das Essen von der verbotenen Frucht schon in den Bildern vom Sündenfall als Symbol für das Eindringen des Todes in das Menschenwesen durch das Begehren nach dem Irdischen verwendet ist. Das Zeichen „Essen" ist die Bildvokabel, die überall dort steht, wo es sich um ein mit der physischen Ernährung vergleichbares inniges Verbinden der Seele mit irdischen oder geistigen Ein= drücken handelt. — Den Himmel bezeichnet Philo ein paar Zei= len vorher (im Anschluß an 1. Moses 15, 5) als „Schatzhaus der göttlichen Güter". Damit wird deutlich, daß das Aufschauen zu dem Reigen der Sterne ebenfalls stellvertretend oder vermit= telnd für den Aufblick zur geistigen Welt genommen wird.

Mit dem gleichen Bezug auf das Manna=Essen in der Wüste prägte Christus das erste Bildwort, das seine Aufnahme in das Menschenwesen durch ein „Essen" ausdrückt.

Unsere Väter haben das Manna gegessen in der Wüste, wie es geschrieben steht: Brot vom Himmel gab er ihnen zu essen.

Eure Väter haben in der Wüste das Manna gegessen, und sie sind gestorben. Dies aber ist das Brot, das vom Himmel herabkommt, damit nicht stirbt, wer davon ißt.[71]

Es wäre möglich, daß die Sätze des Christus und die Sätze Philos in der gleichen Stunde geprägt sind. Welcher Gedanke! Nahm, was Christus in Palästina sprach und tat, zur gleichen Zeit einen Weg der Inspiration in den Geist eines erleuchteten Juden? Und Philo gestaltet weiter an seinem Bilde:

> Dies ist das Brot, die Nahrung, die Gott der Seele gegeben hat: die Gabe seines Wortes ($\acute{\varrho}\tilde{\eta}\mu\alpha$) und seines Logos. Denn dieser ist das Brot, das er uns zu essen gegeben hat.[72]

Aus dieser Stelle wird einmal ganz deutlich, daß Philo das Wort Gottes, das in der Heiligen Schrift bewahrt wird ($\acute{\varrho}\tilde{\eta}\mu\alpha$), von seinem Logos unterscheidet. Auch wenn das Wort der Offenbarung durch den Logos vermittelt wird, ist letzterer doch als Wesenheit von dieser seiner Funktion unterschieden. Philo nennt hier also den Logos das „Brot", nachdem in der letztangeführten Stelle das allgemeine Bild der „Speise" in Anwendung kam. Die Entsprechung in der Christusrede vom himmlischen Brote ist der Satz, der wie ein entscheidender, lange vorbereiteter Ton aus einer Symphonie hervorbricht:

> ’Εγώ εἰμι ὁ ἄρτος τῆς ζωῆς.
> Ich bin das Brot des Lebens.

Dort die Imagination, das Bild, und hier seine Erfüllung und Verwirklichung. Wie Christus erst im Gleichnis vom Brote, dann vom Brote seines Leibes sprach und über die Wunder der Brotvermehrung zur Begründung des Brotmysteriums weiterschritt, so folgt Philo Schritt für Schritt in mystischen Gesichten diesem Fortgang; oder er hat ihn zeitlich gerade noch in einer Bilderreihe voraus imaginiert:

> Nun aber teilt der göttliche Logos zu gleichen Teilen, in einer bedacht differenzierten Gleichheit allen Bedürftigen die himmlische Speise der Seele aus, die Manna genannt wird. — Es ist aber die Weisheit (Sophia).[73]

Dieser letzte Zusatz, der im Text in Klammern steht, möge verhindern, daß Philos Sätze uns in eine zu schwindelnde Nähe zum Evangelium bringen. Er meint noch immer den Logos im Sinne der Stoa als den Inhaber und Vermittler der ewigen Welt=vernunft. Was er denkt, bleibt stoisch; es sind die Bilder, die ihm kommen, welche ihn in diese mystische Nähe des Evangeliums versetzen. — Der Zusatz erlaubt einen weiteren Einblick in die oben schon untersuchte Beziehung des Logos zur Sophia. Wenn die Gabe des Logos hier als Sophia bezeichnet wird, so spiegelt sich darin die doppelte Bewußtseinsschicht, in der sich Philos Geist bewegt. Im Hellbewußtsein knüpft er mit diesem Zusatz an die jüdische Tradition an. Er will damit den jüdischen Lesern deutlich machen, um welches ihnen bekannte geistige Element es sich handelt. Unwillkürlich aber drückt er dadurch aus, wie der Logos bei ihm selbst zu der Belebung dieses mysti=schen Bilderbewußtseins führte.

Das neue Motiv in diesem letzten Bildworte ist das *Austeilen* an alle Bedürftigen. Würden wir dieses Bild innerlich durchfüh=ren, so kämen wir zu einer ähnlichen Schau, wie sie die Spei=sung der Vier= und der Fünftausend im Geiste erweckt. Deckt sich nicht sogar das Nebenmotiv „zu gleichen Teilen" mit der Einteilung der Volksmenge in gleiche Gruppen zu je „Hundert und Hundert, Fünfzig und Fünfzig" im Berichte des Markus? (Daß aber bei der Gleichheit dieser Austeilung nicht eine quan=titative gemeint ist, wird auffallend eindringlich betont. Die „bedachte Differenzierung" ist so zu verstehen, daß jeder be=kommt, was er fassen kann.)

Den Höhepunkt von Philos Mahls=Bildern stellt das fol=gende dar:

Wenn die begeisterte Seele den heiligen Kelch erhebt, ihre Erkenntniskraft, wer füllt die heiligen Schöpfgefäße beim Festgelage der Wahrheit, wenn nicht der Weinschenk und

Symposiarch Gottes, der Logos? Er ist aber gleichzeitig selbst der Trank, der ungemischte, der labende, der würzige, der überströmende, der erfreuende, der beglückende, die Ambrosia der Seligkeit — um diese poetischen Bezeichnungen zu gebrauchen. Er ist die Arznei.[74]

Zu den Bildern vom Brot und der Speisung gesellen sich hier nun auch die Imaginationen des Kelches und des Trankes. Unter dem Bilde des heiligen Kelches ist das Herz als Gefäß für den Logos zu verstehen (siehe S. 96). Philo meint hier wieder die geistige Kommunion der Seele mit dem Logos. Die Bilder, die er gebraucht, stellen zusammengenommen eine Imagination des „Abendmahles" dar, an der kaum noch etwas zu vermissen ist. Aus den vorigen Stellen ging schon hervor, daß der Logos als Brot und als Austeiler des Brotes geschaut ist. Hier finden wir diese Paradoxie in einem Satze auf den Wein bezogen. Der Logos ist der Weinschenk und zugleich selber der Trank. Nur in dieser Form konnte Philo zum Ausdruck bringen, daß der Logos sich selbst zum Tranke bietet.

Der Symposiarch ist der Leiter eines Symposions, eines Mahles. Kein anderes griechisches Wort wäre zu finden, das mit einem einzigen Ausdruck beschreibt, wie Christus auf allen Abendmahlsbildern als Mittelpunkt der Jüngerrunde erscheint. Und auch die evangelischen Berichte zeigen ihn in der Eigenschaft dessen, der das Mahl rituell zu leiten hat.

Die Ambrosia ist die Speise der Götter. Wörtlich bedeutet diese Vokabel selbst schon: Unsterblichkeit. Im übertragenen Sinne wird sie dann für die Speise gebraucht, die unsterblich macht. „Wer von diesem Brot ißt, der wird leben in Ewigkeit", sagt Christus von dem Brote, das er zu essen gibt.[75]

Das letzte Bildmotiv „Arznei" ($\varphi\acute{\alpha}\varrho\mu\alpha\kappa o\nu$) bringt noch zum Ausdruck, daß es für den Menschen keinen unmittelbaren Übergang zur Unsterblichkeit gibt. Daß er vielmehr „vom Tod gegessen" hat und erst der Heilung bedarf. Damit ist sogar noch in andeutender Form ins Bild gebracht, daß das Genießen der Ambrosia eine Krisis, eine nicht unbedingt und in allen Fällen glückende Heilung, voraussetzt.

Ein später Philo=Fund erbrachte noch den Schlußstein dieses Bilderbaus:

$$T\grave{o}v \; \delta' \; \check{\varepsilon}v\alpha \; \varkappa\varrho\iota\grave{o}v \; \grave{\varepsilon}\pi\varepsilon\iota\delta\grave{\eta} \; \lambda\acute{o}\gamma\varsigma \; \varepsilon\check{\iota}\varsigma \; \grave{\varepsilon}\sigma\tau\acute{\iota}v.^{76}$$

Krios heißt der Widder. Die Stelle entstammt sicher der Exegese eines astrologischen oder rituellen Widder=Motivs. Da aber auch das Passah=Lamm stellvertretend für das Zeichen des Widders steht, das jenen Zeitabschnitt „regierte", tun wir diesem Satze keine Gewalt an, wenn wir übersetzen:

Das eine Lamm ist nun einmal der eine Logos.

*

Im Rahmen dieser Schrift konnte aus Philos umfassender Weisheit nur ausgelesen werden, was sich unmittelbar auf das wesenhafte Zentrum seiner Logosophie, eben auf das Logos=wesen, bezieht. An manchen Stellen wurde indessen doch schon ersichtlich, wie ein alle Erscheinungen der erschaffenen und der geistigen Welt umfassendes Gebäude von Anschauungen auf diesem Grundstein errichtet ist. Dem inneren Sinne nach gibt es in der ganzen Philosophie Philos schlechterdings nichts, was nicht vom Geiste seines Logos berührt wäre. Der Logos war ihm nicht nur ein zentraler Gedanke, er war wesenhaft in sein Den=ken eingegangen.

Rudolf Steiner sprach einmal über dieses Phänomen. Er sagte im Anschluß an einen Satz Philos, der nicht einmal direkt über den Logos handelt: „Man muß, wenn man diese ganze Situation beurteilen will, sich klar sein, daß, was eingetreten ist (die Ent=stehung des Christentums), wirklich herabgekommen ist aus

geistigen Welten und daß manche, die Zeitgenossen des Myste=
riums von Golgatha waren, wie Philo, es in gebrochenen Strah=
len gesehen und dann auf ihre Art ausgesprochen haben."[77] Es
war Philos ihm selbst gewiß nicht bewußte Mission, zur letzten
leuchtenden Ausbildung zu bringen „eine geistige Aura, aus
der das Christentum herausgewachsen ist".

Seinem Bewußtsein nach galt Philos Geistesschaffen der Er=
hellung des Alten Testamentes durch den Logosgedanken. Sein
ganzes Werk könnte unter ein Motto gesetzt werden, das wir
aus dem Munde Christi kennen:

Ehe denn Abraham geboren war, bin Ich.[78]

Da Philo seinem Logos ohne Zweifel ein höchstes Bewußtsein
zuschrieb, könnte er ihm diesen Satz in den Mund gelegt haben,
ja er hätte ihn mit der Sophia (aus den Sprüchen Salomos) sagen
lassen können: „Ehe Gott etwas schuf, war Ich." Wenn es sich
gewiß auch bisweilen als „gebrochene Strahlen" erweist, was
Philo sagt, so hat er uns doch eine Geschichte des präexistenten
Logos geschrieben, wie sie sonst nirgends zu finden ist.

Es lag im Wesen der Geistestat Philos, daß er vom ortho=
doxen Judentum verworfen wurde und daß sein Name weder im
talmudischen Schrifttum noch in der ganzen jüdischen Literatur
des Mittelalters ein einziges Mal vorkommt.[79] Dagegen hat er
im Christentum bis tief in das Mittelalter eine bedeutende Rolle
gespielt.

Eine früheste Berührung des Urchristentums mit dem alexan=
drinischen Judentum ist in der Apostelgeschichte berichtet.[80]
Ein Jude mit Namen Apollos, aus Alexandria gebürtig, kommt
nach Ephesus während der drei Jahre, die Paulus dort wirkte.
Er wird als „mächtig in den Schriften" bezeichnet. Es kann kein
Zweifel daran sein, daß er Philo kannte. Einen Beleg dafür
könnte man in einer ihm zugeschriebenen Eigenschaft sehen,
die mit λόγιος (logios) bezeichnet wird. Gewiß heißt dies aus

dem Worte Logos gebildete Adjektiv im profanen Griechisch einfach: gelehrt oder auch: beredt. Da es im ganzen Neuen Testament nur an dieser einen Stelle vorkommt, steht aber der Vermutung nichts im Wege, daß es im Sinne des stoischen und philonischen λογικός (logikos) gebraucht ist und einen Zusam= menhang mit der Logoslehre andeuten soll. Überdies ist seine Gelehrsamkeit (δυνατὸς ἐν ταῖς γραφαῖς), wie seine Beredsam= keit (ζέων τῷ πνεύματι ἐλάλει) mit anderen Wendungen extra ausgedrückt, so daß die profanen Bedeutungen des Adjektivs λόγιος schon erschöpft sind.

Aus den Erwähnungen des Apollos in den Paulusbriefen geht hervor, daß er, außer in Ephesus, wo er zwölf Schüler hatte, auch in Korinth und auf Kreta in den christlichen Gemeinden wirkte. Ob er Paulus persönlich begegnet ist, läßt sich aus kei= ner seiner Erwähnungen erkennen. Sicher ist aber, daß jene „apollische" Auffassung des Christentums, die Paulus in der Gemeinde von Korinth apostrophiert[81], von der philonischen Logoslehre berührt war.[82]

4. Kapitel

DIE ERSTEN LEHRER DES CHRISTENTUMS

Nach der zeitlichen Reihenfolge hätte hier das Kapitel über die Logosmotive im Neuen Testament seinen Platz zu finden. Da es aber als das Gebotene erschien, die Sätze aus Evangelien und Briefen, auf die die einzelnen logosophischen Texte hin= leiten, jeweils gleich an Ort und Stelle heranzuziehen, wird von einem besonderen Kapitel über das Neue Testament abgesehen. In einem solchen hätte ja der ganze Inhalt der vorigen Kapitel wiederholt werden müssen, um die Entsprechungen vor das Auge treten zu lassen.

Bevor wir nun zu den großen Lehrern Justinus Martyr, Cle= mens von Alexandria und Origenes übergehen, seien einige Zwischenstationen passiert. Zu der Gruppe der sogenannten „Logia", der verstreuten Herrenworte, die meistens mit der Formel „Jesus spricht" beginnen, gehört das Wort:

> Wenn einer allein ist . . . so bin ich mit ihm. Hebe den Stein auf, und du wirst mich dort finden. Spalte das Holz, und ich bin dort.[1]

Woher dieses Wort auch stammt, ob es „echt" ist oder nicht, es ist eine wunderbare Ergänzung zu dem Christuswort: „Wo zwei oder drei beisammen sind in meinem Namen, da bin ich mitten unter ihnen." Weist dieses Wort darauf hin, daß der Logos basilikos, der das Weltgeschehen leitende Logos, dann unter den Menschen anwesend ist, wenn ihre Gemeinsamkeit zur

Offenbarung seines Wesens beiträgt, so spricht jenes „Herren=
wort" von dem Logos poietikos Philos, dem Logos, der die Welt
erschaffen hat. Der einsamste Mensch, der nur einen Stein
und ein Stück Holz zur Gesellschaft hätte, ist nicht von ihm
verlassen. Denn er selbst ist sein Geschöpf, und Stein und
Pflanze sind noch Gebilde, in die sich der große „Zerteiler" auf=
gespalten hat.

Auf dem Papyrus, der dieses Herrenwort enthält, finden sich
noch Anweisungen für eine Lebensführung, die auf den
Essäerorden hindeutet. Es kann also angenommen werden, daß
der in Ägypten gefundene Papyrus aus einer Gemeinde stammt,
die vom Essäerorden zum Christentum übergegangen ist.

Aus den spärlichen Dokumenten der Zeit zwischen den letz=
ten Schriften des Neuen Testamentes und Justin, also aus dem
frühen zweiten Jahrhundert, kommen in erster Linie die Briefe
des Bischofs *Ignatius von Antiochia* für die Entfaltung der
christlichen Logosophie in Betracht. Ignatius, der auf einer müh=
seligen Fußreise durch Kleinasien und den Balkan von Soldaten
nach Rom gebracht wurde, um dort im Circus von wilden Tie=
ren zerrissen zu werden, ist der erste uns bekannte Blutzeuge
eines von der Logosanschauung durchdrungenen Christentums.
Sein Tod fällt etwa in das Jahr 115. Er war der zweite Nachfol=
ger des Paulus in der Leitung der Gemeinde von Antiochia. Da
sein Tod in höherem Alter stattfand, wird sein Geburtsjahr
etwa auf 50 n. Chr. angesetzt. Seine Jugendjahre ragen also
noch in die Zeit der Apostel hinein. Die Quellen, die ihn als
Schüler des Apostels Johannes nennen, gehören zwar einer
späteren Zeit an. Was aber von seiner Auffassung des Christen=
tums aus seinen Briefen zu erkennen ist, läßt diese Nachricht
als glaubwürdig erscheinen. Er knüpft an die Logosmotive der
Johanneischen Schriften an. Seine Briefe sind auf der Reise
zum Martyrium geschrieben und haben das Gewicht eines letz=
ten Todesernstes.[2]

Sein berühmtestes Wort ist das vom „Heilmittel der Unsterb=
lichkeit" (φάρμακον ἀθανασίας). Diesen Begriff wandte er auf
das Herrenmahl an. Der Satz lautet vollständig:

> Das Brotbrechen ist das Heilmittel der Unsterblichkeit, die
> Gegengabe gegen das Sterben, damit wir ewig leben mit
> Jesus Christus.[3]

Wir sind bei Philo der gleichen Vorstellung vom Logos be=
gegnet. Dieser nannte ihn „die himmlische Speise der Unsterb=
lichkeit" (S. 137) und „die Arznei" (S. 140) Aus diesen beiden
Prägungen setzt sich das Wort des Ignatius zusammen. Doch ist
diese Übereinstimmung hier wie bei den späteren griechischen
Vätern keine mystische mehr. Ignatius hat mit Sicherheit Philo
gekannt. Wenn er von Christus sagt:

> Einer ist der *Arzt*, er ist fleischlich und geistig, geboren und
> ungeboren, ein ins Fleisch geborener Gott, im Tode das
> wahre Leben, aus Maria und aus Gott geboren[4],

so finden wir auch das Bild „Arzt" bei Philo vorgeprägt (siehe
S. 130). Und der Logosaspekt des Christus kommt in den antithe=
tischen Bezeichnungen geistig (πνευματικός), ungeboren (ἀγέν-
νητος), aus Gott geboren, betont zum Ausdruck. Aber das
Wort „der in das Fleisch geborene Gott" geht über Philo
hinaus und hat seine Quelle im Prolog des Johannesevange=
liums. Daß sich diese Belegstellen für die Logosophie des Igna=
tius alle in seinem Brief an die Gemeinde von Ephesus finden,
ist gewiß kein Zufall. Dort hatte Johannes gewirkt, dort war
Apollos aus Alexandrien erfolgreich tätig. Ignatius hatte Ephe=
sus auf seinem Gefangenentransport passiert und hatte Ge=
legenheit, mit der Gemeinde in Beziehung zu treten. Vertreter
dieser Gemeinde hatten ihm dann auf seinem Weitertransport
unter der Bedeckung von zehn Legionären eine Strecke weit das
Geleit gegeben. Ephesus war durch Heraklit zur Quelle der

Logosweisheit geworden, und es blieb ein Brennspiegel für ihre Strahlen durch die ersten zwei christlichen Jahrhunderte.

In seinem Briefe an die Epheser bringt Ignatius auch mit der Bezeichnung „Weggenossen" Christi für seine Jünger und mit der Wendung, daß Christus der Seele als „seinem Tempel ein= wohnt", Bilder, die wir von Philo kennen. Eine allgemeine Zusammenfassung der ignatianischen Logosanschauung findet sich in dem Satze:

> Einer ist Gott, der sich selbst geoffenbart hat durch Christus, seinen Sohn. Dieser ist sein Logos, der aus dem Schweigen hervorgeht ($\dot{\alpha}\pi\dot{o}\ \sigma\iota\gamma\tilde{\eta}\varsigma\ \pi\varrho o\varepsilon\lambda\vartheta\acute{\omega}\nu$).[5]

Das Bild des aus dem Schweigen hervorgehenden Logos hat tiefe Wurzeln in der griechischen Logosophie. Das Motiv taucht erst in der Form des Logos endiathetos in der Stoa auf (siehe S. 85 ff.). Das ist der Logos, bevor er „Wort" wird, der noch im Innern der Gottheit verbleibende Makrologos, der im Innern der Seele erst keimende Mikrologos. Und das „Schwei= gen" als Gegensiegel zum „Wort" findet sich schon bei Philo.

Ignatius hat dieses Siegel nun mannigfach gebraucht; wie= derum im Briefe an die Gemeinde in Ephesus steht:

> Es ist besser zu schweigen und das eigene Sein zu erfüllen, als zu reden und das Gesprochene nicht durch das eigene Sein darzustellen. Gut ist das Lehren, wenn der Lehrer auch tut, was er lehrt. Einer ist nun der Lehrer, der da sprach — und es geschah. Was er aber im Schweigen getan hat, das ist seines Vaters würdig. Wer sich das Wort (den Logos) Jesu wahrhaftig angeeignet hat, kann auch sein Schweigen hören, damit er vollkommen wird; damit er tut, wovon er spricht, und erkannt werde durch das, worüber er schweigt.[6]

Da Ignatius im gleichen Briefe die Heils*ereignisse*, die Jung= fräulichkeit der Maria, die Geburt und das Sterben und Auf=

erstehen des Christus, „im Schweigen vollbracht"[7] genannt hat, ist deutlich, daß die Taten und Wesensäußerungen des Christus als sein schweigendes Handeln der Verkündigung durch seine gesprochenen Worte gegenübergestellt werden. Und das Hören dieses Schweigens ruft im Christen die Wesensreifung hervor, die über das Leben mit den Worten und über das Sprechen hinausgeht.

Die „Stimme des Schweigens" ist ein tiefes, fast verlorenes christliches Mysterium. Gewiß ist es hie und da als diszipliniertes Verhalten z. B. vor Gottesdiensten noch vorhanden. Aber damit ist's noch nicht getan. Erst eine schweigende innere Belebung und Formierung des Geistkeimes in der Seele kann bewirken, daß das Tönen oder Handeln des Wortes durch Evangelium oder Kultus seine ganze Gewalt entfaltet. Die Gewalt des „Wortes" wird durch die Gewalt des Schweigens entbunden. Im Sinne der alten Logosophie ausgedrückt: der Logos prophorikos wird seine Kraft erweisen nach der Intensität, mit der er als Logos endiathetos die Seele im Schweigen erfüllt hat.

Ein weiteres Wort aus den Ignatiusbriefen, wiederum an die Epheser gerichtet, macht Christus auch als höchstes Erkenntnisprinzip geltend:

> Warum sollten wir nicht alle weise werden, wenn wir die Erkenntnis (γνῶσις) Gottes ergreifen? Diese Erkenntnis ist Jesus Christus. Und warum gehen wir töricht zugrunde und erkennen nicht die Gnadengabe, die der Herr wahrhaftig gesandt hat?[8]
>
> Christus, der untrügliche Mund, durch den der Vater die Wahrheit ausgesprochen hat.[9]

Die Ausmerzung der späteren gnostischen Strömungen durch die in Bildung begriffene christliche Kirche hat bis in die Gegenwart herein die Tatsache verdeckt, daß das Erkenntnis-(Gnosis-)Prinzip als solches, wie wir es hier bei Ignatius in klassischer Form ausgesprochen finden, im frühen Christentum ganz selbstverständlich und allgemein zu Hause war. Auch die erst im Christentum voll ausgebild̦ete menschliche Gedanken= kraft erlebte sich durch die Erscheinung des Logos im Erden= leibe bestätigt und erhöht. Erkenntnismut gegenüber dem Gött= lichen zeichnete die christlichen Denker aus bis zu den letzten Schülern des Origenes.

Und wenn Ignatius schließlich Christus den „vollendeten Menschen" nennt ($\H{a}\nu\vartheta\varrho\omega\pi\sigma\varsigma\ \tau\acute{\epsilon}\lambda\epsilon\iota\varsigma$)[10], zu dem selbstver= ständlich auch die Erkenntniskraft gehörte, so hat damit Philos Gedanke vom Logos als dem „himmlischen Menschen" seine Erfüllung gefunden. Meinte Philo, der Logos sei das Urbild, nach dem das Menschenwesen geschaffen ist, so meinte Igna= tius, daß in Christus dieses Urbild sich selbst verwirklicht hat.

Nur mit Ehrfurcht kann man die Sätze lesen, die als ein „letzter Wille" des Ignatius anzusehen sind. Auf seinem Trans= port als Gefangener schrieb er seinen Brief an die römische Ge= meinde voraus. Leuchtend strahlt aus ihm die Todesbegeiste= rung der frühchristlichen Märtyrer. Und hier bei Ignatius wird auch ihre Quelle in einem besonderen Sinne deutlich:

Ich schärfe allen ein, daß ich willig sterbe im Dienste Got= tes — wenn ihr es nicht etwa verhindert. Ich beschwöre euch, erweiset mir nicht dieses unzeitige Wohlwollen. Laßt mich eine Speise der wilden Tiere werden; durch sie kann ich zu Gott kommen. Weizen Gottes bin ich, und durch die Zähne wilder Tiere werde ich gemahlen, damit ich als reines Brot Christi erfunden werde.[11]

Es wäre weder feige noch sonst würdelos gewesen, ja es hätte aus dem Pflichtbewußtsein eines Bischofs kommen können, wenn Ignatius ein Gnadengesuch an den Cäsar befürwortet oder sogar angeregt hätte. Er hatte aber von dem Wirken im Dienste des Christus eine Anschauung, die ihm den Märtyrer=

tod als wirksamer erscheinen ließ gegenüber allem, was er nach einer eventuellen Begnadigung noch als Bischof hätte leisten können. Es ist nicht die egoistische Hoffnung auf die eigene, teuer erkaufte Seligkeit, die ihn freudig in den Tod gehen läßt. Und es ist auch nicht das Rechnen mit der Propaganda, die jedes Martyrium für die Sache des Märtyrers macht. Ignatius denkt vielmehr, daß der im Dienste Christi erlittene Tod aus dem erleidenden Menschen ein stärkeres Agens macht, als er es durch seine menschlichen Fähigkeiten vorher gewesen ist.

Bei Ignatius dürfen wir annehmen, daß er an die Worte Christi gedacht hat von dem Weizenkorn, das in der Erde ersterben muß, um Frucht zu bringen[12]; daß er aber wohl zugleich an das Samenkorn im Menschen, an das Sperma des Logos, dachte, wenn er schrieb: „Ich bin Gottes Weizen." Beidemale ist die Menschheit als eine geistige Aussaat, der einzelne Mensch als ein Samenkorn dieser Saat verstanden, das während des Erdenlebens keimt und zur Pflanze heranwächst. Geht dieses Heranwachsen durch ein *inneres* Stirb und Werde, so tritt nach jenem Christusworte das Fruchtbringen ein. Ignatius hat nun die weitere Anschauung: durch den Opfertod wird dieser Weizen zum „Brote Christi". Dies aber ist der Gedanke, daß der durch den gewaltsamen Opfertod verwandelte „Weizen" unmittelbar im Sinne der Transsubstantiation wirksam wird. Wir werden bei Justin einem ähnlichen Gedanken begegnen. Er mag dem urchristlichen Brauche, über den Sarkophagen der Märtyrer die Eucharistie zu begehen, zugrunde gelegen sein.

Ignatius sagt geradezu: Wenn die Gemeinde in Rom kein Gnadengesuch einreicht, so daß er den Tod erleiden kann, dann werde er selbst ein Logos Gottes ($\dot{\varepsilon}\gamma\dot{\omega}\ \lambda\acute{o}\gamma o\varsigma\ \vartheta\varepsilon o\tilde{v}$), während er, wenn er verschont würde, wiederum nur eine Stimme sei ($\pi\acute{a}\lambda\iota\nu\ \ddot{\varepsilon}\sigma o\mu a\iota\ \varphi\omega\nu\acute{\eta}$).[13] Darin spricht sich die Anschauung aus, daß das Wort der Verkündigung, eben die Phonē, die schwächere Kraft ist, die nur von Seele zu Seele durch die Einsicht wirken kann, während der Opfertod den Rang der Logoskraft erreicht, die in den Grundbestand des Erschaffenen eingreift. Wie also Christus durch seine Menschwerdung und durch Tod und Auferstehung nicht nur auf das Bewußtsein der Mensch= heit eingewirkt hat, sondern in die Substanz des Seins, des sterblichen Leibes, verändernd eingegriffen hat, so hat nach der Anschauung des Ignatius auch der Märtyrertod der Christus= jünger Wirkungen, die sich mit dem erlösenden, verwandeln= den Wirken des Logos in seinen „schweigenden Taten" ver= einen.

*

Der zweiten Generation nach Ignatius, der vierten nach den Aposteln, gehört *Justinus Martyr* an. Seine Geburt fällt in das frühe zweite Jahrhundert. Seine Vaterstadt war Flavia Nea= polis, die „Neustadt", die von den Römern auf den Trümmern des alten Sichem in Samaria errichtet worden war. Die Eltern Justins waren Griechen und offenbar begütert; denn der Sohn konnte sich ohne Brotberuf seinem geistigen Streben widmen. Wir treffen ihn zuerst in der Hauptstadt der römischen Provinz Asia, des jetzigen Kleinasien an, nämlich in *Ephesus.* Aus sei= nen Erlebnissen in den Philosophenschulen dieser Stadt geht hervor, daß das griechische Geistesleben in dieser alten Metro= pole der Weisheit in den dreißiger Jahren des 2. Jahrhunderts in Dekadenz geraten war.

Ein Stoiker enttäuschte Justin, weil er nichts von einem dem Logos übergeordneten Gott zu sagen wußte. Das ist allerdings eher ein auffallender Beweis für ein besonderes religiöses Suchen Justins als gegen jenen Lehrer. Denn in der Stoa reichte das philosophische Denken kaum über den Logos hinaus, wie oben mehrfach festgestellt wurde. *Einen* Gott zu suchen, war kein allgemeines Anliegen des damaligen Griechentums. Dieses Suchen muß sehr individuell in der Seele Justins veranlagt ge=

wesen sein. — Der Peripatetiker stieß Justin ab, weil er zuerst nach der Höhe des Honorars fragte, der Pythagoräer verlangte zu viele Kenntnisse aus der Mathematik, Astronomie und Mu=sik, die nicht in der Richtung von Justins mehr innerlichem Suchen lagen. Bei einem Platoniker blieb der Sucher schließlich längere Zeit und hoffte, zu dem höchsten Ziel dieser Schule, zum Schauen des Göttlichen, zu gelangen.[14]

Da aber trat ein besonderes Ereignis im Leben des Justin ein. Er schildert es mit folgenden Worten:

> Einmal faßte ich den Entschluß, völlige Ruhe zu genießen und die von Menschen begangenen Wege zu meiden, und so ging ich an einen Platz in der Nähe des Meeres. Als ich mich aber jenem Ort näherte, wo ich allein sein wollte, folgte mir in geringem Abstand ein alter Mann von gewin=nendem Aussehen und von mildem, ernstem Charakter. Ich wandte mich nach ihm um, blieb stehen und sah ihn genau an. Er fragte: „Kennst du mich?" Ich verneinte es. Er sagte darauf: „Warum schaust du mich so an?" Ich antwortete: „Es fällt mir auf, daß du zufällig am gleichen Orte mit mir zusammentriffst; denn ich erwartete, hier niemand zu sehen."[15]

Die Szene ist ganz in die Stimmung einer schicksalhaften Begegnung getaucht. Unmittelbar vorher schreibt Justin noch, daß er in der hochgestimmten Hoffnung auf das von Platon ver=heißene Schauen Gottes gewesen sei, als er sich auf diesen Weg machte. Seine innere Verfassung scheint diese Begegnung herangezogen zu haben. Und gerade, wo am wenigsten eine Begegnung zu erwarten war, trat sie ein. Die Bezeichnung „zu=fällig" hebt Justin in eine höhere Ordnung; denn dieser Zufall ist eben „auf=fällig". Die berichteten Sätze des Greises scheinen nicht besonders bedeutend. Entweder hat Justin nicht alles wie=dergegeben, oder aber die Wirkung dieser Rede ging mehr von

dem Sprechenden unmittelbar aus als von dem Inhalt des Ge=
sagten.

„Bete, daß dir die Tore des Lichtes geöffnet werden. Denn
niemand kann schauen und verstehen, es sei denn, Gott
und sein Christus gibt einem die Gnade des Verständnis=
ses." — Nachdem der Greis dies und vieles andere ... gesagt
hatte, ging er fort mit der Bitte, ich möchte seine Worte
befolgen. Ich habe ihn nicht mehr gesehen. In meiner Seele
aber fing es sofort an zu brennen, und es ergriff mich die
Liebe zu den Propheten und zu jenen Männern, welche die
Freunde des Christus sind. Ich dachte über die Lehren des
Mannes nach und fand darin die allein sichere und förder=
liche Philosophie.[15]

Einiges ist aus den Umständen dieser Begegnung und aus der
Darstellung Justins zu schließen. Der Jünger Johannes hatte
bis um das Jahr 100 in Ephesus gelebt und gewirkt. Ein Christ,
der 35 Jahre später ein Greis war, hatte Johannes noch ge=
kannt. Das letzte Wort, das dem uralten Johannes in den Mund
gelegt wird: „Kindlein, liebet euch untereinander", schimmert
noch aus diesem „milden" alten Manne, der sofort „Liebe" er=
weckt. Das Gespräch scheint an die Hoffnung Justins auf das
Gottschauen angeknüpft zu haben. Denn einmal weist jener
Greis den Weg zu einem solchen Schauen; und zum andern
waren ja die Propheten, für die in Justin das Interesse erwachte,
die großen Schauenden der Vergangenheit. Johannes war der
Seher der Apokalypse. — Und schließlich geht aus der Wen=
dung „die Gnade des Verständnisses" und aus dem Ergebnis
des Gesprächs (das Christentum als die beste Philosophie) her=
vor, daß jener Greis ein Erkenntnischristentum vertrat, wie wir
es bei Ignatius antrafen, das heißt aber für jene Zeit: ein logoso=
phisches Christentum, und es heißt für Ephesus: ein Christen=
tum im Sinne des Johannes.

Der Satz: „In meiner Seele fing es sofort an zu brennen" weist noch über all dies hinaus. Er erinnert an das Wort der Emmaus=Jünger: „Brannte nicht unser Herz in uns, als er mit uns redete auf dem Wege?" Nun hat Justin, wie viele Zitate seiner Schriften beweisen, das Lukasevangelium gekannt, in dem diese Worte verzeichnet sind. Wenn ihm aber eine ähnliche Beschreibung seines Erlebnisses geboten schien, so dürfen wir bei Justin, in dessen Schriften sich kein leisester Zug von Überheblichkeit findet, getrost annehmen, daß auch sein Erleb= nis selbst ein ähnliches gewesen ist. Brachte es doch bei diesem einzigen Gespräch die entscheidende Wendung seines Lebens.

Eine ungeheure Kraft des Wortes scheint von dem greisen Johannes=Christen ausgegangen zu sein, noch verwandt mit der Wortgewalt, mit der die Apostel selbst ihre Taten verrichteten.

Justin trug zeit seines Lebens den weißen Mantel der grie= chischen Philosophen. Er wurde daher schlechthin „der Philo= soph" genannt. In Rom begründete er später eine Schule, die gewaltig nachgewirkt hat. Sein bedeutendster Schüler war Tatian[16], dessen Schüler aber war Clemens von Alexandrien. — Justin ist dadurch charakterisiert, daß er seine Lehrtätigkeit ohne kirchliches Amt, ohne Auftrag, als eigenes persönliches Unternehmen durchführte. Er gründete seine Schule in Rom, wie es andere Philosophen auch taten. Es gehört ja zu den erstaunlichsten Erscheinungen des geistigen Lebens, daß die Eroberung der Gedankenkraft in Griechenland bei Aberhunder= ten von Männern zum frei erwählten Lebensberuf wurde. Nach den heiligen Institutionen der Mysterien übernahm sozusagen der Logos in der einzelnen freien Persönlichkeit die Mission, das geistige Leben der Menschheit zu pflegen. Aus der griechi= schen Philosophie sind alle späteren Wissenschaften hervor= gegangen. Die Schulen dieser freien Männer waren nach den Mysterien die Pflanzstätten des Geistes. Der weiße Mantel, eine Art weltlicher „Alba", war das Zeichen, daß es sich bei diesem Dienst am Geiste noch um die Vermittlung geweihter, reinigender Kräfte handelte. Daran knüpfte Justin an. Er empfand das Christentum als die Fortsetzung und Erfüllung der Philosophie. Er sagte, die alten Weisen hießen Philosophen, die neuen Weisen werden nun Christen genannt.[17] In Justins beiden Apologien (Verteidigungen) des Christentums und ebenso in einem Dialog (Zwiegespräch) mit dem Juden Try= phon handelt es sich nicht darum, daß die griechische Philo= sophie, vor allem die Logoslehre, zum Zwecke der Erläuterung und Rechtfertigung der christlichen Lehren studiert und heran= gezogen wird. Die „Bekehrung" Justins hat vielmehr innerhalb des Logos=Raumes stattgefunden, so daß ihm das Christentum im gleichen Sinne organisch zu eigen war wie vorher die Philo= sophie. Zutreffend schreibt v. Campenhausen: „Seine christ= liche Philosophie ... ist das Ergebnis seiner eigenen Lebens= entwicklung und selbständiger Wahl und geistiger Entschei= dung."[18]

Um das Jahr 165 wurde Justin mit sechs anderen Christen in Rom als Märtyrer enthauptet.

*

Der atemraubende Fortgang in der Ausbildung der Logos= lehre ist mit Philo zu Ende. Alle ihre Elemente waren geschaf= fen. Das geistige Gefäß der Logosophie stand vollendet zur Verfügung, als die Epiphanie des Logos in Christus mit der Erkenntnis durchdrungen werden mußte. Und die Elevation dieses Gefäßes dem Mysterium des Mensch=gewordenen Gottes entgegen erfolgte auch schon in den Händen des Paulus und Johannes. Durch sie floß der Logos noch unmittelbar in die Offenbarung ein. Wir finden bei ihnen keine Reflexionen dar= über, keine Logos=Theologie. Die Logosanschauung ist in den Johannes=Schriften, aber im wesentlichen auch noch bei Paulus das eben zur Verfügung stehende Medium der Offenbarung.

Erst mit den „Apologeten" (Verfassern von Verteidigungs=
schriften für das Christentum), beginnend mit Ignatius, zu
einem ersten umfassenden Gebäude ausgestaltet bei Justin, fin=
det die gedankliche Auswertung der alten Logosophie im christ=
lichen Sinne statt. Dabei ist sogleich die Vernachlässigung einer
wesentlichen Seite dieser Weisheit zu bemerken, die schon bei
Philo einsetzte. Zwar bedeutet der Logosgedanke weiterhin den
kosmischen Aspekt im Wesen des Christus. Aber das Wirken
des Logos als des präexistenten Christus interessiert die christ=
lichen Lehrer im wesentlichen nur noch nach der historischen
Seite, das heißt nach der Seite der vorangegangenen Offen=
barungen an die Menschheit. Dagegen findet die naturgeschicht=
liche Seite des Logoswirkens kaum mehr Erwähnung. Die
Gründe dafür sind oben schon genannt.

Justin sagte etwa:

> Der Logos war vor aller Schöpfung in ihm (dem Vater), und
> er wurde gezeugt, als er (Gott) das All durch ihn schuf und
> ordnete. Er wird der Christus genannt.[19]

Das Neue an diesem Gedanken ist eben die Identifizierung
des Logos mit Christus. Und diese Leistung darf nicht unter=
schätzt werden. Sie war das Ergebnis einer Erkenntnis, die
weit über alles Philosophieren hinausging und nur aus einer
Wesensberührung mit Christus entspringen konnte. Ein grie=
chischer Denker hatte viel in sich zu überwinden, um den er=
niedrigten und gekreuzigten Jesus von Nazareth als den Träger
seines im Sonnenglanze leuchtenden Logos anzuerkennen. Das
bedeutete den Gang durch ein intellektuelles „Stirb und Werde",
dem dann bei Justin auch der Gang in das physische Martyrium
folgte.

Eine andere Formulierung Justins lautete:

> Der Logos wurde als Archē (Kraft des Urbeginnes) vor
> allem Erschaffenen von Gott gezeugt.[20]

Die Stelle ist deshalb von besonderer Bedeutung, weil aus ihr hervorgeht, daß das ἀρχή (Archē) im Prolog des Johannes= evangeliums von Justin nicht im Sinne einer Zeitbestimmung verstanden wurde. Denn er sagte nicht etwa ἐν ἀρχῇ (im Ur= beginne), was als Hinweis auf den Beginn der Zeit aufgefaßt werden konnte; sondern er *nennt* den Christus eine Archē. Und damit ist dieses Wort eindeutig als Name oder doch als Rang= bezeichnung hierarchischer Wesen gebraucht.[21] Häufiger wird der Logos als δύναμις (Dynamis) bezeichnet, z. B. in dem Satze: „Der Logos ist die erste Dynamis Gottes, des All=Vaters, und sein Sohn."[22] Könnte dieses „erste" noch im Sinne von „erst= geboren" verstanden werden, so ist in einer anderen Formu= lierung kein Zweifel mehr darüber, daß eine hierarchische Über= ordnung gemeint ist: Der Logos ist „der Herr der Mächte (κύριος τῶν δυνάμεων) nach dem Willen Gottes".[23] Doch läßt das Vorkommen dieser Hierarchien=Namen nicht auf einen exakten Gebrauch im Sinne des Dionysios Areopagita schlie= ßen. Die Bezeichnung des Logos als Dynamis hat bei Justin einen bestimmten Sinn: So wenig wie der Logos (das „Wort", das Offenbarungsprinzip) innerhalb des "schweigenden" Got= tes Raum hat, sondern schon durch seine Existenz eine wesen= hafte *Äußerung* des Vaters, eine „Zeugung" bedingt, so wenig erscheint Justin die Vorstellung einer in der Schöpfung tätigen *Kraft* als mit dem Wesen des Vatergottes vereinbar. Auch ein als Dynamis (Kraft) bezeichnetes Wesen ist also „Sohn", etwas bereits Hervorgegangenes wie der Logos selbst. Im Gegensatz zu den in der Mehrzahl auftretenden Dynameis heißt der Logos πρώτη δύναμις — die erste der Dynameis.

Die Naturseite des Logos kommt lediglich in knappen und ein wenig abstrakten Formulierungen zum Ausdruck: „Chri= stus, der Sohn Gottes ist das ewige Gesetz (αἰώνιος νόμος) für den ganzen Kosmos."[24] Das eigentliche Thema Justins ist „der Logos, an dem das ganze Menschengeschlecht teilhat (μετέσ-

$\chi\varepsilon$)."[25] (Der Gebrauch dieses Verbs, das ein stoischer termi=
nus technicus ist, verrät Justins Bekanntschaft mit der älteren
Logosophie.)

Wenn dieser Satz von dem Anteil aller Menschen am Logos
für Justin gewiß auch im Sinne der Erschaffung des Menschen=
geschlechtes durch den Logos Gültigkeit hatte, so richtet sich
doch auch hier sein eigentliches Interesse auf den Anteil, den
das *Bewußtsein* der Menschen am Logos gewann. Und hier
taucht nun auch in christlicher Zeit das geheimnisvolle Zusam=
mengehörigkeits= und Sukzessions=Bewußtsein der Logosjünger
auf. So kann Justin den berühmten Satz schreiben:

> Die gemäß dem Logos Lebenden (Menschen) sind Christen,
> wenn sie auch für gottlos erachtet wurden, so bei den Grie=
> chen Sokrates, Heraklit und die ihnen Ähnlichen, bei den
> Barbaren (Nichtgriechen) Abraham . . ., Elias und andere.[26]

Das „gottlos" ist hier so gemeint, daß die vor der Zeiten=
wende lebenden Menschen den durch Christus geoffenbarten
Gott noch nicht kannten. Das hindert Justin aber nicht, sie
Christen zu nennen, da für ihn Logos und Christus dieselbe
göttliche Person ist. Der Logosgedanke brachte in das frühe
Christentum diese menschheitumfassende Weite der Anschau=
ung, die nicht nur wie Paulus die verschiedenen Richtungen
innerhalb des Christentums nebeneinander gelten ließ, sondern
den Begriff des „Heidentums" im religiösen Sinne gar nicht
kannte. Was in der griechischen und jüdischen Geistesentwick=
lung vorangegangen war, das galt als Vorstufe der Offen=
barung durch Christus:

> Was auch immer die Denker und Gesetzgeber Richtiges ge=
> sagt und gefunden haben, das ist von ihnen kraft des *Tei=*
> *les* des Logos, der ihnen zugekommen war, durch Forschen,
> Anschauen und Mühe gefunden und erarbeitet worden. Da

sie aber nicht das Ganze des Logos, der Christus ist, erkann=
ten, haben sie oft einander Widersprechendes gesagt.[27]

Seine Positivität gegenüber den griechischen Denkern spricht
Justin dann, nachdem er Platon, die Stoiker, Dichter und Ge=
schichtsschreiber genannt hatte, noch einmal mit den Worten
aus:

> Jeder von diesen hat durch den Anteil an dem göttlichen
> Logos spermatikos ... richtige Aussagen gemacht. ... Was
> immer sich bei ihnen richtig gesagt findet, ist unsre, der
> Christen Sache.[28]

Daß dies nicht etwa im Sinne einer Besitzergreifung und
„Heimbringung" alles Guten und Wahren in die christlichen
Scheunen gemeint war, beweisen diese Sätze durch sich selbst.
Denn der stoische Begriff des Logos spermatikos (siehe oben
S. 48 f.) ist die Grundlage der darin geäußerten Anschauung.
Das heißt aber: die alte Logoslehre ist mit Justins Christentum
zu einer organischen Einheit verschmolzen.

Bezeichnend für Justin ist andererseits, daß er diesen Be=
griff des Logos spermatikos nicht mehr wie die Stoa auf das
Werden der Naturgebilde bezieht, sondern auf den Logos im
menschlichen Bewußtsein. Da ihn die kosmische Seite des
Logoswirkens nicht mehr beschäftigt, ist dieser Begriff sozu=
sagen für sein Interessengebiet frei geworden. Doch ist dieser
ungenaue Gebrauch dieses Begriffes bei ihm vereinzelt. Im all=
gemeinen spricht er von dem σπέρμα τοῦ λόγου[29] (dem Sa=
men des Logos) oder auch von der ἐμφύτου τοῦ λόγου σπορά[30]
(der Saat des eingeborenen Logos) im Menschen und bringt
damit zum Ausdruck, daß er die stoische Unterscheidung des
physikalischen vom psychologischen Logos kannte.

Nach dieser Zwischenbemerkung zurück zu Justins Ge=
schichtsbewußtsein. Der oben angeführte allgemeine Satz über
die vorchristlichen Christen enthielt außer den Namen grie=

chischer Weiser schon diejenigen von Gestalten aus dem Alten
Testament. Und auf den Spuren Philos führte Justin alle Got=
tesoffenbarungen und Prophetien, ja die Führung des jüdischen
Volkes auf den Logos als Mittler zurück. So versteht er die
Erscheinung im brennenden Dornbusch (2. Moses 3) folgen=
dermaßen:

> Als Moses den Befehl erhielt, nach Ägypten hinabzugehen
> und das dort weilende jüdische Volk herauszuführen,
> näherte sich ihm unser Christus in Feuergestalt aus dem
> Dornbusch und sprach zu ihm: „Lege deine Schuhe ab,
> komm her und höre!" ... Auch empfing er gewaltige Kraft
> von dem Christus.[31]

Die Identität Christi mit dem Logos geht also bei Justin so
weit, daß er sich nicht scheut, auch die alten Logosoffenbarun=
gen unmittelbar auf den Namen des Christus zu taufen. Und
er ist so durchdrungen von dem Irrtum der Juden, daß er schrei=
ben kann:

> Die Juden lehren alle Leute noch, der namenlose Gott habe
> zu Moses geredet. .... Wer aber den Sohn zum Vater macht,
> lädt den Vorwurf auf sich, daß er weder den Vater kennt
> noch weiß, daß der Vater des Alls einen Sohn hat, der als
> Gottes Logos und Erstgeborener auch ein Gott ist.[32]

Hier sei bemerkt, daß diese Anschauung des Philo und Justin
auch dem zeitlich zwischen ihnen lebenden Paulus nicht fremd
geblieben ist. Der ehemalige jüdische Schriftgelehrte schreibt
an die Korinther:

> Unsere Väter sind alle auf Moses getauft ... und haben
> alle die geistige ($\pi\nu\varepsilon\nu\mu\alpha\tau\iota\varkappa\acute{o}\varsigma$) Speise gegessen und den
> geistigen Trank getrunken. Sie tranken nämlich von dem
> geistigen Felsen, der sie begleitete. Der Fels aber war Chri=
> stus.[33]

Wenn mit diesem Wortlaut auch nur das Wasserwunder des Moses ausdrücklich auf Christus bezogen ist, so könnte Paulus doch ebensogut den gleichen Bezug zu dem unmittelbar vorher im gleichen Sinne genannten Mannawunder ausgesprochen haben und wäre damit gleicher Anschauung mit Philo. Prinzi= piell deckt sich aber damit seine Auffassung der Führung des alten Gottesvolkes auch mit der Justins.

Wie Justin über die jüdische Prophetie dachte, sei mit einem schönen Abschnitt aus seiner Apologie belegt:

> Wenn ihr die Worte der Propheten einer Person in den Mund gelegt findet, so dürft ihr sie nicht als von dem Inspi= rierten selbst gesprochen ansehen, sondern von dem sie inspirierenden göttlichen Logos. Denn einmal verkündet er die Zukunft in Form der prophetischen Inspiration, ein andermal redet er wie in der Person Gottes, des Herrn und Vaters des Alls, ein andermal in der Person Christi, und wieder anders wie aus dem Munde von Völkern, die (ihm,) dem Herren oder seinem Vater antworten. Einen Vergleich habt ihr bei euren Schriftstellern: Da ist auch nur einer der Verfasser des Ganzen. Die Personen aber, die er redend einführt, sind verschiedene.[34]

Der Logos ist für Justin der Autor der gesamten alttestament= lichen Offenbarung, wie er der Inspirator der griechischen Philosophen war. Generell kommt dies zum Ausdruck in dem Satz: „Die Weissagenden empfangen durch keinen anderen Einsprechungen als durch den göttlichen Logos!"[35] Daß Justin auch die ägyptische Hermes=Thot=Tradition einbezog[36], wie es schon die Stoiker taten, sei nur erwähnt, da dieser komplizierte Gegenstand einer besonderen Untersuchung bedürfte.[37] Durch den Logos=Christus war für Justin ein einheitliches umfassen= des Bild der Menschheitsentwicklung gegeben. Mit einer gren= zenlosen Unbefangenheit zieht er auch die antike Mythologie

zur Erklärung der christlichen Glaubensinhalte heran. Hinsicht=
lich der jungfräulichen Geburt der Maria beruft er sich auf den
Mythos von der Danaë, die in ein Gewölbe unter der Erde ein=
gesperrt war und doch den Perseus empfing und gebar.[38] Das
Richteramt Christi rechtfertigt er mit dem Hinweis auf die
antiken Totenrichter Minos und Radamanthys[39]; die Gottes=
sohnschaft Christi mit den Söhnen des Zeus[40], den Noah=
bericht des Alten Testamentes mit der Sage von Deucalion[41]
usw.[42]

Gehen wir nun im einzelnen auf Justins Logosophie ein, so
haben wir im wesentlichen das Augenmerk darauf zu richten,
inwiefern sich seine Logos=Gestalt von derjenigen der griechi=
schen Denker und auch der jüdischen Weisen abhebt. Durch die
Überzeugung, daß dieser Logos in Christus Mensch geworden
ist, mußte sich ja auch die Logoslehre dieser Inkarnation an=
gleichen. Schon ihr Ansatzpunkt, die Entstehung des präexi=
stenten Logos aus der Gottheit, erfuhr eine wesentliche Verän=
derung. Verdämmerte der väterliche Grund der Welt für die
Griechen in einer philosophisch nicht mehr faßbaren Ferne, so
hatte Philo für ihn jene eigenartig abstrakte Formel des „wahr=
haft Seienden" geprägt. Entstanden ist dieser Ausdruck ohne
Zweifel aus dem „Namen", den die Gottheit auf dem Sinai dem
Moses offenbarte: „Ich bin der Ich bin." In dieser „Theophanie=
formel" (ani hu), die an vielen Stellen des Alten Testamentes
vorkommt, ist das „Sein" die wesentliche Aussage, die das Got=
tes=Ich von sich selbst macht. E. Stauffer hat kürzlich auf diese
Entsprechung zu den Ich=bin=Worten der Evangelien aufmerk=
sam gemacht. (Jesus, Gestalt und Geschichte, S. 130 ff.)

Auch für Justin ist Gott wie für Philo absolut außerweltlich
und sogar „überhimmlisch"[43], in jedem Sinne unwahrnehm=
bar und ohne Namen: „Auch die Bezeichnung ‚Gott' ist kein
Name, sondern nur eine der Menschennatur angeborene Vor=
stellung eines unerklärbaren Wesens."[44] Trotzdem hat aber

Gott jetzt den persönlichen Charakter des „Vaters", von dem Christus sprach. Und so ist die Entstehung des Logos nicht mehr die Folge einer Weltgesetzlichkeit, sondern die freie Lie= bestat Gottes, ein persönlicher Akt, wie auch die Menschwer= dung des Christus.[45]

Der Inkarnation des Logos wird nun Rechnung getragen. Er ist jetzt σαρκοποιηθείς (fleischgeworden) und μορφωθείς (ge= staltgeworden).[46] Christus „ist vorher der Logos gewesen" (πρό= τερον λόγος ὤν)[47], und der Logos ist „dann Mensch geworden" (ὕστερον ἄνθρωπος γενόμενος).[48] Mit diesen Worten ist der Markstein in der Geschichte des Logos und damit der Um= schwung der Weltgeschichte bezeichnet. Das Vertrautsein mit der Logoslehre setzte einen Mann wie Justin in die Lage, den verborgenen Leitfaden der Erd= und Menschheitsentwicklung zu gewahren, der die Ereignisse von Palästina mit der Erschaf= fung der Welt und ihrem Endziel verbindet. Jetzt war das Besondere und Einmalige eingetreten, daß die Logosophie in die Biographie eines Wesens in Menschengestalt eingemündet war. Die alte Logosophie war zum Vor=Evangelium, war zur Christologie geworden, oder umgekehrt ausgedrückt: die Logo= sophie hatte ihre Besiegelung und Erfüllung gefunden im In= halt der Evangelien, in den zeichenhaften Umständen des Jesus=Christus=Lebens und in seiner Offenbarung im Men= schenworte.

Da wir bei jedem Autor nur die neuen Elemente der Logos= lehre berücksichtigen können, begnügen wir uns mit dem Hin= weis auf einige besondere Dinge, die Justin beschäftigt haben. Als eine Prophetie oder als Urbild des Kreuzes Christi sah er wohl als erster die bekannte Platon=Stelle an:

Den zweiten Platz weist Platon dem aus Gott stammenden Logos zu, von dem er sagt, daß er im All wie ein Chi (*X*) ausgebreitet sei.[49]

Den ersten Platz nahm bei Platon „derjenige Gott, der von Ewigkeit ist", ein, den zweiten „der Gott, welcher erst ins Da= sein treten sollte". Und mit diesem zweiten erst aus dem Vater hervorgehenden Gott identifiziert Justin die „Weltseele", die nach Platon auf das chiförmige Weltenkreuz von Äquator und Ekliptik ausgespannt ist. Wir haben oben (S. 124 f.) anläßlich der Behandlung von Philos Logos tomeus bereits gesehen, daß der Opfercharakter der Ausgießung des Logos in die Schöpfung empfunden wurde. Hier im Timaios schreibt Platon einen Satz, der zwar nicht vom Logos spricht, sinngemäß aber auf ihn be= zogen werden kann: Die Gottheit „machte die der Mischung (von Geist und Urstoff) widerstrebende Natur des Anderen (des geistigen Teiles) *gewaltsam* mit dem Selbigen (dem ur= stofflichen Teil) verträglich". Das steht in der Mitte der beiden Sätze, die von dem Welten=Chi sprechen, und so dürfte als sicher gelten, daß Justin jene erste kosmische Ausspannung des Logos auf das Weltenkreuz als eine erste Opfertat des Logos verstanden und die Kreuzigung auf Golgatha als ein Realsym= bol im Erdendasein des Christus aufgefaßt hat. Er bezeichnet das Kreuzzeichen „als eine Figur, ohne die nichts, was in der Welt ist, gehandhabt werden oder Gestalt gewinnen kann", und verweist auf das Vorkommen dieses Zeichens an Mast und Segel, am Pflug und anderen Werkzeugen und vor allem an der menschlichen Gestalt, die allein aufrecht steht und die Hände ausbreiten kann.[50]

Doch ist damit nicht erschöpft, was Justin meinte, wenn er die Kreuzigung „das größte Mysterium der Macht"[51] Christi nannte. Dieses Wort hatte damals in der griechischen Sprache noch seine volle konkrete Bedeutung und bezog sich auf die altheiligen Riten der Einweihung in den Mysterienstätten. An dies Erlebnis von Sterben und Neugeburt knüpft Justin in einer verhüllten Form an, wenn er das Wort „Mysterium" auf die Kreuzigung des Christus anwendet. Er konnte voraussetzen,

daß die Adressaten seiner Apologie diese Anknüpfung verstan=
den. Wenn es der späteren und besonders der heutigen Mensch=
heit schwer fällt, sich unter der Erlösungstat durch Tod und Auf=
erstehung des Christus etwas Reales vorzustellen, so war durch
den Bezug auf die alten Mysterien damals noch eine Brücke
des Verständnisses geschlagen und es klang für damalige
Ohren noch bestürzend, wenn Justin Sätze schrieb, die für uns
durch den Gebrauch von bald 2000 Jahren zu geläufig und doch
ganz und gar unverständlich wurden:

> Der Logos ist nach dem Willen des Vaters zum Heile sei=
> ner Jünger ... Mensch geworden und hat Verachtung und
> Leiden auf sich genommen, um durch sein Sterben und Auf=
> erstehen den Tod zu besiegen.[52]

Philo war, wie wir sahen (S. 137), rein aus der Intuition zu
dem Bilde des todbesiegenden Logos vorgedrungen. Wenn er
auch kein Eingeweihter im strengen Sinne mehr war, so stand er
doch in einer Mysterientradition, die den drohenden Tod und
die Weltnotwendigkeit seiner Überwindung noch kannte. Ge=
meint war damit nicht das leibliche Sterben, sondern das Er=
löschen des Bewußtseins für die übersinnliche Welt, der See=
len=Tod. Bei Justin muß die gleiche Auffassung vorausgesetzt
werden. War auch gewiß das Mysterium des Christus-Sieges
über den Tod in seinem Sinne nicht auf das seelische Gebiet
beschränkt, so wußte er doch noch, daß die Unsterblichkeit
nicht mit dem Leibe, sondern mit der Seele beginnt und damit
nicht auf das Fernziel der „Auferstehung des Leibes" verscho=
ben, sondern als sogleich einsetzender seelisch=geistiger Prozeß
zu verstehen ist. Der völlige Verlust dieses Verständnisses ist
es, der im späteren kirchlichen Christentum den Impuls der
Auferstehung gelähmt hat. Ist doch heute in der protestanti=
schen Theologie sogar die Anschauung verbreitet, daß das Be=
wußtsein mit dem Tode erlischt. Für Justin war es ganz selbst=

verständlich, daß „allen, die einmal gelebt haben, das Empfin=
dungsvermögen bleibt" und „daß die Seelen auch nach dem
Tode Bewußtsein haben."[53]

Darüber und über die gesamte alte Logosophie hinaus war
aber Justin auch der Überzeugung, „daß die aufgelösten und
nach Art der Samen in die Erde gelegten Leiber zu ihrer Zeit
durch Gottes Willen auferstehen und die ‚Unverweslichkeit an=
ziehen'."[54]

Eine Besonderheit in Justins Theologie stellt die Anschauung
dar, daß unter der Kraft Gottes ($\delta \acute{v} \nu \alpha \mu \iota \varsigma$ $\acute{v} \psi \acute{\iota} \sigma \tau o v$), die im
Lukasevangelium genannt ist als diejenige, die Maria „be=
schattete" bei ihrer Empfängnis, „nichts anderes verstanden
werden darf als der Logos, der Gottes Eingeborener ist".[55]
Diese Lehre blieb bestehen, solange das Logos=Mysterium
lebendig blieb. So findet sie sich noch bei Tertullian und Cle=
mens Alexandrinus, der sagte:

> Der Logos, der Verursacher der Schöpfung der Welt
> ($\delta \eta \mu \iota o v \varrho \gamma \acute{\iota} \alpha \varsigma$ $\alpha \acute{\iota} \tau \iota o \varsigma$), hat sich selbst erzeugt, als der Logos
> Fleisch wurde.[56]

Im Sinne der Logosophie war damit auch das Rätsel der
jungfräulichen Geburt in einem einheitlichen Weltgedanken,
eben in dem des Logos, beschlossen. In einer noch etwas ver=
hüllten Form ist diese Anschauung schon bei Ignatius nach=
zuweisen (siehe S. 147 f.). Er hatte die jungfräuliche Ge=
burt unter den Ereignissen aufgezählt, die „im Schweigen Got=
tes" vollbracht würden. Sinngemäß, aber nicht ausdrücklich
konnte dies auf den Logos bezogen werden. Bei Ignatius trat
aber auch eine Auffassung der jungfräulichen Geburt auf, die
später vergröbert wurde. Er betont so ausdrücklich, daß Chri=
stus „aus Davids Samen" ($\grave{\varepsilon} \varkappa$ $\sigma \pi \acute{\varepsilon} \varrho \mu \alpha \tau o \varsigma$ $\varDelta \alpha v \acute{\iota} \delta$)[57], dem Flei=
sche nach aus dem Geschlechte Davids ($\varkappa \alpha \tau \grave{\alpha}$ $\sigma \acute{\alpha} \varrho \varkappa \alpha$ $\grave{\varepsilon} \varkappa$ $\gamma \acute{\varepsilon} v o v \varsigma$
$\varDelta \alpha v \acute{\iota} \delta$)[58] stamme, daß er schwerlich an eine physische Jung=

fräulichkeit der Maria gedacht haben kann. Denn den Samen Davids konnte nur Joseph vermitteln.

Auf einem bestimmten Gebiet mußten nun die christlichen Logosophen mit den griechisch=heidnischen, vor allem mit den Stoikern in Konflikt geraten. Letztere sahen den Logos als eine geistige Kraft an, die wie die Naturkräfte gesetzmäßig aus und durch sich selbst wirkt. Der Logos war für sie ja auch die Summe aller Naturgesetze. Und der innere Anschluß des Men= schen an den Logos bedeutete doch wiederum, daß eine Art höherer Gesetzmäßigkeit in der Seele in Kraft trat. Wir kön= nen uns das über einen Abstand von zwei Jahrtausenden nur richtig vorstellen, wenn wir in Betracht ziehen, daß damals der Gedanke noch eine Art intellektueller *Wahrnehmung* gewesen ist. Das Denken war gewissermaßen noch eine Funktion des kosmischen Logos in der Seele. Und das Gleiche gilt für das Gebiet der Ethik, die ja gerade in der Stoa aus dem Gedanken= leben hervorging. War ein Mensch erst ein Logiker (λογικός) geworden, so bewirkte der Logos mit Notwendigkeit (εἱμαρμένη) auch das Gute in der Lebensführung. So konnte ein echter Be= griff der Freiheit noch nicht entstehen. Und dies war der Punkt, wo Justin sich in scharfem Gegensatz zu den Stoikern befand; er schreibt:

Wenn alles nach dem Verhängnis (εἱμαρμένη) geschehen würde, so gäbe es keine Verantwortlichkeit; denn wenn es vom Schicksal bestimmt wäre, daß dieser gut und jener schlecht ist, so wäre der eine so wenig zu loben wie der andere zu tadeln. Und wiederum: Wenn das Menschen= geschlecht nicht das Vermögen hat, aus *freier Wahl* das Schändliche zu meiden und sich für das Gute zu entscheiden, so wäre es unschuldig an allem, was es tut.[59]

Freilich tut Justin den Stoikern mit seiner Polemik in gewis= sem Sinne unrecht. Denn der Intention nach war bei ihnen der

Appell an den freien Willen bereits vorhanden. Daß die Wil=
lensfreiheit noch nicht *gedacht* werden konnte, lag daran, daß
die Ich=Entwicklung gerade bei den Stoikern noch nicht das
Stadium erreicht hatte, in dem der Anspruch auf volle Selbst=
bestimmung entstehen kann. Justin markiert den Sprung in der
Entwicklung des Ich, der durch das Christentum eingetreten
war. Und so hebt er auch die prominenteste Funktion des Ich
energisch hervor, die Urteilsfähigkeit:

> Wo der richtungweisende Logos (λόγος ὀρθός) auf Mei=
> nungen und Satzungen stößt, zeigt er, daß sie nicht alle
> richtig sind, sondern die einen schlecht und die anderen
> gut.[60]

Mit diesen Worten trat Justin dem Einwand entgegen, daß
bei verschiedenen Völkern sehr Verschiedenes als gut oder
übel gilt und daß es somit keinen allgemeingültigen Maßstab
für Gut und Böse gäbe. Durch Christus als den Logos orthos
war nun auch dieser Maßstab wieder hergestellt.

Von den Engeln und von den Menschen sagte Justin, Gott
habe sie αὐτεξούσιοι, das heißt als ihrer selbst mächtig, als
ihrem Wesen nach frei erschaffen.[61]

Andererseits hat diese absolute Willensfreiheit keineswegs
den Charakter, daß etwa die kraft dieser Freiheit erfolgende
Zuwendung zu Christus die willkürliche Verbindung mit etwas
der Seele ganz Fremdem bedeuten würde. Aus der alten Logos=
lehre und mit einem ihrer Hauptbegriffe wird vielmehr die
Anschauung gewonnen, daß es sich bei dem Bekenntnis zu
Christus um das Erwachen eines der Seele eingepflanzten Ur=
zusammenhanges handelt:

> In den an Christus glaubenden Menschen wohnt der Same
> aus Gott, der Logos.[62]

Die Einführung des stoischen Begriffes des Logos als des
Samens aus Gott (σπέρμα παρὰ θεοῦ) verweist unausweichlich

auf einen Zusammenhang der Seele mit dem Logos von der Erschaffung des Menschen her. Wenn nun speziell von den Christen gesagt wird, daß bei ihnen diese Einwohnung statt= findet, so ist dieses Wohnen (οἰϰεῖν) als die Erweckung jenes Ureinwohners der Seele, des Logos, zu verstehen. Und damit gewinnt das Bekenntnis zu Christus den Charakter eines Aktes der höheren Selbsterkenntnis. Die Willensfreiheit in diesem Glauben an Christus ist also noch eine ganz besondere durch den Umstand, daß der Glaubensakt keine Bindung an ein Prin= zip oder ein Wesen außerhalb der Seele darstellt, die dann doch zu einer Abhängigkeit führen könnte. Der Glaube entsteht vielmehr dadurch, daß der Logos=Same im Menschen durch die Begegnung mit Christus zum Selbstbewußtsein erwacht und den inkarnierten Sohn Gottes als das Urbild des eigenen We= sens erkennt.

Dieser Logos=Same bewirkt nun die Gemeinschaft der Chri= sten über alle Blutsbande, Stammeszugehörigkeiten und Völ= ker hinweg. Was wir längst in der Logosophie vorbereitet sahen (siehe S. 80 f.), die Überwindung der Rassengegensätze, findet im Christentum seine Besiegelung:

> Haßten und töteten wir einander und hielten wir mit denen, die nicht unseres Volkes waren, wegen der verschiedenen Eigenheiten der Völker nicht einmal Herdgemeinschaft, so leben wir jetzt nach der Erscheinung des Christus als Tisch= genossen zusammen.[63]

Die Aufputschung alter Rassenemotionen im zwanzigsten Jahrhundert hat doch nichts daran ändern können, daß der moderne Mensch menschheitlich empfindet. Zur Zeit Justins war dies noch wesentlich anders. Bezeichnete er doch, wie wir oben sahen, alle Nichtgriechen und selbst die Juden noch schlechthin als Barbaren. Die Römer hielten es damals noch für rechtens, Kriegsgefangene abzuschlachten. Ein von seinem

Volke abgetrennter Mensch taugte bestenfalls für die Sklave=
rei. Mit der Abspaltung von der Gruppenseele seines Volkes
hatte er verloren, was ihn zum vollen Menschen macht. — Ge=
denken wir andererseits des jüdischen Gesetzes mit seinen
strengen Verboten, mit den Angehörigen andrer Völker in
irgendwelche Berührung zu kommen (und gar noch bei Mahl=
zeiten), so können wir erst voll ermessen, welche Revolution
die von Justin beschriebene Tischgenossenschaft in jener Zeit
bedeutete. Die Imaginationen der Stoiker und Philos von dem
Symposion am Tische des Logos gingen jetzt am Abendmahls=
tisch in Erfüllung.⁶⁴

Aus der Beschreibung Justins von der damaligen Form der
Eucharistie geht nun hervor, daß die Logosanschauung nicht
nur zu theologischen Gedanken führte, sondern im Sakrament
praktiziert wurde.

> Wie Jesus Christus, unser Erlöser, Fleisch und Blut um
> unseres Heiles willen angenommen hat, als er durch den
> Logos Gottes Fleisch wurde, so sind wir gelehrt worden,
> daß die
> durch ein Gebet des Logos, der von ihm ist,
> (δι' εὐχῆς λόγου, τοῦ παρ' αὐτοῦ)
> unter Danksagung geweihte Nahrung,
> mit der unser Fleisch und Blut im Sinne der Verwandlung
> genährt wird,
> Fleisch und Blut jenes fleischgewordenen Jesus sei.⁶⁵

Den Gedanken, daß der Logos selbst jene „Kraft des Höch=
sten" gewesen sei, die nach dem Lukasevangelium die Empfäng=
nis der Maria bewirkte, haben wir oben schon kennengelernt.
Damit setzt nicht etwa nur Justin, sondern der von ihm
geschilderte eucharistische Ritus die Verwandlung von Brot
und Wein in den Leib und das Blut des Christus in Parallele.
Auch dieser „Leib" wird vom Logos geschaffen.

Bei diesem Text ist nun nicht zu verkennen, daß Justin, wenn Anlaß dazu besteht, eine Differenzierung von Logos und Jesus Christus vornimmt. Und zwar erscheint der Logos dabei als die übergeordnete Wesenheit. Anders kann der Satz nicht verstanden werden, daß Jesus Christus *durch* den Logos Gottes Fleisch wurde. Abwegig wäre es aber, an zwei getrennte Wesenheiten zu denken. Aus der sonst durchweg beibehaltenen Identifizierung des Christus mit dem Logos geht hervor, daß es sich nur um eine Dauer=Einwohnung des Logos in Christus oder um eine Verschmelzung beider Wesen handeln kann, die aber nicht zur Aufhebung der beiden oder einer der geistigen Individualitäten führt. Offenbar kann aber im Sinne Justins auch eine dieser Individualitäten, hier der Logos, in einem besonderen Falle von sich allein aus wirken.

Da es nicht die Absicht dieses Buches ist, die anthroposophische Christologie darzustellen, genüge hier der Hinweis, daß sich diese Auffassung des Verhältnisses von Logos und Christus mit derjenigen Rudolf Steiners begegnen würde.[66]

Ein Rätsel in Justins Schilderung der frühchristlichen Eucharistie ist der Satz, nach dem die Weihe, also die Transsubstantiation von Brot und Wein „durch ein Gebet des Logos, der von ihm ist" geschieht. Eindeutig ist, daß sich das „von ihm" auf Christus bezieht. Denn Christus ist das Subjekt des vorangehenden Satzes. Sinngemäß und im Einklang mit dem griechischen Sprachgebrauch müßte wohl übersetzt werden: der von ihm (dem Christus) ausgeht. Fraglich ist aber, wer der Beter des „Gebetes des Logos" ist. Grammatikalisch gibt es zwei Möglichkeiten: das Nächstliegende ist, den Genetiv τοῦ λόγου possesiv zu verstehen, so daß also der Logos, und zwar der Logos im Menschen, der Beter wäre. Gebräuchlich ist aber im Griechischen auch, das Gebet *zu* einem Gott durch den Genetiv auszudrücken. Dann wäre der Mensch der Beter zu dem Logos, der von Christus ausgeht. Da aber, wie wir oben sahen, nach

Justins Anschauung der Logos *im* gläubigen Christen wohnt, würden beide Übersetzungsmöglichkeiten einen nicht sehr ver= schiedenen Sinn ergeben. In beiden Fällen würde der Logos den Menschen zu einem Gebet ermächtigen, das die Transsubstan= tiation herbeiführt. Und darin spricht sich wohl die seit Hera= klit bestehende Anschauung aus, daß die Gebilde der erschaffe= nen Welt, also auch Brot und Wein, wie andererseits der menschliche Leib, um dessen Verwandlung es sich hier handelt, dem Reiche des Logoswirkens angehören.

Aus dieser Darstellung geht ferner hervor, daß von der Com= munion eine verwandelnde Wirkung auf Leib und Blut des Menschen erwartet wurde. Das heißt aber, daß auch die mensch= liche Leiblichkeit in den Heils= und Heilungsprozeß einbezogen war. Und von daher empfängt das Testament des Ignatius (siehe S. 149) noch eine Erhellung. Die Leiber der Christen werden „reines Brot Christi" durch die Eucharistie wie durch den Märtyrertod.

Eine andere Beschreibung der frühchristlichen Riten enthält Zeugnisse einer wunderbaren kosmischen Frömmigkeit, die auch nur aus der Logosophie hervorgehen konnte: Im Gegen= satz zu den Schlacht=, Trank= und Rauchopfern bestehe das Opfer der Christen darin, daß vor dem Mahle Gebet und Dank= sagung erfolge:

Dem Schöpfer des Alls ... senden wir zum Danke Lobpreis
und Hymnen empor
    für unsre Erschaffung
    für alle Mittel zu unsrem Wohlergehen
    für die Mannigfaltigkeit der (erschaffenen) Arten
    für den Wechsel der Jahreszeiten.[67]

Wir haben bereits verfolgt, wie die logosophische Geistes= strömung schon vor der Zeitenwende dazu geführt hat, diese Gaben aus den Händen des Logos entgegenzunehmen. So ist

sicher auch hier mit dem „Schöpfer des Alls" der Logos ge=
meint. Wer von den vielen Christen, die das schlichte Tisch=
gebet sprechen: „Komm, Herr Jesus, sei unser Gast und segne,
was Du uns bescheret hast", denkt wohl noch daran, daß in
diesen Worten ein letzter, verwischter Rest des Dankes an den
Logos enthalten ist, der auch unsre Nahrung beschert hat? Und
wer erlebt heute noch den Wandel der Jahreszeiten als eine
Offenbarung des Logos? Wir haben oben (S. 134) schon be=
merkt, daß dieser Dank an den Logos für den Wechsel der
Jahreszeiten erst ein organisches Ganzes bildet aus dem Logos=
jahr der Natur und dem Christusjahr der Feste.

Bei Philo trat schon der Satz auf, der Logos sei der wahre
Widder (bzw. das Lamm, siehe S. 141). Im Johannesevangelium war dieses Motiv nun auf Christus bezogen durch das
Wort des Täufers: „Siehe das Lamm Gottes, das die Abirrun=
gen des Kosmos auf sich nimmt."[68] In der ganzen Apokalypse
wird das Lamm zu einem der zentralen Siegel für den Auf=
erstandenen. Bezeichnend ist dabei der Wechsel der griechischen
Worte. Gebraucht Philo $\kappa\varrho\iota\acute{o}\varsigma$, der Widder, entsprechend dem
Namen des Tierkreiszeichens, so kommt darin zum Ausdruck,
daß er den Logos noch ganz als kosmische Macht betrachtete
und zu der Anschauung des leidenden Christus nicht vordrang.
Johannes der Täufer, der gemäß der alttestamentlichen Pro=
phetie mit Christus gleich bei der ersten Begegnung die Vor=
stellung des Gottesopfers verbindet, gebraucht das Wort
$\dot{\alpha}\mu\nu\acute{o}\varsigma$ (Lamm), das in der entsprechenden hebräischen Form
auch im Alten Testament erscheint.[69] Die Apokalypse hat das
Wort $\dot{\alpha}\varrho\nu\acute{\iota}o\nu$, das ebenfalls Lamm bedeutet. Mit dem Bilde
„Lamm" verbindet sich eher der Gedanke der Selbstaufopfe=
rung als mit dem Bilde „Widder". Das wäre ein mehr gefühls=
mäßiger Grund für den Wechsel der Worte. Dahinter mag das
Wissen gestanden haben, daß im Widderzeitalter das Prinzip
der Selbstbehauptung von dem der Selbstaufopferung, der

Liebe abgelöst werden sollte. Und dafür stand ja die Gestalt des Christus. Bei Justin tritt das Motiv, wie bei Paulus[70], in Verbindung mit dem Opfertier des Passahfestes auf. Er sagt:

> Christus ist das wahre Passah=Lamm, durch das die früher Ungerechten aus allen Völkern erlöst werden und die Ver= gebung der Schulden empfangen.[71]

Dieser kurze Abriß der Geschichte dieses Widder=Lamm= Motives, das auch der Logosophie eigen war, mag dazu bei= tragen, dieses allzu geläufig gewordene Symbol für Christus wieder für seinen ursprünglichen kosmischen Sinn transparent zu machen.

Als eine Art Schlußstein im Gedankengebäude Justins kann gelten, was er über das Warum und Wozu der Welt zu sagen hatte. Daß er auch hier an die alte Logosophie anknüpfte, kann nicht mehr überraschen. Der Stoiker Chrysipp hatte den Satz geschrieben:

> Der Kosmos ist ein $\sigma\acute{v}\sigma\tau\eta\mu\alpha$ (System) von Göttern und Menschen und von dem, was um ihretwillen erschaffen wurde.[72]

Damit war ein Gedanke ausgesprochen, der sich mit Notwen= digkeit aus der Logoslehre ergab. Der Sinn der erschaffenen Welt sind die Menschen in ihrer Beziehung zu den Göttern. Alle anderen Bestandteile der Schöpfung sind in diesem Sinn untergeordnet und nur um seinetwillen entstanden. Da ja der Geist des Menschen der Ort ist, an dem der welterschaffende Logos seine höchste Offenbarung findet, mußte der Mensch auch das eigentliche Ziel der Schöpfung bilden.

Bei Justin finden wir nun die gleiche Antwort auf die Frage nach dem Sinn der Welt. Sie ist „um der Menschen willen er= schaffen".[73] Und mit einer eigenartigen Abwandlung des stoi= schen Begriffs von den Logoi spermatikoi gibt Justin als Grund

174

für den Fortbestand der Welt das σπέρμα τῶν Χριστιανῶν, den Samen der Christen an.[74] In dieser Umbildung des stoi=schen Begriffes liegt in nuce die Vorstellung eines zweiten geistigen Schöpfungsprozesses beschlossen, der mit Christus begonnen hat. Wie bei der ersten Schöpfung die Logoi sper=matikoi den geistigen Samen für alle erschaffenen physischen Gebilde darstellten, so bilden jetzt die Seelen, in denen Christus wohnt, die Aussaat für das künftige Werden der Menschheit. Der gleiche Gedanke lag ja bei Ignatius vor, wenn er sich selbst als Weizen Gottes bezeichnete (siehe S. 149).

Für den Stoiker wie für den Christen ergab sich daraus ein ähnliches Sendungsbewußtsein, das sich auch in ähnlichen eschatologischen Bildern aussprach. Bereits bei Heraklit taucht der Gedanke auf, daß die Menschen Mitarbeiter (σύνεργοι) am kosmischen Geschehen sind, und zwar schon dann, wenn sie sich im Schlafe in der geistigen Welt befinden.[75] Bei Epiktet trafen wir (siehe S. 78) das kühnere Bild an, der vollendete Mensch werde nicht nur Tischgenosse, sondern auch Mit=herrscher (συνάρχων) der Götter. In diesen Gedanken kleidet nun auch Justin seine Verheißung: Die Menschen, die sich „dessen wert erweisen, werden der Unsterblichkeit, des Zu=sammenwohnens und des Umganges mit Gott gewürdigt und werden mit ihm gemeinsam herrschen (συνάρχειν)."[76]

Wenn auch in den Schriften Justins kein Hinweis darauf ent=halten ist, daß er die Offenbarung des Johannes kannte, so ist doch bei ihm, der lange in Ephesus gelebt hatte, kaum vorstell=bar, daß er an diesem Buche vorübergegangen ist. So mag er sich bei diesen Worten seiner Apologie auf die Verheißung der Apokalypse bezogen haben: „Die Seelen derer, die enthaup=tet wurden um des Zeugnisses Jesu und um des Logos Got=tes willen, . . . lebten und *regierten* mit Christus tausend Jahre."[77]

Die Weisheit der griechischen Sprache bildet aus dieser letz=

ten Vorstellung vom Fortgang der Menschheit eine Entspre=
chung zur Ur=Vorstellung der Logosophie. Das Verbum archein
gehört zu dem Substantiv Archē. Die Bedeutung des letzteren
haben wir schon kennengelernt: Der Geistimpuls, der einer
Entwicklung, einem Unternehmen oder auch der Schöpfung
zugrunde liegt. In diesem Sinne also: der Anfang. Wenn nun
das Verb archein für herrschen gebraucht wurde und der Herr=
scher der Archon war, so lag es im Wortsinne, daß Herrschen
noch der Inbegriff des Impulsierens der Ereignisse und Ent=
wicklungen in einem Herrschaftsbereiche war. Und wenn am
Erdenende der Mensch ein Synarchon, ein Mitherrscher Gottes
ist, so heißt das, daß er seinen eigenen Willen mit dem Willen
Gottes in künftige Weltimpulse einströmen läßt.

Im Urbeginne war der Logos; ἐν ἀρχῇ ἦν ὁ λόγος.

Und am Weltende ist der Mensch Syn=Archon (συνάρχων).

*

Um das Jahr 177 richtete *Athenagoras* von Athen eine Bitt=
schrift (Presbeia) für die Christen an den Kaiser Marc Aurel
und seinen Sohn Commodus. Von Athenagoras wird wie von
Justin berichtet, daß er sich im Philosophenmantel mit dem
Christentum befreundet habe. Seine geistige Herkunft wird
durch Beziehungen zur Akademie von Athen und zur Schule
von Alexandria bestimmt. Franz Wallinger[78] nahm an, daß er
der christlichen Katechetenschule von Alexandria angehörte,
als er seine Schriften verfaßte, und dort mit Pantänus und dem
jungen Clemens in Beziehung stand. Neben der Presbeia ist
von Athenagoras eine Schrift über die Auferstehung erhalten.
Darin wird die „ewige Fortdauer" der Seele mit philosophi=
schen, die Auferstehung des Leibes aber mit biologischen Argu=
menten begründet.

Insbesondere die Bittschrift ist durchweg von logosophischen
Gedanken getragen. Wir verzichten hier auf die Darstellung

der Übereinstimmungen mit der älteren Logoslehre und ziehen nur einige Stellen heran, in denen Athenagoras Neues über unseren Gegenstand aussagt.

> Da der Sohn im Vater und der Vater im Sohne ist durch die Einheit und Kraft des Geistes, so ist der Sohn Gottes der Gedanke (Nus) und das Wort (Logos) des Vaters. ... Er ist dem Vater der Erst=erzeugte. Nicht als ob er entstanden wäre; denn von jeher hatte Gott als ewiger Gedanke (ἀιδίως λογικός) selbst das Wort (Logos) in sich, da er nie ohne das Wort ist; sondern der Sohn ist *hervorgegangen* (προελϑών), um für alles Körperliche ... der urbildliche Gedanke und die schöpferische Kraft zu sein.[79]

Der stoische Begriff des Logos endiathetos wird hier zwar nicht ausdrücklich angewandt, liegt aber dem Gedankengang unverkennbar zugrunde. Er führt zur Anschauung einer ewigen Existenz des Logos, die von der Ewigkeit des Vaters nicht mehr unterschieden wird. Im Innern des Vaters bestand der Logos ohne Anfang schon vor seinem Hervorgehen als „Sohn". Und er ist „wesensgleich" mit dem Vater, um diesen späteren umstrittenen theologischen Begriff zu verwenden. Athenagoras war Athanasianer, fast zwei Jahrhunderte bevor Athanasius lebte. Das Besondere an seiner Auffassung ist, daß er den damals allgemeinen Gedanken vom Logos als dem prä= existenten Christus durch den Gedanken einer Präexistenz des „hervorgegangenen" Logos im Inneren des ewigen Vatergrun= des erweitert. Und damit erfuhr der Logosbegriff nach der Seite der Vergangenheit seine größtmögliche Ausdehnung.

Über die Hierarchien der Engel und ihre Beziehung zum Lo= gos sagt Athenagoras:

> Gott, der Schöpfer und Bildner der Welt, hat durch seinen Logos eine Menge von Engeln und Dienern verteilt und aufgestellt, damit sie über die Elemente und die Himmel,

über die Welt und die Dinge in der Welt und ihre Ord=
nungen wachen.[80]

Stärker als seine christlichen Vorgänger betont Athenagoras
das Wirken des Logos in den Naturreichen, wenn auch, wie
hier, durch untergeordnete Engel vermittelt. Diese Engel treten
dabei, wenn auch nicht hinsichtlich der Entstehung, so doch in
der Lenkung der einzelnen Bestandteile der Schöpfung an die
Stelle der Logoi der stoischen Lehre (siehe S. 53 f.). Selbst
die Gestirne und die Elemente der Erde sind von ihrer Kraft
durchdrungen. Athenagoras teilt als erster christlicher Lehrer
die Begeisterung der Stoiker für die Vollkommenheit und
Schönheit der Welt. Die Schönheit ist für ihn ein Gegenstand
religiöser Verehrung. Denn:

> Die Schönheit auf der Erde ist nicht von selbst entstanden;
> sie ist von Gottes Hand und Geist gesandt.[81]

Woher kommt aber nun die Unordnung und das Böse in der
Welt? Justin hatte zur Beantwortung dieser Frage die Dämonen
der Stoiker herangezogen, die bei ihm — im Gegensatz zur
Stoa — zu bösen Wesen wurden. Bei Athenagoras treten sie
aus ihrer Anonymität hervor. Wie er die Logoi „Engel und Die=
ner" nannte, so sind die Dämonen jetzt gefallene Engel.

> Die einen (Engel) blieben — Gott hat sie nämlich mit freiem
> Willen ausgestattet — bei dem, wozu Gott sie geschaffen und
> bestimmt hatte. Die anderen wurden aber stolz auf ihre
> Natur und Macht, darunter auch jener *Beherrscher der
> Materie* und ihrer Erscheinungsformen und noch andere,
> deren Bereich diese unsre Welt ist. ... Diese Engel nun, die
> aus den Himmeln gestürzt wurden und jetzt in der Luft und
> auf der Erde wohnen, da sie sich zum Himmlischen nicht
> mehr emporschwingen können, ... das sind die in der Welt
> umherirrenden Dämonen.[82]

Die ganze Schöpfung ist also von guten und bösen Wesen=
heiten durchwaltet. Und die gestürzten Engel bringen „durch
die Erregungen, die sie hervorrufen", die Unordnung in die
Menschenseelen. Athenagoras ist weit davon entfernt, den
Menschen als von Natur böse zu betrachten. Vielmehr hält er
daran fest, daß der Logos allen Seelen in gleicher Weise inne=
wohnt.[83] Nur hat der Mensch die Freiheit, sich „von den Ein=
wirkungen jenes drängenden Herrschers und seines Dämonen=
gefolges" beeinflussen zu lassen. Dem Logos als dem Herren
der Engel wird „der Beherrscher der Materie" gegenüber=
gestellt, der über die Scharen der Dämonen die Aufsicht und
Herrschaft innehat.

Bisher wurde die Frage nach dem Bösen hier nicht erörtert,
da sie zu dem Thema dieser Schrift keine unmittelbare Be=
ziehung hat. Sie wurde schon von den Stoikern gestellt und
von Philo aus dem Alten Testament beantwortet. Hier sollte
nun wenigstens gezeigt werden, welche Lösung in der christ=
lichen Logosophie gefunden wurde. Wie so vieles andere ist
mit der Logoslehre auch der Glaube an das ursprünglich Gute
und Göttliche, an den Logos im Menschen später verloren ge=
gangen. Athenagoras hatte die deutliche Vorstellung eines ver=
härtenden Geistes der Materie, also des ahrimanischen Wesens.
Er schrieb ihm aber keine ursprüngliche Macht über den Men=
schen zu. Im Inneren der Seele ertönt die Stimme des Logos.
Und die Christen sind sittlich unbeirrbar, da sie Diener des
Logos ($\delta o\nu\lambda\varepsilon\acute{\nu}o\nu\tau\varepsilon\varsigma$ $\tau o\~\nu$ $\lambda\acute{o}\gamma o\nu$) sind.[84] Als Endziel der
Menschheitsentwicklung betrachtet Athenagoras die Erkenntnis
und das Schauen.

Gott hat den Menschen, die das Bild der Schöpfung selbst
in sich tragen und mit dem Logos und dem unterscheiden=
den Verstande begabt sind, ewige Fortdauer verliehen.
Denn ihre Bestimmung ist es, in der Erkenntnis ihres Schöp=

fers und seiner Macht und Weisheit . . . durch alle Äonen . . .
zu leben[85], immerdar in der Schauung dieser Dinge zu blei=
ben, wie es der Absicht des Schöpfers und der Natur des
Menschen entspricht.[86]

Athenagoras hatte mit seinem Philosophenmantel den Glau=
ben des Menschengeistes an sich selbst, die begeisterte Über=
zeugung von seiner unbegrenzten Fähigkeit zur Erkenntnis und
zum Schauen in das Christentum herübergebracht. Selbst die
höchsten Geheimnisse der Trinität galten ihm selbstverständ=
lich als Gegenstände der Erkenntnis:

> Wir lassen uns einzig von der Erkenntnis (γνῶσις) des wah=
> ren Gottes und seines Logos leiten; nämlich von der Er=
> kenntnis, welches die Einheit des Sohnes mit dem Vater,
> welches die Gemeinschaft des Vaters mit dem Sohne ist,
> was der Geist ist, was die Einigung solcher Größen und der
> Unterschied der Geeinigten sei, nämlich des Geistes, des
> Sohnes und des Vaters.[87]

Griechische Erkenntnisfreudigkeit und der geistige Mut des
jungen Gedankenlebens ergriff in Persönlichkeiten wie Athe=
nagoras die Mysterien des Christentums. Er durfte sich befeuert
fühlen durch die Verheißungen, die aus dem Munde des Logos=
Christus selbst an die menschliche Erkenntniskraft ergangen
waren. Zur Ökonomie der universellen Heilsgeschichte gehört
es, daß zu einer Zeit, in der die moralischen Kräfte längst
einem zunehmenden Verfall unterlagen, das menschliche Gei=
stesleben noch die herrliche Blüte des reinen freien Gedankens
zeitigte, der als Organ für das entstehende Christentum taug=
lich war. Der Sündenfall des Geistes trat erst in den späteren
Jahrhunderten ein und bewirkte noch einmal den radikalen
Verlust des Christentums als Erkenntnisinhalt. Die Geistes=
taten Rudolf Steiners setzen uns erst wieder instand, an den

Geist der ersten christlichen Denker über einen dunklen Äon hinweg wieder anzuknüpfen.

*

Um 180 schrieb der Bischof *Theophilus* von Antiochia seine drei Bücher „An Autolykos". Auch sie stellen eine Apologie des Christentums gegenüber einem wirklichen oder fingierten Vertreter des Heidentums dar. Wir haben oben (S. 87) be= reits eine Stelle aus diesen Schriften herangezogen. — Von Theo= phil wissen wir persönlich nur Weniges. Nach eigener Aus= sage[88] hatte er sich erst nach einer Zeit des Unglaubens dem Christentum zugewandt. Nach Euseb war er der sechste Bischof von Antiochia, der vierte nach Ignatius. Das Bild, das wir uns von diesem Manne allerdings nur nach den erhaltenen drei Büchern an Autolykos machen können, ist in mehrfacher Be= ziehung eigenartig. Er argumentiert fast ausschließlich mit dem Alten Testament, und der Inhalt seines Glaubens geht kaum irgendwo über dasselbe hinaus. Selbst die zukünftigen Dinge, das jüngste Gericht und die Auferstehung belegt er allein mit Stellen aus den Propheten und Psalmen, und seine eschatologi= schen Vorstellungen bleiben in diesem Rahmen. Der Name des Christus wird kaum genannt. Theophilus erscheint als aus= gesprochener Judenchrist, und das überrascht bei einem Bischof von Antiochia. Die dortige Gemeinde war im wesentlichen aus Nichtjuden entstanden, und zwar schon vor Paulus.[89] Dann hatte Paulus selbst dort gewirkt. War der Verfasser der Bücher an Autolykos wirklich Bischof von Antiochia und sollte er die geistige Verfassung seiner Gemeinde gegen Ende des zweiten Jahrhunderts repräsentiert haben, so müßte eine rückläufige Entwicklung dieser Gemeinde zum Juden=Christentum ange= nommen werden.

Der Welt des Griechentums steht Theophil mit unverhohle= nem Haß gegenüber. Die einfältige Beurteilung der griechischen

Mythologie nach moralischen Gesichtspunkten — als ob es sich dabei um die Biographien von Menschen handelte — hat er zwar mit den anderen Apologeten gemeinsam. Aber auch die großen griechischen Geister von Homer und Hesiod bis zu Platon sind für ihn im allgemeinen nur Schwätzer, denen er Moses und die Propheten entgegenstellt.

Daß Theophilus nun doch die Logoslehre, wenn auch nicht besonders produktiv, übernommen hat und daß sich unter den wenigen Zitaten aus dem Neuen Testament dreimal der Johan=nes=Prolog findet, entspricht so wenig seiner Geistesart, daß man diesen Umstand nur als Beleg für eine allgemeine Herr=schaft der Logosophie im Christentum jener Zeit verstehen kann, der sich auch ein Mann wie dieser Bischof nicht entziehen konnte.

Seit Philo bestand die Anschauung, daß der Logos der Inspi=rator der Propheten war. Bei Theophilus tritt sie in einer beson=deren Abwandlung auf:

> Dieser Logos also, der da ist ... das Prinzip ($\dot{\alpha}\varrho\chi\dot{\eta}$), die Weisheit ($\sigma o\varphi\iota\alpha$) und die Kraft ($\delta\upsilon\nu\alpha\mu\iota\varsigma$) des Allerhöchsten, war es, der auf die Propheten herabkam und durch sie die Offenbarung über die Erschaffung der Welt und der übrigen Dinge aussprach. Denn die Propheten waren noch nicht, als die Welt entstand. Aber die Sophia Gottes, die in ihm ist, und der heilige Logos Gottes, der ewig bei ihm wohnt, waren schon. ... Moses, ... vielmehr der Logos Gottes durch ihn als Organ, sagt: im Anfang schuf Gott Himmel und Erde.[90]

Damit faßt Theophilus den Begriff einer in die Vergangenheit gerichteten Prophetie, also eines Lesens in der verborgenen Chronik der Welt (Akasha=Chronik) und führt auch dieses Vermögen auf den Logos zurück.

Etwas summarisch werden unter der Vorstellung des Logos=

wesens die drei übrigen Größen: Archē, Sophia und Dynamis zusammengefaßt, die wir als die hauptsächlichen Kräfte im logosophischen Gebäude schon kennengelernt haben. Doch kommt darin eine Unterordnung der letzteren unter den Logos zum Ausdruck, die zu den Grundanschauungen der christlichen Logoslehre gehört.

Soweit ich sehe, ist es auch eine Besonderheit Theophils, daß er den Logos im Paradiese in Erscheinung treten läßt:

> Gottes Logos, durch den er alles gemacht hat, der seine Kraft ($\delta\acute{v}\nu\alpha\mu\iota\varsigma$) und seine Weisheit ($\sigma o\varphi\acute{\iota}a$) ist, der ist das Antlitz ($\pi\varrho\acuteo\sigma\omega\pi o\nu$) des Vaters und Herrn aller Dinge, und er ist es, der an der Stelle Gottes im Paradiese erschien und mit Adam sprach. Denn auch die Schrift belehrt uns, daß Adam sagte, er habe die *Stimme* ($\varphi\omega\nu\acute{\eta}$) gehört.[91]

Das schöne Bild „Antlitz des Vaters", das hier auf den Logos angewandt ist, hat Theophil dem Text der Genesis entnommen. Dort steht mit dem gleichen Wort ausgedrückt: Adam und sein Weib verbargen sich vor dem *Antlitz* Gottes des Herrn im Gehölz des Paradieses. Und Theophilus nimmt dieses „Antlitz" als symbolische Bezeichnung für den Logos. Dieses Symbol drückt in vollkommener Weise die Beziehung des Logos zum Vater aus, insofern es sich um die Offenbarung oder Bekundung Gottes handelt. Wie sich im Antlitz des Menschen am unmittel=barsten sein unsichtbares Wesen ausprägt, so im Logos das Wesen des verborgenen Vaters.

Von hier aus erleuchtet sich wohl eine rätselhafte Stelle in den Paulusbriefen, die wir hier umfänglicher anführen müssen, um ihren Sinn zu verstehen:

> Der Gott dieses Äons hat die Geistesart der Ungläubigen blind gemacht, damit sie nicht wahrnehmen die Erleuchtung durch das Evangelium der Offenbarung ($\delta\acuteo\xi a$) des Christus, der das Bild ($\varepsilon\grave{\iota}\varkappa\acute\omega\nu$) Gottes ist. ... Denn Gott, der da

sprach: aus der Finsternis leuchte das Licht, er leuchtet in unserem Herzen zur Erleuchtung in der Erkenntnis ($\gamma\nu\tilde{\omega}\sigma\iota\varsigma$) der Offenbarung Gottes *im Antlitz* ($\dot{\epsilon}\nu\ \pi\varrho o\sigma\acute{\omega}\pi\omega$) des Christus.[92]

Dieser letzte Ausdruck: im Antlitz des Christus hat erst einen konkreten Sinn, wenn „Antlitz" als spezielleres Symbol statt des parallelen „Bild" Gottes im vorangehenden Verse verstan= den wird. Da es sich in beiden Versen um Christus als um das Offenbarungsprinzip handelt, mag Paulus das Siegel $\pi\varrho\acute{o}\sigma\omega\pi o\nu$ (Antlitz) deutlicher erschienen sein als das $\epsilon\grave{\iota}\varkappa\acute{\omega}\nu$ (Abbild). Der Sinn dieses Ausdrucks wäre also: wie das Wesen des Menschen in seinem Antlitz geschrieben steht, so die Doxa, die Wesens= offenbarung Gottes in Christus als seinem Antlitz. Grammatika= lisch steht dieser Übersetzung: in dem Antlitz, das Christus darstellt, nichts im Wege.

Sieht man nicht nur auf das Vorkommen des Wortes Logos in den Paulusbriefen, sondern geht man an seine Schriften von der gesamten Vorstellungswelt der logosophischen Geistes= strömung heran, so erscheint er mit dieser sehr viel enger ver= wandt, als es bisher gesehen wurde. Wir haben das nun schon an mehreren Stellen aufgewiesen.

Das frühe Christentum hütete sich streng davor, den Vater= gott irgendwie in der Gestalt einer menschenähnlichen Persön= lichkeit, eines „lieben Gottes" vorzustellen. Dazu mag die Scheu des Judentums vor jeder bildlichen Vorstellung Gottes und der scharfe Gegensatz zum heidnischen Bilderdienst beigetragen haben. Die apostolischen Väter und die Apologeten konnten sich nicht genug darin tun, dem Vatergott jede menschlich faß= bare Eigenschaft abzusprechen. Seinem Wesen widerspräche auch jede Form von Wahrnehmbarkeit. So wurde jede Theo= phanie als Logophanie verstanden. Und Theophilus wandte dieses Prinzip über seine Vorgänger hinaus auch auf die erste Gotteserscheinung im Paradiese an.

Die Logosanschauung erwies dem frühen Christentum damit den unschätzbaren Dienst, dem Weltengrunde gegenüber die fruchtbare Ehrfurcht zu erhalten, die in der Seele erst entsteht, wenn sie sich mit ihren vorhandenen Fassungsmöglichkeiten an eine Grenze gestellt sieht. Dieses Grenzerlebnis führte aber bei den ersten christlichen Denkern durchaus zu keiner Erkenntnis= resignation, sondern zu der Anschauung, daß die Erkenntnis und das Schauen ein letztes und höchstes Ziel sei, zu dem der Mensch einen langen Weg der Läuterung und Seelenentwick= lung zurückzulegen habe. Auch Theophilus hält es für die ei= gentliche Absicht Gottes bei der Erschaffung des Menschen, von ihm erkannt zu werden.[93]

> Überlasse dich dem Arzt, und er wird dir an den Augen des Geistes und des Herzens den Star stechen. Wer ist der Arzt? Es ist Gott, der da heilt und lebendig macht durch seinen Logos und seine Sophia.[94]

Die heilige Scheu vor einer menschenähnlichen Vorstellung des Vatergottes und die Anschauung, daß in allen alttestament= lichen Gotteserscheinungen der Logos der Vermittler der Schau= ungen und Einsprüche war, hat bis in die Jahrhunderte des Mittelalters in der christlichen Kunst nachgewirkt. Der Vater= gott wurde niemals dargestellt. In den alttestamentlichen Szenen, vor allem in den Darstellungen der Schöpfungs= geschichte, erschien ausnahmslos der jugendliche Gott mit dem Kreuznimbus, der Logos, soweit sich die Bildner nicht mit einer aus den Wolken ragenden Hand begnügten. Auch diese „Hand Gottes" ist ein Logossymbol. Irenäus (seit 178 Bischof von Lyon) gebraucht dieses Bildwort für den Logos=Sohn, insbeson= dere wo von den Handlungen Gottes die Rede ist. „Hand" tritt bei ihm neben die älteren Logossymbole „Wort", „Stimme", „Antlitz" usw.

Wenn Theophilus die *Stimme* Gottes, die Adam im Paradiese

hörte, mit dem Logos gleichsetzte, so folgt er darin einer alten Schultradition der Logosophen. Die Sprachfähigkeit als Ver= mögen der menschlichen Stimme galt als eine Wirkung des Logos. Die stoische Anschauung darüber lautet etwa: „Die Stimme der Tiere ist allein vom Trieb erfüllt; die Stimme des Menschen aber ist artikuliert und vom Gedanken ausgesandt."[95] Philo äußerte sich darüber in folgenden Worten:

> Von der artikulierten Stimme ($\varphi\omega\nu\acute{\eta}$), die der Mensch von allen Lebewesen allein erlangt hat, wissen wir, daß sie vom Gedanken ausgesandt wird, daß sie im Munde artikuliert wird, daß die Zunge durch ihre Bewegungen dem Strom der Stimme die Artikulierung und den Logos einprägt, . . . daß sie die Stelle eines Wächters oder Herolds ($\dot{\epsilon}\varrho\mu\eta\nu\epsilon\acute{\upsilon}\varsigma$) ein= nimmt gegenüber dem eindringenden Sinn ($\nuο\tilde{\upsilon}\varsigma$).[96]

Wurde so die Stimme als das Organ des Menschen für den Logos, genauer gesagt: für den Logos prophorikos, verstanden und bezeichnete sich, wie wir oben sahen (S. 150), Ignatius in seiner Eigenschaft als Verkünder des Christentums selbst als Phonē (Stimme), so sprach Theophilus aus, was ja dem Sinne nach schon seit Philo so verstanden wurde: wo die Stimme Gottes verlautet, z. B. bei den Propheten, da handelt es sich um den Offenbarungs=Logos, den Logos prophorikos Gottes.

Dies trifft genau den Sinn des Theophilus. Er war der erste christliche Denker, der den stoischen Doppelbegriff des Logos endiathetos und prophorikos ausdrücklich vom Menschen bzw. vom Mikrologos auf den Weltenlogos übertrug.

> Die Wahrheit ist der im Inneren Gottes beschlossene ($\dot{\epsilon}\nu\delta\iota\acute{α}\vartheta\epsilon\tauο\varsigma$) Logos. Denn bevor irgend etwas erschaffen wurde, hatte er diesen zum Ratgeber, da er sein eigener Ge= danke und seine Weisheit ist. Als aber Gott daran ging, die Dinge alle, die er zu erschaffen beschlossen hatte, hervor=

zubringen, da erzeugte er den Logos prophorikos, den Erst=
geborenen aller Kreatur. Er trennte sich dadurch nicht vom
Logos, sondern erzeugte ihn und blieb für immer mit seinem
Logos zusammen.[97]

Von Theophils unmittelbaren Aussagen über den Logos sei
schließlich noch vermerkt, daß er ihn mehrmals und ausdrück=
lich mit dem Begriffe ἀρχή (Archē) gleichsetzt. Was bei Justin
(S. 156) noch vereinzelt auftrat, erscheint hier bereits als ge=
läufige Lehrmeinung: „Der Logos heißt Archē (Anfang), weil er
das Prinzip und der Herr (κύριος) aller Dinge ist, die durch ihn
geschaffen wurden."[98]

Wir weichen nun auch nicht von unserem Thema ab, wenn
wir in Ergänzung der Ansicht des Athenagoras über den Ur=
sprung des Bösen im menschlichen Bereiche kennenlernen, wie
Theophilus über das Böse in der Natur gedacht hat. Denn ein
christliches Interesse an dem Geschick der Naturreiche setzt eine
Christusanschauung voraus, die durch den Logosgedanken auf
die ganze erschaffene Welt bezogen wird. Theophilus sagt:

Die wilden Tiere haben ihren Namen von ihrem wilden
Wesen. Nicht als ob sie von Anfang an bösartig oder giftig
erschaffen wären; denn nichts ist von Gott im Anfang
(ἐν ἀρχῇ) bösartig erschaffen worden, sondern alles gut, ja
sehr gut. Aber die Sünde der Menschen hat sie (die wilden
Tiere) böse gemacht. Denn indem der Mensch vom Wege
abwich, folgten auch sie ihm. Wie bei einem Hausvater,
wenn er ein geordnetes Leben führt, auch das Gesinde
veranlaßt ist, ein ordentliches Leben zu führen, wenn aber
er sich Ausschreitungen erlaubt, seine Diener ihm auch darin
folgen, so ging es mit dem Menschen, als er sündigte: weil
er der Gebieter ist, so wurden auch die ihm unterstellten Ge=
schöpfe mit ihm sündhaft. Wenn sich aber nun der Mensch
wieder zu einem Dasein erheben wird, das seinem Wesen

entspricht, und nicht mehr Böses tun wird, werden auch die Tiere wieder zu ihrem ursprünglichen, sanften Wesen zu= rückkehren.[99]

Der Gedanke der nicht aus eigener Schuld dem eigenen ur= sprünglichen Wesen entfremdeten Kreatur, die auf die Offen= barung der Söhne Gottes harrt, geht auf die bekannte Paulus= stelle im Römerbrief zurück.[100] Aus einem kosmischen Ver= ständnis des Christus, der als Logos auch die Naturreiche er= schaffen hat, müßte folgerichtig auch die Frage nach dem Schicksal der Geschöpfe am Ende der Tage hervorgehen. Später hat dann Origenes die Lehre von der Wiederbringung aller Dinge (Apokatastasis pantōn) aufgestellt und vertreten. Hier bei Theophilus treffen wir eine Ausbreitung des Paulus=Gedan= kens und eine Vorstufe der Lehre des Origenes an. — Wir brauchten heute keine Tierschutzvereine in christlichen Ländern, wenn nicht mit der Verengung des christlichen Interesses auf die eigene Seligkeit, das heißt aber eben wieder: mit dem Ver= lust der Logosanschauung, auch das Verantwortungsgefühl für die Naturreiche erloschen wäre.

*

Zu den apologetischen Schriften gehört im weiteren Sinne auch der „Brief an *Diognet*", der mit Recht die Perle der christlichen Antike genannt wurde.[101] Er stellt nicht eigentlich eine Verteidigung des Christentums dar, sondern ist die Ant= wort auf die Anfrage eines interessierten Heiden nach dem Wesen des Christentums. Hinter diesem Diognet vermutet man den Stoiker dieses Namens, der den Kaiser Marc Aurel für die Lehre seiner stoischen Schule begeisterte. Der Verfasser dieses Briefes ist unbekannt. Die einzige erhaltene Handschrift ging bei der Beschießung von Straßburg im Kriege 1870/71 zu= grunde.

Auch dieser Brief enthält die Anschauung, die wir bei allen christlichen Schriften der ersten Jahrhunderte und schon bei Philo angetroffen haben: „Keiner von den Menschen hat Gott gesehen oder erkannt."[102] So hatte ja auch Johannes im Prolog seines Evangeliums geschrieben: „Niemand hat jemals Gott geschaut." Und wie dort im Johannesevangelium das Motiv des Logos endiathetos, des noch im Innern des Vaters beschlos= senen Sohnes, folgt („der eingeborene Gott, der im Schoße des Vaters ist"), so folgt hier im Brief an Diognet eine besondere Abwandlung dieses Motivs.

> Als Gott den großen unaussprechlichen Gedanken (der Offenbarung und Erlösung durch die Menschwerdung Christi) gefaßt hatte, teilte er ihn nur seinem Sohne mit. Solange er nun seinen weisheitsvollen Entschluß als Myste= rium bei sich behielt und bis zur rechten Zeit bewahrte, schien er uns zu vernachlässigen und zu vergessen. Als er aber durch seinen geliebten Sohn enthüllte und offenbarte, was er vom Urbeginne an vorbereitet hatte, gewährte er uns alles zugleich, seiner Wohltaten teilhaftig zu werden, zu schauen und zu tun[103], wozu ein jeder von uns jeweils etwa fähig erschien.[104]

Der Begriff des Logos endiathetos wird hier nicht genannt, aber angewandt auf den in Gott verborgen gehaltenen Gedan= ken der Menschwerdung Christi, — wie einst im Sinne der christlichen Lehrer der Gedanke der Schöpfung im Innern des Vaters beschlossen blieb, bis die Erschaffung der Welt begann. Und wie damals der Logos selbst diesen Weltgedanken dar= stellte und dann verwirklichte, so kannte er den Plan seiner Menschwerdung vom Urbeginne an und hatte ihn dann auszu= führen. Und er ist es auch, der — wie im Johannesprolog — zum Initiator des Schauens Gottes wurde. So erscheint der Logos als höchstes Erkenntnisprinzip:

> Welcher Mensch, der richtig unterwiesen und mit dem
> Logos befreundet wurde, wird nicht bestrebt sein, klar zu
> erfassen, was den Jüngern durch den Logos offenbar ge=
> macht wurde, . . . die, als Gläubige erfunden, die Mysterien
> des Vaters erkannten. . . . Der Logos vom Urbeginn, der
> (nun) als ein neuer erschien und als der alte erfunden
> wurde, wird allenthalb neu in den Herzen der Heiligen
> geboren. . . . Du wirst erkennen, was der Logos verkündet,
> durch wen und wann er will.[105]

Ganz im Geiste des Johannesevangeliums ist der in Christus
offenbar gewordene „neue" Logos „der alte" von der Erschaf=
fung der Welt her. Er offenbart sich, wann und durch wen er
will, die Eingeburt im Herzen ist die Form seiner Beziehung
zum Menschen, und das Verhältnis des Menschen zu ihm ist
„Freundschaft". Darüber hinaus wagt der Diognetbrief das
Wort, wer die Last seines Nächsten trägt, wer den Schwächeren
hilft, wer den Bedürftigen mitteilt, was er von Gott empfangen
hat, „der wird Gott für die Empfangenden."[106] Was den Dio=
gnetbrief aber vor allem auszeichnet, ist ein fast hymnischer
Lobpreis des kosmischen Logos, der in seiner umfänglichen
Anschauung in der christlichen Logosophie nicht seinesgleichen
hat:

> Der Allmächtige, der All=erschaffende unsichtbare Gott hat
> selbst die Wahrheit und den heiligen Logos, der allen Ver=
> stand übersteigt, aus den Himmeln (gesandt), hat ihnen in
> den Herzen der Menschen Wohnung gegeben und sie darin
> erfestigt. Und zwar hat er nicht, wie es sich ein Mensch
> vorstellen würde, irgendeinen Diener gesandt oder einen
> Engel oder Archonten oder einen, der mit der Ordnung des
> Irdischen oder mit einer Leitung in den Himmeln betraut
> ist. Er sandte vielmehr den Bildner und Urheber (Demiurg)
> des Alls selbst,

durch den er die Himmel erschaffen hat,

durch den er das Meer in seine Grenzen faßte,

dessen Geheimnisse (Mysterien) die Elemente alle treulich
bewahren,

durch den die Sonne ihren Tageslauf zugemessen bekam,

dessen Geheiß der Mond befolgt mit seinem nächtlichen
Schein,

dem die Sterne gehorchen in ihrer Bahn, die den Mond be=
gleitet,

durch den alles geordnet und gestaltet ist,

dem alles untersteht,

    die Himmel und was in den Himmeln ist,

    die Erde und was auf der Erde ist,

    das Meer und was im Meere ist,

    das Feuer, die Luft, der Abgrund,

    was in den Höhen ist,

    was in den Tiefen ist,

    was dazwischen in der Mitte ist.

Diesen (Logos) sandte Gott zu den Menschen . . .

Er sandte ihn in Freundlichkeit und Milde wie ein König
seinen königlichen Sohn sendet.

Als einen Gott sandte er ihn.

Als einen Menschen sandte er ihn zu den Menschen.[107]

5. Kapitel

CLEMENS VON ALEXANDRIA

Die Stadt Alexandria war schon 100 Jahre nach ihrer Grün=
dung zur zweiten Stadt der damaligen Welt aufgestiegen. Im
Jahre 331 v. Chr. von Alexander dem Großen gegründet, war
sie von dem griechischen Architekten und Ingenieur Deino=
krates entworfen und angelegt. Eine künstliche Stadt mit recht=
winklig sich schneidenden Straßenzügen, Kanälen, Hunderten
von unterirdischen Zisternen, künstlichen Dämmen und Molen.
Man hatte sogar einen Hügel erst aufgeschüttet für den Tempel
des Pan, der nach altem Herkommen auf einem Berge liegen
mußte. Die vorgelagerte Insel Pharos trug den 160 m hohen
Leuchtturm, den ersten der Welt, der zu den sieben Weltwun=
dern zählte, wie der Dianatempel von Ephesus.

Alexandria war durch Jahrhunderte die größte Handelsstadt
der Welt mit einer halben Million Einwohner. Seine Handels=
beziehungen reichten von Indien bis zur Nordsee, von Spanien
bis zum Schwarzen Meer. Waren die Handelspartner und See=
leute aus diesen Ländern alle dort anzutreffen, so bildeten drei
Völker in besonderen Quartieren die eigentliche Einwohner=
schaft. Im Westen der Stadt die Ägypter, im Osten die Juden
und in der Königsstadt um den Hafen die Griechen. Vollbürger
waren nur die letzteren, während die Ägypter keine große Rolle
spielten, die Juden aber häufigen Bedrückungen unterworfen
waren, als statt der Ptolemäer, der Nachfolger Alexanders, die
Römer Herren des Landes und der Stadt geworden waren. Wir

haben schon gesehen, daß Philo aus diesem Grunde eine jüdi=
sche Delegation nach Rom führte.

Charakteristisch für den Geist dieser Stadt war eine eigen=
artige Verschmelzung ägyptischer und griechischer Religiosität.
Im Ägyptenviertel der Stadt, Rhakotis genannt, lag das mäch=
tige Serapisheiligtum. In seinem Bezirke stand ein ägyptischer
Tempel dieser Gottheit, der eine Filiale des berühmten Sera=
peums in Memphis war. Daneben ein griechischer Tempel, für
den der attische Bildhauer Bryaxis das Götterbild des Serapis
geschaffen hatte. Die gleiche Gottheit wurde von Ägyptern wie
Griechen verehrt, die Priesterschaft setzte sich aus Angehörigen
des ptolemäischen Königshauses und aus vornehmsten Ägyp=
tern zusammen.[1] Zwar hatten die Griechen außerdem die Tem=
pel ihrer alten Götter, des Zeus, des Pan und der vergöttlichten
ptolemäischen Herrscher. Der Serapisdienst scheint aber eine
Art Staatsreligion gewesen zu sein. In einem dem Kaiser
Hadrian zugeschriebenen Brief findet sich die fast unglaub=
hafte Mitteilung: „Dort (in Alexandria) sind die Verehrer des
Serapis Christen, und dem Serapis sind diejenigen ergeben, die
sich Bischöfe Christi nennen . . ."[2] Dabei kann es sich aber im
äußersten Falle nur um eine Konzession an die Staatsreligion
gehandelt haben, in jedem Falle aber um ein weniger von allen
anderen Religionsformen getrenntes Christentum, als wir es
sonst in der Zeit Hadrians (117—138) antreffen. Beruht diese
Nachricht — wenn auch nur etwa im Sinne eines flüchtigen
Reiseeindruckes — auf Wahrheit, so würde sie bedeuten, daß
sich das Christentum in Alexandria 80 Jahre vor Clemens im
Schmelztiegel dieser Stadt nicht völlig isolierte.

Hatte so das religiöse Leben der Stadt im ägyptischen Viertel
sein Zentrum, so lag der Pol des wissenschaftlichen Lebens in
der Griechenstadt (Brucheion): das durch Jahrhunderte welt=
berühmte Museion, die erste Universität der Welt. Kennzeich=
nend für das Griechentum ist, daß die Stätte der Wissenschaften

den Musen geweiht war. Das Leben im Gedanken und in der Forschung führte damals noch zu Entzückungen und Begeiste= rungen, die man den Sendboten Apollos, eben den Musen, zu= schrieb. Homer betrachtete seine Gesänge als Gaben einer Muse. Später wurde auch das Erleben der aufblühenden Ge= dankenwelt als belebende Gabe der Götter betrachtet.

Das Museion war eine Stiftung der Ptolemäer. Als Nachfol= ger Alexanders des Großen, dessen Leichnam durch Jahrhun= derte in Alexandria in goldenem Sarkophag ruhte, fühlten sie sich bewogen, diese Stätte griechischen Geistes einzurichten. Die Planung und Organisation der Anstalt übernahm Demetrius von Phaleron, der wie Alexander selbst Schüler des Aristoteles war. Für die erste Zeit war damit jedenfalls der Geist des Mannes im Museion beschworen, als dessen Schüler Alexander den Plan der weltweiten Ausbreitung griechischen Geistes ge= faßt hatte. Später gelang es auch einem der Ptolemäer, die um= fangreiche Privatbibliothek des Aristoteles für Alexandria zu erwerben. Die große Zahl der Gelehrten wurde in großzügigster Weise von den Ptolemäern, später vom Staate aller äußeren Sorgen enthoben, sie hatten aber für ihre geistige Arbeit abso= lute Freiheit. Eigenartigerweise waren im Museion alle damali= gen Wissenschaften vertreten außer der Philosophie. Diese war nach wie vor der persönlichen Initiative der einzelnen Persön= lichkeit überlassen. Es ist schwer zu entscheiden, ob dieser Um= stand einem Prinzip des Demetrius entsprang oder ob die Ptolemäer ihre Mittel in erster Linie den angewandten oder an= wendbaren Wissenschaften zukommen lassen wollten. Von den Gelehrten des Museions sind der Arzt Galenos, der Geograph und Astronom Ptolemäus und vor allem Euklid, durch seine mathematischen Lehrsätze, heute noch berühmt.

Die größten Bibliotheken der Welt standen den Gelehrten in Alexandria zur Verfügung. Auch sie waren von den Ptole=

mäern angelegt und ständig mit Ehrgeiz und ungeheuren Mit=
teln ausgebaut. Eine davon war mit dem Museion verbunden,
die andere lag im Serapisheiligtum. Sie umfaßten schließlich
eine Million Schriftrollen. Die Bibliothek im Museion erlitt
47 v. Chr. einen schweren Verlust. Als Cäsar Alexandria be=
lagerte, ging sie großenteils in Flammen auf. Antonius ergänzte
den Schaden durch die Schenkung der Bibliothek von Pergamon
an Kleopatra. 389 n. Chr. verbrannte der fanatische Bischof
Theophilus von Alexandria die Bibliothek des Serapeion. Noch
einmal wurde sie aus den Resten neu aufgebaut. Erst dem
arabischen Feldherrn, der 642 n. Chr. Alexandria eroberte, ge=
lang die völlige Vernichtung. Er heizte die öffentlichen Bäder
der Stadt mit den Schriftrollen, bis keine mehr übrig war.

Das jüdische Viertel der Stadt hatte sein geistiges Zentrum,
eine berühmte Basilika, im Jahre 115 n. Chr. bei der Nieder=
werfung des jüdischen Aufstandes durch die Römer verloren.
In unscheinbaren äußeren Formen hat sich nachher sein religiö=
ses und geistiges Leben fortgesetzt. In Alexandria wurde das
Alte Testament in ein Griechisch übersetzt, das ganz den hellen
Geist der hellenistischen Weltstadt trägt. Hier dürfte so manche
späte Schrift wie die „Weisheit Salomos" schriftlich fixiert sein,
die wir heute noch in der Bibel finden. Hier hatte Philo die
Religion des Alten Testamentes aus ihrer Isolierung befreit,
mit griechischem Geist durchdrungen und weltfähig gemacht.
Zur Zeit des Clemens, also um 200, scheint die Flamme des
jüdischen Geisteslebens erloschen gewesen zu sein. Um diese
Zeit haben wir uns drei Geistesrichtungen in privaten Schulen
in der Stadt wirksam zu denken: Erst jetzt hatte die griechische
Philosophie in Alexandria eine späte Bedeutung erlangt in der
Schule des Ammonios Saccas. Die christliche Katechumenen=
schule hatte sich durch Pantainos zum wichtigsten Zentrum
christlichen Denkens erhoben. Und die Gnostiker im Gefolge
des Basilides und Valentinus dürften hier ihre Schulen gehabt

haben. Geschichtlich faßbar sind nur die Schulen des Ammonios Saccas und des Pantainos.

Mit dem Namen des Ammonios Saccas war bis in die Gegen= wart eine Vorstellung verbunden, die erst in jüngster Zeit ihre Glaubwürdigkeit verloren hat. Das Wort Saccas wurde mit „Sackträger" übersetzt, und so sollte Ammonios in seiner Ju= gend ein Hafenarbeiter in Alexandria gewesen sein, der sich dann zu dem großen Lehrer der Philosophen emporgearbeitet habe. Nun hieß Ammonios wirklich Saccas. Aber aus Saccas Sackträger zu machen, ist keine Übersetzung, sondern eine Ver= ballhornung, ein Witz, den sich der Bischof Theodoret (393—457) geleistet hat. Er meinte, Ammonios wäre besser bei seinen Säcken geblieben. Nun haben neuere Forschungen[3] wahr= scheinlich gemacht, daß Saccas auf einen Zusammenhang des Ammonios mit dem indischen Stamm der Sakker hinweist. (Buddha gehörte diesem Stamme der Sakker oder Sakya an und wurde daher Sakkamuni, der Weise aus dem Stamm der Sakker, genannt.) Ob die nun vertretene Ansicht, Ammonios sei der Abstammung nach Inder gewesen, haltbar ist, muß bezweifelt werden. Ihr steht zu vieles im Wege. So die Nachricht des Euseb, Ammonios sei als Christ von christlichen Eltern er= zogen worden.[4] So auch der Umstand, daß die Sensation einer indischen Herkunft nirgends erwähnt ist. Wohl denkbar wäre aber ein Aufenthalt des Ammonios in Indien, also ein geistiger Zusammenhang. Von Pantainos ist eine Reise nach Indien be= zeugt.[5] Ebensogut kann Ammonios dort gewesen sein.

Porphyrios berichtet aus dem Leben Plotins, dieser sei bei Am= monios so tief in die Philosophie eingedrungen, daß er auch die Philosophie der Perser und Inder kennenlernen wollte, und habe deshalb an dem mißglückten Feldzug des Kaisers Gordian gegen Persien teilgenommen.[6] Wäre Ammonios selbst Inder gewesen, so wäre nicht verständlich, daß Plotin nicht von ihm die Weisheit Indiens erfahren konnte. Hatte Ammonios aber

Indien nur besucht, so mußte er in Plotin den Wunsch erwecken, die indische Philosophie an der Quelle kennenzulernen.

Nach der alten auf Euseb zurückgehenden Tradition fiel Ammonios unter dem Einfluß der griechischen Philosophie vom Christentum ab, so daß ein Aufenthalt in Indien erst nachher in seiner Biographie Platz hätte. Er war um 175 geboren und starb im Jahre 242. Seine Lehrtätigkeit ist erst für die letzten zwei Jahrzehnte seines Lebens bezeugt. Es müssen Schriften Platons gewesen sein oder ein platonischer Philosoph, die die Hinwendung zum Griechentum in ihm bewirkten. Die Schule, deren Begründer er wurde, wird die neuplatonische genannt. Was Ammonios lehrte, wissen wir nur indirekt, d. h. insofern seine Lehre im Werke seiner Schüler, vor allem des Plotin, weiterlebte. Ammonios hat nichts geschrieben. Was er aber persönlich seinen engsten Schülern eröffnete, machte auf diese den Eindruck einer Geheimlehre, die nicht profaniert werden durfte. „Gottgelehrt" nannten sie ihn. Seine intimsten Schüler Herennius, Origenes (nicht der Kirchenvater!) und Plotin verschworen sich, die Lehre ihres Meisters nicht zu enthüllen (ἐϰϰαλύπτειν).[7] Wenn diese Übereinkunft auch nicht streng eingehalten wurde, so bezeugt sie doch, daß das Mysterienprinzip des Schweigens unwillkürlich unter dem Eindruck dieses Mannes in Kraft trat.[7a]

Plotin, der ebenfalls in Alexandria geboren war (204 n. Chr.), kam mit 28 Jahren zu Ammonios, nachdem er sich allenthalben in den Philosophenschulen umgesehen hatte. „Diesen habe ich gesucht", rief er aus, als er den ersten Vortrag des Mannes gehört hatte, dessen Schüler er dann elf Jahre lang bis zum Tode des Ammonios (242) geblieben ist. — Daß dann auch der Kirchenvater *Origenes* zu Füßen dieses großen Apostaten saß, gehört zu den Merkmalen der unbefangenen Liberalität, die damals in Alexandria zwischen den vier geistigen Richtungen herrschte.

Daß die Logoslehre auch zum Wissen des Ammonios ge=
hörte, war in dieser Stadt sowieso anzunehmen. Der Christ
Origenes konnte sie auch von seinem christlichen Lehrer Cle=
mens empfangen haben. Von Plotin aber bezeugt sein Biograph
Porphyrios mehrfach, daß er „den Geist des Ammonios in seine
Untersuchungen hineinbrachte."[8] Und in diesen Untersuchun=
gen Plotins spielt der Logos eine maßgebende Rolle. Da dieser
Neuplatoniker wie seine Schüler und Nachfolger in den näch=
sten zwei Jahrhunderten nicht mehr in den begrenzten Rah=
men dieser Schrift gehört, seien nur einige Beispiele seiner Aus=
sagen über den Logos angeführt.

Das Wort, das keinen Zweifel läßt über die zentrale Bedeu=
tung des Logos in der Philosophie Plotins, lautet: „So ist denn
der Logos der Urbeginn ($\dot{\alpha}\varrho\chi\acute{\eta}$), und Logos ist alles, was unter
seiner Leitung entsteht."[9] Eine Definition des Logos gibt Plotin
mit den Worten:

> Der Logos ist nicht ungemischter Weltgeist ($\nu o\tilde{\upsilon}\varsigma$) noch
> selbst Weltgeist; auch nicht allein Weltseele ($\psi\upsilon\chi\acute{\eta}$) seiner
> Herkunft nach. ... Er ist (vielmehr) eine Art Ausstrahlung
> von beiden. Weltgeist und Weltseele erzeugen diesen Logos
> als ein *Leben* ($\zeta\omega\acute{\eta}$), das still in sich den Logos trägt.[10]

Es würde hier zu weit führen, die Begriffe Nus (Weltgeist)
und Psychē im Gedankengebäude Plotins zu erläutern. Sie
treten hier an die Stelle des „Vaters" und der Sophia in der
Genealogie des Logos in den jüdischen und christlichen Syste=
men, gleichsam als das Elternpaar des Logos. Daß hier das *Leben*
in diese unmittelbare Nähe des Logosbegriffes tritt, geht wohl
schon auf den Einfluß des Johannesevangeliums zurück. Dieses
war in der Schule Plotins jedenfalls bekannt. Einer der intim=
sten Schüler Plotins, Amelios, erklärte z. B., daß der Logos
Heraklits derselbe sei wie der Logos des „Barbaren" Johannes.
Und der Kirchenvater Augustinus berichtet von einem Neu=

platoniker, der den Prolog des Johannesevangeliums als Lehr=
gegenstand seiner Schule vorschlug.[11]

Wenn Plotins Lehre von der Weltentstehung auch durch seine
Begriffe des Einen ($\tau\grave{o}$ $\ddot{\varepsilon}\nu$), des Nus und der Psychē sehr kom=
pliziert (und nicht immer ganz klar) ist, so bleibt dem Logos
dabei doch die Mission, die er in der ganzen Logosophie inne=
hat. „Aus dem einen Nus und dem Logos, der aus ihm gekom=
men ist, entstand dieses unser All."[12] Dem Logos fällt dabei
die Aufgabe des Weltbildners zu: „Was auch immer am Leben
teilhat, wird sogleich vom Logos durchdrungen, das heißt ge=
staltet."[13] Plotins Interesse am Wirken des Logos ist im Gegen=
satz zu den christlichen Lehrern in erster Linie ein ästhetisches.
Seine Lehre vom Schönen in der Welt gipfelt in den Worten:

Alles Formlose ist dazu bestimmt, Form und Urbild ($\varepsilon\tilde{\iota}\delta o\varsigma$)
anzunehmen. Solange es keinen Anteil am Logos und Urbild
hat, ist es häßlich und außerhalb des göttlichen Logos. . . .
Häßlich ist aber auch noch, was nicht ganz durchkraftet
ist von Form und Logos. . . . So entsteht der schöne Körper
durch die Einigung ($\varkappa o\iota\nu\omega\nu\acute{\iota}\alpha$) mit dem Logos, der vom
Göttlichen kommt.[14]

Das letzte Wort, das Plotin als Sterbender sprach, war die
einfachste Formel für die Beziehung des Logosjüngers zur
geistigen Welt:

Ich versuche jetzt, mein „Göttliches in uns" zum Göttlichen
im All emporzutragen.[15]

*

Vom Fortgang der neuplatonischen Schule seien noch einige
persönliche Zusammenhänge erwähnt. Dem bedeutendsten
Schüler Plotins, Porphyrios (232—304), haben wir u. a. die Bio=
graphie seines Lehrers, die Ordnung und Sichtung seiner „En=
neaden" zu verdanken. Der wichtigste Schüler Porphyrs war der

Syrer Jamblichus († 330), der in seiner Heimat und in Alexan=
dria lehrte. Von ihm ist uns ein Buch über die antiken Myste=
rien erhalten. Schüler des Jamblichus war Aidesios in Pergamon.
An diesen wandte sich der jugendliche Prinz Julian, der später
Apostata hieß. Aidesios und seine Schüler Maximus von Ephe=
sus und Chrysanthios übten den maßgebenden Einfluß auf den
Geist des späteren Kaisers aus. Maximus begleitete Julian auf
dem Feldzug, bei dem er den Tod fand (363). Mit ihm und
einem anderen Schüler des Aidesios, Priscus, führte der ster=
bende Kaiser das Gespräch über das Leben nach dem Tode und
über den Adel der Seele. Maximus bezahlte später seine Freund=
schaft mit dem Apostaten teuer. Er wurde hingerichtet als der
Anstifter von Julians Abfall vom Christentum.[16]

So bildet der Gesamtverlauf der neuplatonischen Schule eine
eigenartige Schicksalsfigur: Von dem Apostaten Ammonios
begründet, geriet sie in immer bewußteren Gegensatz zum
Christentum. Porphyrios hatte eine Schrift gegen die Christen
geschrieben. Von Jamblichus an mündete die Schule in eine Er=
neuerung des griechischen und kleinasiatischen Mysterienwe=
sens. Und schließlich bewogen die letzten Nachfolger des Am=
monios den christlichen Prinzen Julian zu dem Schritte, mit dem
der Gründer der Schule begonnen hatte. Aber der Abfall Julians
vom Christentum bewirkte das Ende der Schule. Julian wurde ja
aller Wahrscheinlichkeit nach wegen dieses Abfalls ermordet
und Maximus hingerichtet.

Doch abseits der damaligen politischen Ereignisse, in Ale=
xandria, wo die Schule begründet war, sollte ihr letzter Aus=
läufer ein furchtbares Ende finden in der Gestalt der edlen Phi=
losophin, Astronomin und Mathematikerin Hypatia. Als Tochter
und Schülerin des Mathematikers Theon hatte sie in Athen den
Neuplatonismus aufgenommen. Sie wurde dann in Alexandria
zu Beginn des 5. Jahrhunderts zu einer gefeierten und besunge=
nen Lehrerin griechischer Weisheit. Ihr wird auch ein lateini=

scher Brief zugeschrieben, der zugunsten des vertriebenen Pa=
triarchen Nestorius von Konstantinopel an seinen Verfolger,
den Bischof Cyrill von Alexandria, gerichtet ist. Sie war aber
wohl auch ohnedies dem finsteren Cyrill ein Dorn im Auge.
Unter seinem Episkopat wurde Hypatia vom christlichen Pöbel
in Alexandria gesteinigt und zerrissen (415). Dieser letzten
Nachfolgerin des Ammonios war es vorbehalten, den Strom des
Neuplatonismus in die christliche Geistesentwicklung überzu=
leiten: ihr bedeutendster Schüler war der spätere Bischof Syne=
sios von Cyrene, dessen erhaltene Schriften deutlich erweisen,
was ihn Hypatia gelehrt hatte.[17] So hielt er als einer der letzten
Christen an der Präexistenz der Seele fest. Auch dieser Ge=
danke war im frühen Christentum soweit vertreten, als die
Logosophie verbreitet war. Und das Lob des Logos erklang noch
in den Hymnen des Synesios.[18]

Wir haben mit der skizzenhaften Schilderung der von Am=
monios Saccas ausgegangenen philosophischen Strömung schon
ein wenig vorgegriffen. Der Mann, der die christliche Katechu=
menenschule zu ihrer Bedeutung erhob, Pantainos, gehörte der
Generation von Ammonios an. Als ihn der etwa dreißigjährige
Clemens um das Jahr 180 in Alexandria antraf, stand er schon
auf der Höhe seiner stillen Wirksamkeit. Er verschmähte es wie
Ammonios, sein Wissen der Schrift auszuliefern. Die Übermitt=
lung der Erkenntnis war für diese Männer offenbar ganz an den
lebendigen intimen Kontakt mit dem Schüler gebunden. Sie be=
trachteten, was sie wußten, nicht als eine Summe abstrakter
Kenntnisse, die ein Leser etwa intellektuell einem Buche hätte
entnehmen können. Die schrittweise Übermittlung des Wissens
an den persönlichen Schüler war die Übertragung des Myste=
rienprinzips der Einweihung auf das höhere Lehrwesen einer
Zeit, in der die Mysterien zu schweigen begannen.

Clemens suchte in Griechenland, in Sizilien, im Morgenland
und in Palästina nach dem Lehrer, der seinen Wissensdrang

stillen konnte, und fand ihn endlich in Pantainos. Aus der Be=
merkung des Clemens, Pantainos sei in Ägypten (Alexandria)
verborgen gewesen, darf geschlossen werden, daß die Wirksam=
keit dieses Mannes keine öffentliche war. Ein Bildwort des Cle=
mens für ihn, nämlich „die sizilische Biene", hat man bisher in
seiner Bedeutung übersehen. „Biene" war, z. B. in Ephesus, ein
Mysterienausdruck und bedeutete wohl, daß der Geist eines
Menschen zur Wahrheit vorgedrungen war, wie der Rüssel der
Biene zum Honig auf dem Grunde der Blütenkelche. So wird
dieser Ausdruck auch von Clemens verwandt, wenn er von
Pantainos sagt: „Als die sizilische Biene holte er Honig von den
Blumen auf der Wiese der Propheten und Apostel und pflanzte
in die Seelen der Hörer eine Fülle lauterer Erkenntnis."[19] Der
Hinweis auf Sizilien kann ebensogut auf eine geistige wie auf
die leibliche Herkunft des Pantainos deuten. Hieronymus nennt
Pantainos einen „stoischen Philosophen", der wie Clemens in
der Behandlung der christlichen Lehre von äußerster Klarheit
(disertissimus) gewesen sei.[20] Es ist nicht denkbar, daß Hie=
ronymus diesen Ausdruck für einen Mann gebraucht hätte, der
aus dem Christentum hervorgegangen und geistig in ihm auf=
gewachsen war. Pantainos war wohl ein Stoiker, der vielleicht
in Sizilien in die Mysterien eingeweiht, dann den Weg zum
Christentum und zur Leitung der christlichen Schule in Alexan=
dria fand. Einen „begnadeten Geist" nennt ihn Clemens.[21] Von
seiner Lehre wissen wir aber so wenig wie von derjenigen des
Ammonios und ebensoviel, nämlich was sein großer Schüler
Clemens davon in sich trug. Der Versuch Boussets, aus dem
Werke des Clemens die Lehre des Pantainos zu rekonstruieren,
gilt als gescheitert.[22] Doch dürfen wir bei der hohen Verehrung,
die Clemens für seinen Lehrer empfand, annehmen, daß seine
Geistesart der des Pantainos entsprach.

Clemens war um 150 in Athen als Sohn heidnischer Eltern
geboren. Dort im Geiste des Griechentums erzogen, war er in

die eleusinischen Mysterien eingeweiht worden.[23] Aus seinem oben schon angeführten Bericht über seine Wanderjahre entnehmen wir hier die für seine geistige Entwicklung charakteristischen Sätze. Er schreibt von seinem Hauptwerk, den Stromateis (Teppiche): „sie sollten ein Abbild und eine Wiedergabe jener leuchtenden und lebenerfüllten Worte und jener seligen und wahrhaft verehrungswürdigen Männer sein, die zu hören ich gewürdigt worden bin. Von ihnen war der eine ... in Griechenland, die anderen in Großgriechenland ..., wieder andere waren im Morgenland ..., ein anderer in Palästina. Als ich aber den letzten getroffen hatte, der aber an Bedeutung der erste war, gab ich weiteres Suchen auf, nachdem ich ihn in Ägypten, wo er verborgen war, aufgespürt hatte." Hierauf folgt der oben zitierte Satz von der sizilischen Biene.

Diesem knappen Bericht können wir entnehmen, daß Clemens im dritten Jahrzehnt seines Lebens ein Weltwanderer nach Weisheit war wie Pythagoras. Er zählt sieben Lehrer auf, bei denen er auf seinen Reisen gewesen ist, ohne aber die Namen zu nennen. Wenn er auch diese Männer alle selig und wahrhaft verehrungswürdig nennt und sein eigenes Werk auf ihre Lehren zurückführt, so ist damit noch nicht gesagt, daß diese sieben alle christliche Lehrer gewesen sind. Denn Clemens fühlt sich auch der griechischen Philosophie vielfach verpflichtet. Wahrscheinlicher ist, daß er auf dieser Wanderung durch die Weisheitsschulen seiner Zeit erst den Weg zum Christentum gefunden hat und daß erst Pantainos dafür den Ausschlag gab.

Clemens blieb in Alexandria bis zur Christenverfolgung unter dem Kaiser Septimius Severus in den Jahren 202/203. Nach dem Tode seines Lehrers Pantainos, der in den letzten Jahren des 2. Jahrhunderts erfolgte, hatte er die Leitung der Schule inne. Im Gegensatz etwa zu Ignatius hielt er es dann für kein Unrecht, sich dem Martyrium in Alexandria zu entziehen. Und dieser Umstand hat seinem Ansehen auch bei den Zeitgenossen keinen Abbruch getan. Wir können dies den letzten Nachrichten entnehmen, die wir vom Leben des Clemens haben. Etwa im Jahre 211 überbrachte er einen Brief des Bischofs Alexander von Cäsarea in Kappadozien an die Gemeinde in Antiochia. Der Geschichtsschreiber der ersten christlichen Jahrhunderte, Euseb, teilt den Schluß dieses Briefes mit: „Diesen Brief sende ich euch durch den trefflichen Presbyter Clemens, einen tugendhaften und erprobten Mann, den auch ihr kennt oder noch kennen= lernen werdet: er war nach dem Willen und der Fügung des Herren hier und stärkte und förderte die Kirche des Herren."[24] Mehr als daß Clemens die Presbyter=Würde innehatte und einige Zeit in der Gemeinde von Cäsarea tätig war, läßt sich diesen wenigen Zeilen nicht entnehmen. Und da er schwerlich wegen dieses Briefes nach Antiochia gereist ist, hat er ihn viel= leicht mitgenommen, als er sein Tätigkeitsfeld dorthin verlegte. Es ergäbe sich daraus das Bild eines Clemens, der im Alter als Lehrer von Gemeinde zu Gemeinde reiste, wie er als Schüler von Lehrer zu Lehrer zog.

Der gleiche Bischof Alexander schrieb im Jahre 215 oder 216 einen Brief an Origenes, in dem die Worte enthalten sind: „Als unsere Väter sehen wir jene seligen Männer an, die uns voran= gegangen sind und bei denen wir bald wieder sein werden: Pan= tainos, den wahrlich seligen und Herren ($\varkappa\acute{v}\varrho\iota o\varsigma$), und den hei= ligen Clemens, der mein Herr wurde und mich förderte."[25] (Mit „Herr" ist hier eine höchste Autorität im Verständnis des Chri= stentums bezeichnet.) Aus dieser Briefstelle, die Clemens das höchste Attribut „heilig" zuerteilt, geht hervor, daß Clemens vor 215 bzw. 216, also etwa mit 65 Jahren, gestorben ist.

Von den Schriften des Clemens sind uns vier erhalten: die „Mahnrede" (Protreptikos), der „Erzieher" (Paidagogos), die „Teppiche" (Stromateis) und eine kleine Abhandlung über Mar= kus 10, 17—31: „Welcher Reiche kann gerettet werden?" Die erstgenannten beiden Bücher gehören zu einer Trilogie, deren

Aufbau im ersten Kapitel des „Erzieher" angegeben ist. Dem=
gemäß müßte das erste Buch nicht „Mahnrede", sondern „Der
ermahnende Logos" heißen. Denn darin sollte „der Führer zum
Himmel, der Logos"[26], gleichsam selber zu Worte kommen.
Der Inhalt dieses ersten Teils der Trilogie ist Ermahnung, Ein=
ladung zum Heil, Ermunterung. Er wendet sich an die Gesin=
nungen der Menschen, will also das Metanoëite, die Sinnes=
wandlung, bewirken. Der zweite Teil, in dem der Logos als
Paidagogos (Erzieher) wirkt, wendet sich an den Willen und an
die Gemütsbewegungen. Sein Inhalt und Ziel ist Herauslösung
aus den weltlichen Gewohnheiten, Heilung der Leidenschaften,
Bildung des Charakters. Diese beiden vorbereitenden Schriften
haben wir mit Sicherheit im Protreptikos und Paidagogos vor
uns. Es ist ganz deutlich, daß der Aufbau dieser Trilogie den
Graden der antiken Mysterieneinweihung folgt, die sich in den
vier Teilen des christlichen Opferkultus spiegeln: Erstens Anruf,
Einladung, Ermunterung (Evangelienlesung). Zweitens Reini=
gung, Katharsis (Opferung). Als Aufgabe des Logos auf der
dritten Stufe, des Logos als des Lehrers (Didaskalos), gibt Cle=
mens an: Offenbarung des Logos, Erkenntnis (Gnosis) der
Wahrheit. Also die Erleuchtung (Elampsis) auf dem Mysterien=
wege. (Dieser Wandlung des Bewußtseins entspricht im Opfer=
kultus die Wandlung der Substanzen, dem Mysterienbegriff der
κοινωνία [koinōnia, Vereinigung] die christliche Communion.)
In die alte Diskussion darüber, ob Clemens diesen dritten
Teil seines Werkes überhaupt geschrieben hat und ob wir ihn in
den Stromateis etwa vor uns haben, sei hier folgende Vermu=
tung eingeworfen: Die Ankündigung dieses dritten Teiles ist ja
gerade nicht unmittelbar in „Erzieher" I,1 zu finden. Vielmehr
könnte dort der Satz: „der gleiche Logos hat auch die Aufgabe
zu lehren, *aber nicht jetzt*", darauf deuten, daß der Logos Didas=
kalos nicht einfach in Fortsetzung des Protreptikos und Paid=
agogos zu finden sein wird. Es ist ja zudem auffallend, mit wel=

cher unverkennbaren Zurückhaltung Clemens vom Logos Di=
daskalos im Gegensatz zu seinen ersten beiden Aufgaben am
Menschen an der genannten Stelle spricht. Weiterhin ist, wenn
man hier ein Mysterienprinzip bei Clemens eingehalten sieht,
gerade an dieser Stelle eine Cäsur zu erwarten. Und sieht man
nun andrerseits, daß Clemens in den Stromateis sagt, „daß sie
absichtlich die Samenkörner der Gnosis *verbergen* wollen"[27],
so dürfte es naheliegen, in diesem Buche doch den dritten Teil
der Trilogie zu vermuten, eben gerade in einer verhüllten
Form.[28] In den letzten Sätzen der Stromateis finden sich sozu=
sagen abschließend noch einmal die Bemerkungen: „Wir streu=
ten hie und da die lebenerweckenden Lehren der wahren Gnosis
ein, und zwar so, daß dem Uneingeweihten, der darin liest, die
Auffindung ... nicht leicht wird." Und: „Die Einstreuung der
Lehrsätze haben wir heimlich und nicht in wahrer Deutlichkeit
vorgenommen."[29] Das Prinzip einer Esoterisierung des eigent=
lichen Inhalts ist also so deutlich wie nur möglich ausgesprochen.

Eine Reihe bezeugter Schriften des Clemens ist verlorenge=
gangen. Dabei scheint nicht nur der Zufall gewaltet zu haben.
Die acht Bücher der „Hypotyposeis" (= Skizzen oder Umrisse)
enthielten Erklärungen zum Alten und Neuen Testament. Darin
war u. a. die Wiederverkörperung und die Existenz anderer
Welten vor Adam gelehrt. Wir wissen das von dem gelehrten
Patriarchen Photios von Konstantinopel, der im 9. Jahrhundert
lebte. Solange hatten sich also die Hypotyposeis wenigstens im
Osten erhalten. Photios stellte so viele „Irrlehren" darin fest,
daß er bezweifelte, ob Clemens dieses Buch geschrieben haben
konnte. Es hatte sich aber wohl der Begriff Irrlehre vom 3. bis
zum 9. Jahrhundert wesentlich verändert. Otto Stählin bemerkt
dazu: „Vielleicht tragen diese Irrlehren eine Schuld daran, daß
das Werk nicht mehr abgeschrieben wurde und verloren=
ging."[30]

*

Der Logos ist das absolut beherrschende Element in der Lehre des Clemens. Es gibt in seinen erhaltenen Werken kaum einen Gedanken, der nicht direkt oder indirekt mit der Logosanschau= ung in Beziehung steht. In unserem Zusammenhang ist es nur möglich, eine Reihe von grundlegenden Aussagen zu einem knappen Überblick zusammenzustellen. Zunächst sei umrissen, wie Clemens eine Art Vorgeschichte der Gnosis in seinen Schrif= ten gibt.

Es gab immer eine natürliche Offenbarung des einen all= mächtigen Gottes bei allen wohldenkenden Menschen.[31]

Wir treffen hier die Vorstellung einer Art Uroffenbarung an. Mit „natürlich" ist hier nicht eine Offenbarung durch die Natur im heutigen Sinne gemeint, sondern eine dem Menschen durch *seine* Natur zugekommene Offenbarung: „Es fehlt viel daran, daß der Mensch keinen Anteil habe an der Vorstellung des Göttlichen, da er doch, wie in der Genesis steht, die Einhau= chung empfing, weil er reineren Wesens war als die anderen Lebewesen."[32] Die Einhauchung des Lebensatems (Gen. 2, 7) ist hier also in dem tieferen Sinne des Wortes in=spiratio als Mitteilung göttlichen Geistes verstanden.

An vielen Stellen ist dann mit energischen Worten auf das Unzureichende der griechischen Philosophie hingewiesen. Darin tritt bei Clemens eine deutliche Wandlung gegenüber seinen Vorgängern in Erscheinung. Die christliche Gnosis hatte in ihm ihr Selbstbewußtsein gefunden, und das Streben der Apologeten, das Christentum vor der alten Philosophie zu rechtfertigen, ist zu Ende. Trotzdem ist Clemens weit davon entfernt, die vorbe= reitende Bedeutung der griechischen Weisheit zu übersehen. Er stieß aber mit dieser Schätzung schon auf den Widerstand in christlichen Kreisen:

Die meisten von denen, die sich Christen nennen, verstopfen sich, wie die Gefährten des Odysseus vor den Sirenen, die

Ohren vor dem Laute der griechischen Wissenschaften in dem Bewußtsein, daß sie, wenn sie ihnen einmal ihre Ohren öffnen würden, dann den Weg nach der Heimat nicht mehr finden.[33] Wer aber davon das Nützliche zum Besten der Katechumenen, zumal wenn sie Griechen sind, entnimmt, der braucht sich nicht mehr vom Eifer für die Wissenschaf= ten fernzuhalten wie die wilden Tiere, sondern soviel Hilfs= mittel wie möglich muß er für die Hörer entlehnen.[34]

Clemens muß nun also umgekehrt bereits die griechische Philosophie vor denen rechtfertigen, „die sich Christen nen= nen" und denen offenbar schon damals das freie Erkenntnis= streben verdächtig erschien. Diese düstere Geistesart sollte ja gerade in Alexandria zu jener scheußlichen Ermordung der Hypatia und zur Zerstörung des Serapeion mit seiner unersetz= lichen Bibliothek führen. Clemens' eigene und eigentliche Mei= nung ist etwa solchen Sätzen zu entnehmen:

> Derselbe Gott, der die beiden Testamente gab, hat auch den Griechen die griechische Philosophie gegeben, durch die der Allmächtige bei den Griechen gepriesen wird ... Aus grie= chischer Zucht wie auch aus der des (jüdischen) Gesetzes werden diejenigen zu dem einen Geschlecht des erlösten Volkes verbunden, die den Glauben annehmen ... so, daß sie erzogen werden durch die verschiedenen Testamente, durch den Logos des einen Herren ... Wie Gott die Erlösung der Juden wünschte, indem er ihnen die Propheten gab, so hieß er auch die ausgezeichneten Männer unter den Griechen als eigene Propheten für ihre Sprache auftreten.[35]

Mit der Wendung „verschiedene Testamente" ist ja die grie= chische Philosophie geradezu als ein drittes Testament neben dem Alten und Neuen bezeichnet. Clemens beruft sich mit die= ser Auffassung auf zwei verlorengegangene Schriften: auf das Kerygma (Verkündigung) Petri und auf einen sonst unbekann=

ten Paulusbrief. Wieder scheint es kein Zufall zu sein, daß eine Paulusschrift verlorenging, in der Worte wie diese standen:

> Nehmt die griechischen Bücher, erkennt die Sibylle an, wie sie den Einen Gott und das künftig Geschehende ent= hüllt ... und ihr werdet um so strahlender und deutlicher den Sohn Gottes geschrieben finden.[36]

Von den zahlreichen Stellen, an denen Clemens die Bedeu= tung der Philosophie in immer neuen Wendungen rechtfertigt, sei nur noch eine angeführt, aus der hervorgeht, daß er ihr nicht nur eine historische, sondern fernerhin eine propädeutische Aufgabe beimißt:

> Vor der Ankunft des Herren war die Philosophie für die Griechen notwendig zur Gerechtigkeit ($\delta\iota\varkappa\alpha\iota\sigma\sigma\acute{\nu}\nu\eta$), jetzt aber wird sie nützlich zur Gottseligkeit, indem sie gewisser= maßen eine Vorbereitung für solche ist, die den Glauben durch (vernünftige) Demonstration gewinnen.[37]

An anderer Stelle wird die Philosophie direkt eine „Vor= bereitungswissenschaft ($\pi\varrho\sigma\pi\alpha\iota\delta\epsilon\acute{\iota}\alpha$) für den Gnostiker" ge= nannt.[38]

Die Frage, wie die Philosophie zu den Griechen kam, wird mit einer Konkretheit beantwortet, die zeigt, daß Clemens mehr wußte, als er — jedenfalls in seinen erhaltenen Schriften — un= mittelbar ausspricht:

> Der Logos ist es, der den Griechen die Philosophie durch niedere Engel gibt; denn durch göttliche und alte Anord= nung sind Engel *völkerweise* verteilt.[39]

Clemens muß eine ins Einzelne gehende Kenntnis der Hier= archien gehabt haben, wenn er so genau von den Erzengeln und ihrer „völkerweisen" Aufgabe sprechen kann. Er mag sich so er= klärt haben, wieso der Logos die Weisheit nicht überall in der gleichen Form gegeben hat, sondern z. B. bei Griechen und Juden verschieden. Nach der von Gott selbst gegebenen Ur=offenbarung denkt er sich also eine Zeit, in der die Wahrheit, nach Völkern differenziert, durch die Erzengel als die Boten des Logos den Menschen in Teilen gegeben wurde, bis sie dann durch die Ankunft des Logos auf der Erde wieder einheitlich und ungeteilt erschien.

> Dies ist das neue Lied, die jetzt bei uns aufleuchtende Er=scheinung des Logos, der im Urbeginne war und noch zu=vor ... Es erschien der, welcher im Seienden (τὸ ὄν) war, als Lehrer; es erschien der, durch den alles geschaffen ist, als Logos; und nachdem er als Schöpfer im Urbeginne zugleich mit der Erschaffung das *Leben* gegeben hat, lehrte er, nach=dem er als Lehrer erschienen war, das *Gut=leben*, damit er uns später das *ewige Leben* gewähre.[40]

Leben — Gut=leben — ewiges Leben, das sind die drei Gaben des Logos an die Menschheit: das natürliche Leben bei der Er=schaffung, die durch die Lehre angeleitete, selbstgestaltete Le=bensführung in der Mitte der Zeiten und das ewige Leben am Ende der Zeitlichkeit.

Unter der Lehre des Christus versteht Clemens noch etwas Weiteres als den Inhalt des Neuen Testamentes. Dieses war ja zu seiner Zeit im wesentlichen schon zusammengestellt, und er benutzte es in allen Teilen. Daneben kennt er aber noch etwas anderes:

> Die Gnosis selbst ist durch ständige Weitergabe von den Aposteln aus auf Wenige durch ungeschriebene Überliefe=rung weitergegangen.[41]

Hier ist einmal glaubwürdig historisch faßbar, daß es eine christliche Esoterik gab seit den Tagen der Apostel und noch um 200. Was die Apostel=Geschichte (1, 3) bezeugt, aber dem

Inhalt nach auch vollständig verschweigt, die Lehren des Auf=
erstandenen während der 40 Tage zwischen Auferstehung und
Himmelfahrt, bildete eine Gnosis=Sukzession bis zu den Tagen
des Clemens. Im Wesen dieser Esoterik liegt es, daß auch Cle=
mens nicht verrät, ob und in welchen Stücken seiner Schriften
etwas davon enthalten wäre.

Auch bei Origenes findet sich ein Hinweis auf diese esote=
rische Tradition. Er ist nur verständlich, wenn wir ihn in dem
Zusammenhang betrachten, in dem er gegeben ist:

> Die Ursache aller irrigen, frevelhaften und einfältigen Leh=
> ren von Gott scheint keine andere zu sein, als daß die
> Schrift nicht geistgemäß verstanden, sondern nach dem
> bloßen Buchstaben genommen wird. Deshalb müssen denen,
> die überzeugt sind, daß die heiligen Bücher nicht von Men=
> schen zusammengeschrieben, sondern aus dem Anhauch des
> heiligen Geistes, nach dem Willen des All=Vaters durch
> Jesus Christus, aufgeschrieben und zu uns gelangt sind, die
> vorhandenen Wege gezeigt werden. Sie haben dazu die
> Richtschnur (κανών, Kanon) der himmlischen Kirche Jesu
> **Christi gemäß der Weitergabe durch die Apostel.**[42]

Origenes spricht also von einem Kanon des tieferen Ver=
ständnisses der in den Evangelien verzeichneten Ereignisse,
der auf Christus selbst zurückgeht, durch die Überlieferung der
Apostel erhalten ist und — so scheint die Meinung des Origenes
zu sein — die himmlische Kirche erst ausmacht, das heißt die
Kirche in ihrem wahren geistigen Bestand. Die Evangelien sind
ohne diesen Kanon in der ständigen Gefahr, mißverstanden zu
werden.

Wir haben als Tatsache zu verzeichnen, daß Clemens und sein
Schüler Origenes ihre Auffassung und Auslegung der Evange=
lien auf ihren Anteil an jener esoterischen Tradition stützten.

Rudolf Steiner gedachte des Clemens und Origenes mit ein=

dringlichen Worten: „Wenn Sie sich einmal wirklich darauf einlassen würden, zu studieren, wie so ein Clemens der Ale=xandriner, sein Schüler Origenes ... — gar nicht zu reden von noch älteren Kirchenlehrern —, wie diese ausgegangen sind vom heidnischen Initiationsprinzip und sich dann auf ihre Art zum Christentum herübergefunden haben, wenn Sie auf diese Gei=ster eingehen, so finden Sie, daß in ihnen eine ganz besondere Art der inneren Bewegung der Begriffe und Vorstellungen lebt; es lebte ein ganz anderer Geist in ihnen, als er später in der Kirche lebt. Der Geist, der in ihnen lebte, an den ist es nötig, wenn man an das Mysterium von Golgatha herankommen will, selbst heranzukommen."[43]

Was im Folgenden von der Lehre des Clemens dargestellt wird, kann nicht den Anspruch erheben, das von Steiner ge=meinte Studium des Clemens zu ersetzen. Es kann nur die Ent=faltung des zentralen Logosgedankens in großen Umrissen skizzieren.[44]

*

Als Ausgangspunkt für die Darstellung von Clemens' Logos=lehre kann eine Stelle dienen, die das Wesen des Sohnesgottes demjenigen des Vaters gegenüberstellt:

> Der Gnostiker verehrt von allem Gewordenen den zeitlosen und *anfangslosen Anfang* (Archē) und Erstling aller Dinge, den Sohn. Von ihm kann die jenseitige Ursache, der Vater aller Dinge, erfahren werden ... Er (der Vater) ist in Hoch=verehrung und *Schweigen* zusammen mit dem heiligen Stau=nen im eigentlichen Sinne zu verehren und anzubeten. Er wird vom Herrn (dem Sohn) verkündet, soweit es seinen Schülern möglich ist, es zu hören; begriffen wird er aber wenigstens von denen, die vom Herrn zur Erkenntnis aus=erwählt sind, die, wie der Apostel sagt, „an den Sinnen ge=übt sind" (Hebr. 5, 14).[45]

Diese Sätze sind für Clemens insofern bezeichnend, als sie seinen Blickpunkt deutlich erkennen lassen. Wir treffen bei ihm reine Abstraktionen über den Logos, wie sie die Stoa im besten Sinne hervorbrachte, kaum mehr an und ebensowenig den mythologischen Stil des Philo. Sein Blickpunkt ist vielmehr der des Gnostikers, das heißt derjenige der Erkennbarkeit. Die kosmische Seite der Logosophie tritt zurück. Der Logos ist nun Mensch und Lehrer geworden, und damit ist dem Menschen die Aufgabe gestellt, den nunmehr eröffneten neuen Weg zur Gno= sis zu beschreiten. Auch das esoterische Prinzip des Christen= tums, das Clemens durchaus eigen ist, tritt in dem letzten Satze deutlich in Erscheinung.

Dieses Prinzip jeder höheren Erkenntnis begleitet die gesamte logosophische Geistesströmung. Es besteht nicht in einer will= kürlichen Geheimhaltung, sondern darin, daß die tiefere Wahr= heit schlechterdings nicht allgemein mitteilbar ist. Sie hat Vor= aussetzungen im Schüler, die erst erfüllt sein müssen. Dieses Mysterienprinzip, das dem heutigen abstrakten Geistesleben fremd geworden ist, hatte schon der Vater der Logoslehre, Hera= klit, im Auge, wenn er sagte: „Die Tiefen der Erkenntnis (Gno= sis) zu verbergen, ist ein berechtigtes Aufhören der Vertraulich= keit ($\mathring{\alpha}\pi\iota\sigma\tau\acute{\iota}\alpha$ $\mathring{\alpha}\gamma\alpha\vartheta\acute{\eta}$)."[46] Der aufmerksame Leser wird dieses Prinzip immer wieder im Verlaufe dieser Untersuchung gefun= den haben. Bei Clemens spricht es sich einmal in folgender Form aus: „Es genügt, daß *einer* bei den Sirenen vorbeigefahren ist (Odysseus), und ebenso, daß *einer* der Sphinx die Antwort gab (Oedipus). Man soll also nicht ‚die Denkzettel breit machen' (Matth. 23, 5) und nach eitlem Ruhme trachten. Dem Gnostiker genügt es, wenn er auch nur *einen* Schüler findet."[47]

Einer ganz und allein auf das irdische Bewußtsein beschränk= ten Geistesart entsprach es später, Christus nurmehr als be= grenzte historische Gestalt zu sehen und seine Präexistenz zu leugnen. Die Logosanschauung oder, wie wir heute sagen, die Anschauung des kosmischen Christus setzt im Menschen wenigstens ahnungsweise das Bewußtsein seines eigenen prä= existenten Wesens voraus. Die Erneuerung der Logosweisheit stellt auch heute noch Anforderungen an das Bewußtsein, die dem alten Mysterienprinzip entsprechen.

Inhaltlich ist an den angeführten Sätzen der Ausdruck „an= fangsloser Anfang" von Bedeutung. Diese paradoxe Formulie= rung will eindringlich sagen, daß der Logos, der Inaugurator der Zeitenkreise und der Raumesweiten mit all ihrem Inhalt, keiner solchen Inaugurierung zu seiner eigenen Existenz be= durfte.

Der Anschauung, daß der Vatergott selbst nicht unmittelbar der Erkenntnis zugänglich ist, sondern erst durch den Logos= Sohn, werden wir noch öfter begegnen. Erst seien nun zwei Bei= spiele für das Walten des kosmischen Logos angeführt:

Dieser (der Logos als das „reine Lied") gab auch dem All eine harmonische Ordnung und stimmte den Mißklang der Elemente zu geordnetem Wohlklang, damit die ganze Welt ihm zur Harmonie werde. Das Meer ließ er ungefesselt, ver= bot ihm aber, das Land zu überfluten; und wiederum legte er die Erde, die frei herumtrieb, vor festen Anker und machte sie zur starken Grenze des Meeres; ja auch das Un= gestüm des Feuers milderte er durch die Luft, indem er gleichsam die dorische und die lydische Melodie vermischte; und die rauhe Kälte der Luft linderte er durch Beifügung von Feuer, indem er so die äußersten Töne des Alls harmo= nisch verband. Und dieses reine Lied (der Logos), die feste Grundlage des Alls und die Harmonie der Welt, die sich von der Mitte bis an die Enden und von den äußersten Grenzen bis in die Mitte erstreckt, hat dieses All harmonisch ge= macht ... Der göttliche Logos ... verschmähte Lyra und

Harfe, diese leblosen Instrumente; er erfüllte durch den hei=
ligen Geist diese Welt und dazu auch den Mikrokosmos,
den Menschen, seine Seele und seinen Leib mit Harmonie
und preist Gott mit diesem vielstimmigen Instrument und
singt zu diesem Instrumente, dem Menschen.[48]

Clemens führt hier einmal das mit dem Namen Logos gege=
bene Bild konsequent durch. Das Tönen des Weltenwortes in
der Sphärenharmonie „von den äußersten Grenzen bis zur
Mitte" macht aus dem ursprünglichen Chaos den geordneten
Kosmos und ordnet auch den Organismus des Menschen mit
seinem Tönen an. Als das Ziel dieser Klangschöpfung erscheint
der Lobpreis Gottes mit dem „vielstimmigen Instrument" des
Menschen, zu dem der Logos sein neues Lied singt, nunmehr
„von der Mitte bis an die Enden". Eine Erweiterung dieser An=
schauung findet sich in Worten wie diesen:

> Die Elemente und die Sterne, das heißt die nur verwalten=
> den Mächte, sind beauftragt zu vollbringen, was zur Welt=
> regierung nötig ist; sie gehorchen und lassen sich leiten von
> dem, der ihnen übergeordnet ist, wohin der Logos des
> Herren sie lenkt.[49]

Das ist gegen den Sternenkultus der Antike gesagt, der die
Gestirne zu göttlichen Wesen erhob. Mächte (Dynameis) sind
sie auch für Clemens. Sie sind aber nun der Lenkung des Logos
untergeordnet. Vor der Menschwerdung des Logos „hat Gott
den Heiden die Philosophie, ferner aber auch die Sonne, den
Mond und die Sterne zur Anbetung gegeben, damit sie nicht
ganz gottlos würden und vollkommen zugrunde gingen".[50] Vor
allem die griechischen Götter galten ja als Planetenwesen, wie
es schon ihre Namen zum Teil ausdrückten. Clemens betrachtet
nun gleichsam den Logos als auf den Olymp gekommen und
sich als den übergeordneten Gott der Schöpfung erzeigend.

In noch umfassenderem Sinne kommt die kosmische Würde des Logos in der folgenden Stelle zur Darstellung:

> Er ist die höchste Würde, die alles verwaltet nach dem Wil=
> len des Vaters und das Steuerruder des Ganzen auf das
> beste führt, mit unermüdlicher und unzerrüttbarer Kraft
> alles bewirkend, indem er in die geheimen Gedanken hin=
> einblickt, durch die Gott wirkt. Niemals weicht der Sohn
> Gottes von seiner Warte. Er ist nicht geteilt, nicht getrennt,
> nicht von einem Orte zum andern wechselnd, sondern über=
> all allezeit gegenwärtig und nirgends umgrenzt, ganz Geist,
> ganz väterliches Licht, ganz Auge, alles sehend, alles hörend,
> alles wissend, mit Macht die Mächte durchforschend. Ihm ist
> das ganze Heer der Engel und Götter unterworfen, da er als
> der Logos des Vaters die heilige Weltregierung innehat,
> „um dessen willen, der sie ihm unterwarf" (Röm. 8, 20); da=
> her gehören ihm auch alle Menschen an, doch die einen durch
> Erkenntnis, die anderen noch nicht; die einen als Freunde,
> andere als treue Knechte, wieder andere einfach als Knechte.
> Er ist der Lehrer, der durch Mysterien den Gnostiker, durch
> gute Hoffnungen den Gläubigen, durch bessernde Zucht
> und sinnliche Wirkungen den Hartherzigen erzieht.[51]

In abgewandelter Form tritt hier wieder das Motiv auf, das wir schon von Philo und aus dem Evangelium kennen (siehe S. 114): Im ständigen Hinschauen auf die unoffenbaren Gedan= ken des Vaters wirkt der Logos seine Werke. Dann wird seine allwachende Allgegenwart nach allen Richtungen mit Bildern anschaulich gemacht. Sie erstreckt sich auf die „Mächte" der geistigen Welt, über die der Logos gesetzt ist. Und wenn der in der urchristlichen Literatur häufig erscheinende Begriff der Mächte noch immer den Zweifel erlaubt, ob damit personelle Wesen gemeint sind, so macht hier die Nennung von „Engeln und Göttern" deutlich, daß der Monotheismus bei Clemens die

Vielzahl der geistigen Wesenheiten nicht auslöscht, sondern eben dem Logos unterordnet.

Als das Wesentlichste an diesen Sätzen muß aber betrachtet werden, daß Clemens die Logos=Angehörigkeit der Menschen ihrer Willkür entzieht. Diese Angehörigkeit besteht seit der Schöpfung, und die Menschen unterscheiden sich nur dadurch voneinander, daß die einen sich dessen bewußt sind, zu Freun= den des Logos werden und an den Mysterien der Erkenntnis teilhaben. Unter den „treuen Knechten" werden die anderen verstanden, die ohne volles erkennendes Bewußtsein Gläubige sind, deren Seelen von Gefühlen der Hoffnung leben. Die dritte Gruppe bilden die Hartherzigen, die ohne Gnosis und ohne Glauben doch gegen ihren Willen „Knechte" sind, die nur die Geißel der Zucht verstehen, welche aus den äußeren Katastro= phen des Einzel= wie des Weltschicksals besteht.

Die Anschauung des Logoswesens in Christus war es, die das Christentum zur *absoluten Religion* erhob. Durch diese kosmi= sche Würde war Christus vom Rang der inspirierten mensch= lichen Religionsstifter unterschieden. Und als der Logos war er Gottes Sohn. Ohne diese Anschauung mußte der Begriff der Gottessohnschaft später immer mehr seinen konkreten Inhalt verlieren. Aber mit ihr war die Herstellung der Beziehung des Menschen zu Christus ein Akt höherer Selbsterkenntnis, da sich das Christentum als der geoffenbarte Sinn der Schöpfung und damit des Menschenwesens darstellte.

Mit nicht mehr ganz einfachen philosophischen Begriffsbil= dungen setzt Clemens eine kosmische Eigenschaft des Logos mit der Mission des Christus am Menschen in Beziehung:

Gott ist, da er nicht aufgewiesen werden kann, auch nicht Gegenstand des Wissens. Der Sohn aber ist Weisheit (so= phia) und Wissen und Wahrheit und was sonst damit ver= wandt ist. Für ihn gibt es einen Beweis und eine Darstellung.

Alle Kräfte des Geistes zusammengenommen und zu einem Dinge vereinigt, führen auf dasselbe hin, auf den Sohn; denn er ist die unbestimmte Bezeichnung des Begriffes einer jeden von seinen Kräften. Der Sohn wird aber nicht einfach zu etwas Einzigem als Einzigem, noch zu einem Vielfachen, das aus Teilen besteht; sondern zu einem Einzigen als Gan= zem. Von ihm stammt auch alles; denn er ist ein Kreis aller Kräfte, die in eins zusammengefaßt und vereinigt sind ... Darum bedeutet an ihn und durch ihn gläubig sein einheit= lich ($\mu o \nu a \delta \iota x \acute{o} \varsigma$, monadisch) werden, indem man unzer= trennlich in ihm geeint wird.[52]

Der Logos wird damit als das Welten=Ich geschildert, ohne daß dieser Begriff selbst schon erscheint. Alle näheren Bestim= mungen führen aber auf diesen Begriff hin. Der Logos ist nicht „Einziger als Einziger", das heißt hier wohl: nicht eine Indi= vidualität als solche und für sich und neben anderen. Und er ist auch nicht ein zusammengesetztes Vielfältiges und damit keine Individualität im strengen Sinne. Er ist der Einzige, der das Ganze, das All umfaßt, also das Ich des Ganzen. Wie der Mensch alle Kräfte, die sich in seinen Wesensgliedern regen, mit sei= nem Ich zur Einheit zusammenfaßt, so der Logos den „Kreis aller Kräfte". Und umgekehrt: der Mensch wird durch die Er= füllung mit dem Logos „monadisch", das heißt aber: er wird zum Ich, zum Abbild des Welten=Ich.

Diese unsere Darstellung der Logoslehre hat schon mehrfach ergeben, daß die logosophische Geistesströmung der Ort war, an dem sich stufenweise das Ich=Bewußtsein entwickelte. Der Daimon Platons, das Hegemonikon der Stoa waren solche Stu= fen. Bei Clemens wird nun der Logos selbst und unmittelbar zum Erwecker des Ich=Bewußtseins und das Christentum zur Religion des Menschen=Ich. Das erwachende Ich=Bewußtsein ist aber nicht auf das Selbst=Bewußtsein des Erdenmenschen be= schränkt. Es dehnt sich auf die Vergangenheit aus:

Wir aber waren vor der Grundlegung der Welt; wir, die wir, weil wir in ihm zu sein bestimmt waren, für Gott schon zuvor geschaffen waren; wir, des göttlichen Logos vernünf= tige Geschöpfe, die wir durch ihn uralt sind; denn „im Ur= beginne war der Logos".[53]

Der Gedanke der menschlichen Präexistenz wird hier analog der Präexistenz des Logos entwickelt. Einer menschlichen Prä= existenz, die sich nicht nur auf die Zeit vor der Geburt, son= dern auf die Ewigkeit „vor der Grundlegung der Welt" be= zieht. Durch den Gedanken der Präexistenz in einem geistigen Zustand erweitert sich erst das Ich=Bewußtsein über die Inhalte hinaus, die es im Erdendasein gewonnen hat, und sucht not= wendigerweise unter der Schwelle seines Erdenbewußtseins nach Inhalten, die ihm in seinem präexistenten Dasein eigen waren. Der eigentliche Inhalt dieses präexistenten Bewußtseins ist der Zusammenhang mit dem Logos.

Clemens hätte seine Anschauung von der Präexistenz des Menschen mit einer Paulusstelle stützen können, die er vielleicht auch im Bewußtsein hatte, ohne sie anzuführen:

Gepriesen sei Gott, der Vater unseres Herrn Jesus Christus, der uns in den Himmeln gesegnet hat ($\varepsilon\vartheta\lambda o\gamma\acute{\eta}\sigma\alpha\varsigma$) mit allem Segen ($\varepsilon\vartheta\lambda o\gamma\acute{\iota}\alpha$) des Geistes durch Christus. So hat er uns auch in ihm (Christus) erwählt vor der Grundlegung der Welt, damit wir heilig und ohne Tadel seien vor seinem Angesicht. Er hat uns in Liebe vorherbestimmt zur Sohn= schaft ihm gegenüber durch Jesus Christus.[54]

Mit aller Klarheit spricht Paulus in diesen Versen des Ephe= serbriefes von einer Präexistenz des Menschen in den Him= meln, während derer er mit der $\varepsilon\vartheta\lambda o\gamma\acute{\iota}\alpha$ $\pi\nu\varepsilon\upsilon\mu\alpha\tau\iota\varkappa\acute{\eta}$ (Segen des Geistes) durch Christus ausgestattet wurde. Und die durch Christus verliehene Fähigkeit des Menschen zur $\upsilon\acute{\iota}o\vartheta\varepsilon\sigma\acute{\iota}\alpha$

(wörtlich: Sohn=Setzung) spricht Paulus eben dem präexisten=
ten Menschen zu.

*

Mit einem der Grundbegriffe der Stoa bezeichnet Clemens
das Verhältnis des Logos zu Gott und die Beziehung des Men=
schen zum Logos. Es ist der Begriff des Abbildes eines Urbildes.
Das Wort für diesen Begriff: εἰκών (eikon) ist durch die Über=
setzung des Alten Testamentes ins Griechische auch in die Ge=
nesis eingedrungen und gehört dadurch auch zum Grund=
bestand der aus der Bibel genommenen Begriffe für den Vor=
gang der Schöpfung. Clemens schreibt:

> Abbild Gottes ist sein Logos. .... Abbild des Logos aber ist
> der wahre Mensch, der Geist im Menschen, von dem es des=
> wegen heißt, daß er nach dem „Bilde Gottes und seiner
> Ähnlichkeit" (Gen. 1, 26) geschaffen worden ist; der Mensch,
> der durch das Denken in seinem Herzen dem göttlichen
> Logos ähnlich und dadurch vernünftig geworden ist.[55]

Abbild Gottes nennt auch Paulus den Christus mit dem glei=
chen Worte εἰκών.[56] Auf welche Weise der Mensch zum Ab=
bild des Logos wird, verdeutlicht Clemens an anderer Stelle:

> Der Logos ist die Abprägung der Herrlichkeit des allkönig=
> lichen und allherrschenden Vaters. Er drückt dem Gnostiker
> die vollkommene Anschauung nach seinem eigenen Bilde
> wie mit einem Siegel auf, so daß der Gnostiker das dritte
> göttliche Abbild ist, welches nach Vermögen der zweiten
> Ursache (dem Logos) ähnlich gemacht wird, indem wir den
> im Unwandelbaren und durchaus Unveränderlichen wan=
> delnden Gnostiker in uns gleichsam nachbilden.[57]

Clemens betrachtete im Sinne der vorigen Stelle schon die
Vernunft als die Kraft, die den Menschen dem Logos ähnlich

macht. Das ist altstoische Anschauung. Clemens äußert sie im Vorhof seines gradweise aufgebauten Lehrganges, in der „Mahnrede". In der letzt=angeführten Stelle, die aus den „Teppichen" stammt, enthüllt er einen höheren Grad der Logos= ähnlichkeit, die über die Vernunfttätigkeit weit hinausgeht. Der Logos ist hier der Ur=Gnostiker, der im Unwandelbaren wan= delt und die Kraft seiner eigenen geistigen Schau dem mensch= lichen Gnostiker wie ein Siegel einprägt. Der erkennende Mensch stellt durch diese Einprägung der Schauenskraft erst im vollen Sinne das „dritte Abbild", das Abbild des Abbildes dar. Der Logos erscheint dabei als das Prinzip der übersinnlichen Er= kenntnis.

Wir trafen schon auf die Anschauung des Clemens, daß der Mensch als Abbild des Logos monadisch wird, das heißt aber, den einheitlichen Mittelpunkt seines Wesens, sein Ich findet. Nach der moralischen Seite hin erneuert Clemens ein stoisches Ideal als Weg zu diesem Ziele:

> Der Mensch wird eine unverletzliche Monade, wenn er sich auf dem Wege der Affektlosigkeit einem göttlichen Zustand nähert.[58]

Die übliche Übersetzung von apatheia ($\dot{\alpha}\pi\dot{\alpha}\vartheta\varepsilon\iota\alpha$) mit Affekt= losigkeit ist ein Notbehelf. Sie würde in die Irre führen, wenn sie die Vorstellung eines temperamentlosen Verhaltens ohne Begeisterung und Schmerz, ohne Liebesfeuer und heiligen Zorn erwecken würde. Auch die wörtliche Übersetzung mit Leidlosig= keit wäre unzureichend. Gemeint ist ein innerer Zustand, in dem die seelischen Emotionen und Triebe ihre Macht über den Menschen verloren haben und kein Leiden mehr verursachen. Die Apatheia war bekanntlich die vornehmste Tugend der stoischen Schule, vor allem in ihrer letzten Phase. Als „stoische Ruhe" ist sie sprichwörtlich geworden bis auf den heutigen Tag. In der Stoa hatte diese Tugend einen vorwiegend passiven

Charakter. In diesem Zusammenhang wurde sie etwa mit „Ge=
lassenheit" treffend bezeichnet. Sie bestand für den Stoiker in
einem Verhalten, das, was auch kommen möge, mit unerschüt=
terlicher Seelenruhe entgegennimmt und im moralischen Ver=
halten alles vermeidet, was Erschütterungen in das Leben brin=
gen kann.

Bei Clemens gewinnt die Tugend der Apatheia einen neuen
Sinn, der ihre Metamorphose durch den christlichen Impuls aus=
macht. Sie tritt in Zusammenhang mit der Ichentwicklung und
gewinnt dadurch aktiven Charakter: der Logos wird als der
affektfreie ($\dot{\alpha}\pi\alpha\vartheta\dot{\eta}\varsigma$) Idealmensch bezeichnet und die mensch=
liche Vernunft (hier als Beherrscherin der Affekte und Emo=
tionen verstanden) als Abbild des Logos in dieser seiner Eigen=
schaft als $\ddot{\alpha}\nu\vartheta\varrho\omega\pi\sigma\varsigma$ $\dot{\alpha}\pi\alpha\vartheta\dot{\eta}\varsigma$ (affektfreier Mensch).[59] Da der
Logos aber bei Clemens auch als die Urmonade der Welt, als
das Welten=Ich erscheint (wie oben dargestellt wurde), das dem
Menschen die Ich=Fähigkeit verleiht, wird die menschliche
Apatheia zu einer Funktion des Ich, oder genauer gesagt, zum
Ergebnis der Tätigkeit des Ich an den Regungen, Trieben und
Leidenschaften der Seele.

So wird der logosdurchdrungene Mensch nach der Seite der
Tugend wie nach der Seite der Erkenntnis, auf dem Gebiete
der Apatheia wie auf dem der Gnosis ein Abbild des Logos.
Clemens scheut sich nicht, aus diesen Anschauungen die letzte
kühne Konsequenz zu ziehen:

> Der Logos macht durch himmlische Lehre den Menschen
> göttlich ($\vartheta\varepsilon\sigma\pi\sigma\iota\varepsilon\tilde{\iota}\nu$).[60]
> Wer sein Leben der Wahrheit zuwendet, wird gleichsam aus
> einem Menschen ein Gott.[61]

Die Logosophie, die dem Menschen von seinem Ursprung
her einen innersten Anteil am Göttlichen zuspricht, kommt
folgerichtig auch immer wieder zu der Anschauung, daß es das

letzte Werdeziel des Menschen sei, sein ganzes Wesen dem Gotteskeim in seiner Seele würdig zu machen und damit zu einem reinen Geistwesen zu werden. Wenn für den Menschen in diesem Zustand der Vollkommenheit geradezu das Wort Gott gebraucht wird, so ist damit keineswegs der himmelweite Rangunterschied zwischen dem einen Gott und dem Menschen aufgehoben. Niemals erreicht der Mensch die Vollkommenheit, den Wesensumfang, die Allmacht Gottes. Unter der Vergött= lichung des Menschen ist vielmehr seine Selbstverwirklichung gemäß seinem Urbilde auf der untersten hierarchischen Stufe, eben auf der menschlichen, zu verstehen.

In Ausführung eines Heraklit=Zitates stellt Clemens den Logos als den Vermittler der Gedankenkraft dar, die den Men= schen den Göttern ähnlich macht:

> Richtig sagt Heraklit: „Menschen sind Götter und Götter sind Menschen! Denn das Denken ist das gleiche." Ein offenkundiges Geheimnis! Gott ist im Menschen, und der Mensch ist Gott. Und den Willen des Vaters vollführt der Mittler; denn ein Mittler ist der Logos, der beiden gemein= sam ist: er ist Gottes Sohn und Heiler der Menschen; er ist Gottes Diener und unser Erzieher.[62]

Das Element der ehrfürchtigen Scheu vor dem Heiligen und Göttlichen äußert sich bei Clemens nicht darin, daß er zwischen Erdenwelt und Gotteswelt, zwischen dem Menschen und den göttlichen Wesen einen unüberbrückbaren Abgrund setzt, son= dern in der Metamorphose des alten Mysterienprinzips in eine christliche Form. So sagt er:

> Das Prinzip der „Verheimlichung" haben die Ägypter an= gedeutet durch die sogenannten Adyta, die Hebräer durch den Vorhang im Tempel. Diese Verheimlichung ist gott= entsprechend und unerläßlich um dessen willen, der im

Adyton der Wahrheit verborgen ist als der wahrhaft heilige Logos.[63]

Adyton hieß in den Tempeln das Allerheiligste, wörtlich das Nichtbetretbare, zu dem nur die höchsten Priester Zutritt hat= ten. Was dort und durch den Vorhang im Tempel von Jerusa= lem im äußeren Zeichen angedeutet war, betrachtet Clemens in einem verinnerlichten Sinne noch immer als gültig. Der Logos ist für das gewöhnliche Bewußtsein nicht erreichbar. Er wohnt im Adyton der Wahrheit. Und wer zu ihm vordringen will, der hat innerlich die gleichen Bedingungen zu erfüllen, die in der Würde der Adytonpriester zum Ausdruck kam. Clemens ist also weit davon entfernt, die innere Beziehung zum Logos als dem Vermittler der Kraft zur Vergöttlichung zu verbilligen oder zu einer populären Angelegenheit zu machen.

*

Bei der unsystematischen Darstellungsweise des Clemens, vor allem in den Stromateis, ist eine systematische Darstellung seiner Lehre kaum möglich, wenn man nicht Sätze und Satz= teile aus seinen Texten auseinanderreißen und umordnen will. Soweit es anging, ist bisher vom kosmischen Aspekt des Logos= wesens ausgegangen worden. Durch den Text der ausgewähl= ten Zitate war es aber geboten, die Betrachtung der Mission des Logos am Menschen damit zu verweben. Es folgt nun eine Reihe von Stellen, die den menschgewordenen Logos und seine Stif= tung, das Sakrament, betreffen.

Als der Logos hervorgetreten war, wurde er die Ursache der Schöpfung. Dann erzeugte er sich auch selbst, als „der Lo= gos Fleisch wurde", damit er auch geschaut werde.[64]

Wir treffen hier auf die schon von den Apologeten vertretene Anschauung, daß der Logos sich bei der Menschwerdung selbst erzeugt habe. Er wäre ja sonst das einzige Entstandene, was ohne den Logos entstanden wäre. So aber betrat er aus eigener Kraft seine eigene Schöpfung.

Die Bedeutung dieses Eintritts geht aus folgenden Worten hervor: In der erschaffenen Welt

> blühte auch der Logos und trug Frucht, indem er Fleisch wurde, und machte diejenigen, die von seiner Güte koste= ten, lebendig. Nicht ohne das (Kreuzes=)Holz ist er uns erkennbar geworden. Unser Leben wurde daran aufgehängt für unseren Glauben.[65]

Das Bedeutsame an diesen Sätzen ist, daß Clemens damit Tod und Auferstehung des Christus als seine eigentliche Offen= barung betrachtet, durch die er erst voll erkennbar wird. Die Gnosis des Clemens ist damit nicht bei dem Logos als Lehrer ($\delta\iota\delta\acute{\alpha}\sigma\varkappa\alpha\lambda\sigma\varsigma$) stehen geblieben und hatte nicht nur seine Lehre im Auge. Christliche Erkenntnis wie christlicher Glaube sind auf dem Kreuze begründet. In hymnischen Sätzen schildert Clemens die Erlösungstat:

> Uns, die wir in Finsternis begraben lagen und im Schatten des Todes verschlossen waren, leuchtete vom Himmel ein Licht auf, reiner als das der Sonne und süßer als das Leben hienieden. Jenes Licht ist ewiges Leben. Und alles, was an ihm teilhat, lebt. ... Alles ist ein Licht geworden, das sich nimmermehr zum Schlummer neigt. Und der Untergang hat sich in Aufgang verwandelt. Dies bedeutet die „neue Schöp= fung" (Gal. 6, 15); denn die Sonne der Gerechtigkeit, die das Weltall durcheilt, durchwandelt nun in gleicher Weise auch die Menschheit, indem sie ihren Vater nachahmt, der über alle Menschen seine Sonne aufgehen läßt, und sie läßt auf alle Menschen die Tautropfen der Wahrheit niederfal= len. Diese Sonne hat den Untergang in Aufgang verwandelt und den Tod zu Leben gekreuzigt. ... Sie hat die Vergäng=

lichkeit in Unvergänglichkeit umgeschaffen und wandelt die Erde in Himmel um.[66]

Christus erscheint hier erst unter dem Bilde des himmlischen Lichtes, dann unter dem Bilde der im Anschluß an das Wort ἥλιος δικαιοσύνης (Sonne der Gerechtigkeit) bei dem Propheten Maleachi (3, 20). Als die Mission und die eigentliche Kraft des inkarnierten Logos wird genannt, den Untergang in Aufgang zu verwandeln zu der von Paulus bezeichneten neuen Schöpfung (καινὴ κτίσις). In ähnlicher Weise sagt Clemens an anderer Stelle: „Der Logos wird das Alpha und das Omega genannt; bei ihm allein wird das Ende Anfang, der wiederum in dem urspünglichen Anfang endet."[67] Wird damit der Logos in allgemeinerer Weise als der Herr der Weltäonen, der Zeitenkreise bezeichnet, so tritt nun bei der Opfertat des Christus hervor, wie der Übergang von einer alten zu einer neuen Schöpfung geschieht: Der Tod der ersteren wird zum Leben der zweiten „gekreuzigt". Das Kreuz auf Golgatha ist der Brennpunkt der Kräfte des alten Todes. Hier werden sie besiegt und ihres Stachels beraubt. Das Kreuz wird zur Quelle des neuen Lebens. Nicht nur für den Menschen, sondern für die ganze Schöpfung. Denn hier wird „die Erde in Himmel umgewandelt".

Die Beziehung des Logos=Christus zur Sonne kann für Clemens nicht nur eine symbolische gewesen sein. Zu oft und zu bedeutsam erscheint dafür dieser Zusammenhang in seinen Schriften. Als Beispiele seien hier einige solche Worte angeführt:

In der gleichen Weise wie die Sonne nicht nur den Himmel und die ganze Welt erleuchtet, indem sie Erde und Meer überglänzt, sondern wie sie ihren Strahl auch durch Fenster und kleine Öffnungen in das Innerste der Häuser sendet, so ist der Logos überall hin ausgegossen und blickt auf die kleinsten Handlungen des Lebens.[68]

Der Logos ist also eine geistige Sonne, seine Beziehung zum Menschenwesen das ins Innere verwandelte Werk der äußeren Sonne an der Erde.

Oder Clemens sagt:

> Schneller als die Sonne ist der Logos aus dem Willen des Vaters aufgegangen. Er verbreitete sich auf das rascheste unter alle Menschen und leuchtete uns ohne alle Mühe auf. ... Er ist die Leben und Frieden spendende Quelle, die über das ganze Antlitz der Erde ausgegossen wurde.[69]

Auch hier drängt sich dem Clemens der mühelose rasche Aufgang der äußeren Sonne als wesensähnlicher Vorgang zum Wirken des Logos auf. Schließlich finden wir aber das Wort:

> Der heilbringende Logos ist die Sonne der Seele. Durch diese Sonne allein wird das Auge der Seele erleuchtet, wenn sie im Innern in der Tiefe des Geistes aufgegangen ist.[70]

Analogien und Vergleiche zwischen dem Logos und der Sonne finden sich in der Logosophie seit der Stoa. Bei Clemens verdichten sie sich in einer Weise, die über die Beliebigkeit eines puren Vergleiches hinaus auf die Annahme eines inneren Zusammenhanges zwischen Logos und Sonne schließen läßt.

*

Clemens Alexandrinus hat seine Grenze, wo es sich um das Verhältnis des Christus zur Erde, zu seinem Leibe und zur Stofflichkeit handelt. Wenn Photius (siehe S. 206) ihm auch den Vorwurf macht, er habe nur eine Scheinleiblichkeit des Christus gelehrt, so stimmt das zwar nicht. Clemens verurteilt den Doketismus (Lehre von der Scheinleiblichkeit bei einigen Gnostikern) und widerspricht in seinen erhaltenen

Schriften nirgends der kirchlichen Lehre. Was er aber selbst über den Leib Christi und über die Eucharistie zu sagen hat, zeigt an, daß er dazu keine eigentliche Beziehung finden konnte:

> Der göttliche Logos ... hat die Maske eines Menschen an=
> genommen und sich in Fleisch gekleidet, um das Drama der
> Erlösung der Menschheit aufzuführen.[71]

Das ist gewiß nur als ein vom Theater genommener Vergleich gemeint. Hätte Clemens aber dem Leibe des Logos eine beson= dere Bedeutung für ihn selbst oder für das Erlösungsgeschehen beigemessen, so hätte er diesen Vergleich kaum gebraucht. Der Sinn dieses Satzes ist, daß der Logos sich zwar „in Fleisch ge= kleidet" hat, aber doch nur, um auf der Bühne der erschaffenen Welt sichtbar aufzutreten. Von der Art der Leiblichkeit Christi hat Clemens folgende Vorstellung:

> Daß bei dem Erlöser der Leib als Leib notwendige Verrich=
> tungen zu seiner Erhaltung erfordert habe, wäre eine lächer=
> liche Behauptung; er aß nicht des Leibes wegen, der durch
> eine heilige Kraft zusammengehalten wurde, sondern nur
> damit denen, die mit ihm zusammen waren, nicht einfiele,
> verkehrt über ihn zu denken, wie zum Beispiel nachher
> einige vermutet haben, er sei nur doketisch (= in einem
> Scheinleib) erschienen. Er war selbst schlechthin affektlos,
> und es konnte keine Affektregung zu ihm einen Zugang
> finden.[72]

Damit ist gesagt, daß der Erlöser zwar einen Leib hatte, daß dieser Leib aber nicht den Gesetzen der physischen Leiblichkeit unterlag und nicht die Bedürfnisse und die Leidensfähigkeit des physischen Leibes auferlegte. In der Konsequenz dieses Ge= dankens liegt es, daß Christus auch während der Passion nicht subjektiv am Leibe gelitten hat. Und das entspräche ja auch der

wiederholt von Clemens behaupteten ἀπάϑεια (Affektlosigkeit
— Leidenslosigkeit) des Christus. Die Aussage aber, Christus
habe nur deshalb gegessen, damit sein Leib nicht als Scheinleib
erschiene, sieht eher nach der Verlegenheit des Clemens aus,
sich gegen den Doketismus abzugrenzen.

Entsprechend diesen Anschauungen finden wir einen gno=
stischen Einschlag, wenn Clemens von der Erlösung handelt.
Dafür ein Beispiel:

> Der Sohn Gottes . . . nahm selbst das von Natur leidens=
> fähige Fleisch auf sich und erzog es zur Leidenslosigkeit.
> Wie aber kann er Erlöser und Herr sein, wenn nicht Erlöser
> und Herr aller? Erlöser der Gläubigen aber ist er, weil sie
> den Willen zur *Erkenntnis* (Gnosis) gehabt haben. Und
> Herr der Ungläubigen ist er, bis sie die Kraft zum Bekennen
> finden und die ihnen angemessene Wohltat durch ihn er=
> fahren.[73]

Die Erlösung ist als rein innerlicher geistiger Vorgang auf=
gefaßt. Sie wird den Gläubigen zuteil. Der Weg zum Glauben
ist aber die Erkenntnis. Beides ist für Clemens nicht trennbar:
„Dem Logos gehorchen, den wir als Lehrer bezeichnet haben,
heißt an ihn glauben, indem man sich ihm in keinem Stücke
widersetzt . . . Die Erkenntnis also wird gläubig und der Glaube
erkenntnismäßig nach gegenseitiger göttlicher Folgerichtig=
keit."[74] Letztlich ist es also die Erkenntnis des Logos als des
Lehrers, die über den Glauben zur Erlösung führt. Der oben
vorangehende Satz von der Leidenslosigkeit des Christus unter=
streicht noch besonders, daß Clemens zu dem erlösenden Leiden
Christi, das heißt aber zu der objektiven Seite der Erlösungstat
keine rechte Beziehung finden kann.

Zwar begegnen in den Schriften des Clemens Sätze, meist
Zitate, die sich auf Leib und Blut Christi im Sinne des Sakra=
mentes beziehen: „Esset mein Fleisch und trinket mein Blut, so

steht geschrieben."[75] „Diese für uns geeignete Nahrung spendet der Herr, und er reicht uns sein Fleisch dar und vergießt sein Blut."[76] Dann folgt aber die Erklärung:

> Nach unsrer Auffassung bezeichnet er mit Fleisch sinnbild=
> lich den Heiligen Geist; denn von ihm ist ja auch das
> Fleisch geschaffen. Mit Blut weist er uns auf den Logos hin;
> denn wie reichliches Blut ist der Logos über das Leben aus=
> gegossen. Die Verbindung von beiden aber ist der Herr
> (Kyrios). Der Herr ist Geist und Logos.[77]

Die Christusworte sind aus den Vorhersagen der Opfertat genommen, dann aber doch mit dem Tode am Kreuz in Bezie= hung gesetzt. Die Erklärung löst sie dann wieder in Sinnbilder auf. Das Mysterium der Wandlung, des Sakramentes bleibt hier wie auch sonst bei Clemens außer Betracht. Was er sagt, beschreibt eine rein geistige Communion mit dem Heiligen Geist und dem Logos. Jedenfalls bleibt dabei offen, ob die leibliche Communion mehr als eine symbolische Handlung für die gei= stige Communion bedeutet.

Auch eines der Einsetzungsworte des Abendmahles selbst versteht Clemens in diesem Sinne: „Und er segnete den Wein und sprach: Nehmet, trinket! Dies ist mein Blut. Mit dem Blute des Weinstocks bezeichnet er sinnbildlich den Logos, der ‚für viele vergossen wird zur Vergebung der Sünden'."[78] Auf das physische Blut aus den Wunden des Erlösers ist dabei kein Bezug genommen.

Diese Stellen sind dem Paidagogos, also einer der vorberei= tenden Schriften entnommen. Aber auch im Hauptwerk, den Stromateis, findet sich keine Stelle, die über diese gnostische Auffassung des Abendmahls hinausginge. Dort schreibt Cle= mens gelegentlich einer Auslegung des Pauluswortes von der Milch, die er allein statt der eigentlichen Speise seinen noch un= mündigen Hörern gereicht habe[79]:

Wenn also die Milch die Nahrung der Kinder, die Speise die der Vollkommenen vom Apostel genannt wird, so hat man unter Milch die erste Unterweisung, gleichsam als erste Nahrung der Seele, zu verstehen; unter Speise aber die auf dem Schauen beruhende Erkenntnis. Das ist Fleisch und Blut des Logos, das heißt Begreifen der göttlichen Macht und Wesenheit. . . . Denn Speise und Trank des göttlichen Logos ist die Erkenntnis des göttlichen Wesens.[80]

Auch damit ist eine rein geistige Communion gemeint, zu der ein leibliches Essen und Trinken nicht erforderlich ist. Schließ= lich ergibt auch die Stelle, an der von der Einsetzung des eucha= ristischen Brotes die Rede ist, keinen eigentlich sakramentalen Sinn.

Ist nicht auch das Sprechen ein Werk und entspringt nicht das Tun aus dem Worte (Logos)? Wenn wir nicht durch den Logos handelten, würden wir alogisch handeln. . . . Darum nahm der Heiland das Brot, sprach zuerst und dankte. Dann brach er das Brot und setzte es vor, damit wir es in logos= gemäßer Weise essen und die Schrift verstehend in Gehor= sam wandeln.[81]

Hier ist nun zwar von dem zum Brote hinzutretenden Worte (Logos) die Rede, das später in der Theologie eine große Rolle gespielt hat. Doch geht diese Logoswirkung nicht über einen gnostischen Sinn hinaus. Denn sie ist auf das Element des Ver= stehens der Schrift und des Gehorsams gegen das Verstandene beschränkt. Jeder Bezug auf das Mysterium von Golgatha fehlt auch hier. Die Heilsbedeutung des physischen Leibes und Blutes des Christus, deren Aufopferung die Einsetzungsworte erst zum vollziehbaren Sakrament gemacht hat, scheint Clemens nicht aufgegangen zu sein.[82] So kann er auch in eigenartig unterscheidungsloser Weise sagen: „So wird der Logos auf vie= lerlei Weise sinnbildlich bezeichnet als Speise und Fleisch und

Nahrung und Brot und Blut und Milch. Dies alles ist der Herr zum Genuß für uns, die wir an ihn geglaubt haben."[83] Das seit den Mysterien von Ephesus bestehende Symbol der Milch für den Logos spielt bei Clemens eine fast ebenso große Rolle und hat einen ganz ähnlichen Sinn wie die von ihm sinnbildlich verstandenen Zeichen Brot und Wein, Fleisch und Blut. Aus den Stellen über dieses Milch=Symbol, von denen eine[84] ausführlich in physiologischem Sinne über die Beziehung der Milch zum Blute handelt, sei nur ein Beispiel entnommen. Es stammt aus dem großen Hymnus am Ende des Paidagogos:

> Himmlische Milch,
> Die aus süßen Brüsten
> Der Braut, den Liebesgaben
> Deiner Weisheit,
> Entquillt,
> Nehmen wir Unmündigen
> Mit kindlichem Munde
> Als Nahrung zu uns
> Aus der Mutterbrust des Logos.[85]

Wie in jener Imagination Philos der Logos als Mundschenk, dann aber auch als der Trank selbst gesehen ist (siehe S. 140), so geht hier das Bild der Milch, das Clemens häufig für den Logos gebraucht, in das andere Bild der spendenden Mut=terbrust über. Dies entspricht der eucharistischen Anschauung, daß Christus der Spender seines Leibes und Blutes ist, mit denen er aber selbst empfangen wird.

*

Die Elemente der Logoslehre des Clemens, die auch bei seinen Vorgängern schon auftreten, sind hier übergangen. Dazu gehört der Logos als Stimme ($\varphi\omega\nu\dot\eta$), als Arzt, als Antlitz ($\pi\varrho\acute\sigma\omega\pi\sigma\nu$), als Prophet und Richter. Die Darstellung seiner Lehre sei hier

mit einigen Stellen abgeschlossen, die sein von der Logos=An=
schauung vermitteltes Selbstbewußtsein offenbaren.

Auf den Anfang der Logosophie, auf Heraklit, weist ein Wort
zurück, das nach 700 Jahren noch die gleiche am Logos ent=
zündete Bewußtseinsqualität anzeigt:

> Wir wagen geradezu zu behaupten, daß der wahrhafte
> Gnostiker alles weiß und alles umfaßt; denn darin beruht
> der gnostische Glaube.[86]

Wie bei Heraklit (siehe S. 17) ist dieses anspruchsvolle Wort
nicht quantitativ gemeint. Es besagt vielmehr, daß die am Logos
entzündete Geistesart sich selbst als eine umfassende erlebt. Das
Wissen stellt sich nicht mehr als aus unendlichen Einzelheiten
zusammengetragen dar. In diesem Sinne könnte es nie den An=
spruch erheben, alles zu umfassen. Es dringt vielmehr kraft
seiner Kommunikation mit dem Geiste der Welt von diesem
Mittelpunkte her in jede beliebige Einzelheit ein, auf die sich
das Interesse richtet. Ohne diese veränderte Position des er=
kennenden Subjekts wäre z. B. auch ein Mann aus unseren
Tagen, Rudolf Steiner, dem Umfang seines Wissens nach nicht
zu verstehen.

In hoher Begeisterung für diese Art des Erkenntnislebens
kann dann Clemens sagen:

> Würde jemand dem Gnostiker die Wahl lassen, was er vor=
> ziehen würde: die Erkenntnis Gottes oder das ewige Leben,
> und wäre beides getrennt, was doch vielmehr eines und das=
> selbe ist, so würde er, ohne im geringsten zu schwanken, die
> Erkenntnis Gottes wählen, in der Überzeugung, daß die um
> der Liebe willen sich über den Glauben hinaus zur Gnosis
> erhebende Geistesart um ihrer selbst willen wünschenswert
> ist.[87]

Man würde irregehen, wollte man ein solches Wort als den
Ausdruck geistigen Hochmutes oder spiritueller Selbstbefriedi=

gung verstehen. Die gnostische Geistesart stellt sich Clemens vielmehr als ein höchster Akt der Liebe dar, der vollkommenen Hingabe an die Erkenntnis Gottes. Ein ewiges Leben ohne immer wachsende Gotteserkenntnis wäre Clemens nicht als wünschenswertes Ziel erschienen. Erst mit dem Erlöschen des frühchristlichen Erkenntnisprinzips, wie wir es hier bei Clemens zum Ausdruck kommen sehen, hörten die Erwartungen des menschlichen *Geistes* an eine nachtodliche Zukunft auf, und es blieben allein die selbstsüchtigen Hoffnungen der *Seele* auf eine „ewige Seligkeit".

Aus einem Wort an die griechischen Eingeweihten spricht gleichzeitig der Appell an ihr tieferes Verständnis und die Überzeugung von dem Unzureichenden der vor der Offen= barung Christi möglichen Einsichten in die Mysterien des Logos:

Komm, Du Betörter, nicht auf den Thyrsos gestützt, nicht bekränzt! Wirf die Stirnbinde weg und das Hirschfell, werde wieder nüchtern! Ich will dir den Logos und die My= sterien des Logos zeigen und sie dir in Bildern erklären, die dir vertraut sind. Hier ist der von Gott geliebte Berg, nicht wie der Kithairon der Schauplatz der Tragödien, sondern den Dramen der Wahrheit geweiht, ein nüchterner Berg, beschattet von heiligen Wäldern. Auf ihm schwärmen nicht . . . die Mänaden, die in die unheilige Fleischverteilung eingeweiht sind, sondern die Töchter Gottes, die schönen Lämmer, die die heiligen Weihen des Logos verkünden und sich zu nüchternem Chorreigen versammeln. Den Chorreigen bilden die Gerechten. Das Lied, das sie singen, ist der Lob= preis des Königs der Welt. Die Mädchen schlagen die Saiten der Leier, Engel verkünden die Herrlichkeit, Propheten reden. Klang von Musik ertönt. In raschem Laufe schließen sich alle dem Festzuge an. Und die Berufenen eilen voll Sehnsucht, den Vater zu empfangen.[88]

Angesprochen sind damit die Angehörigen des Dionysos=
kultes, der in den dichten Wäldern des Kithairon an der Grenze
von Attika und Böotien eine berühmte Stätte hatte. Der höchste
Gipfel dieses Gebirges war dem Zeus Kithaironios geweiht.
Dieser Dionysoskult sollte auf gewaltsam ekstatischem Wege
die Seele mit der Gottheit vereinigen.[89] Er war schon im 2. Jahr=
hundert vor Christus auch in Ägypten weit verbreitet.[90] Dies
mag der Grund dafür gewesen sein, daß Clemens gerade die
Mysten des Dionysoskultes ansprach. Die Betonung der Nüch=
ternheit der christlichen „Logosmysterien" bezieht sich auf den
Gegensatz zur Ekstase des Dionysoskults. Die Weihen des
Logos als solche werden aber so begeisternd und beseligend
dargestellt, daß sie als wahre Erfüllung der im Dionysoskult
sich bekundenden Sehnsucht erscheinen.

Im gleichen Sinne richtet sich ein Wort des Clemens an die
Griechen im allgemeinen:

> Da nun der Logos selbst vom Himmel zu uns herabgekom=
> men ist, haben wir es nicht mehr nötig, auf menschliche
> Lehre auszugehen und uns um Athen, um ganz Griechen=
> land und Jonien zu kümmern. Denn wenn unser Lehrer der
> ist, der das Weltall mit heiligen Beweisen seiner Macht er=
> füllt hat, mit der Schöpfung, der Erlösung, der wohltätigen
> Fürsorge, mit der Gabe des Gesetzes, der Weissagung und
> der Lehre, so nimmt dieser Lehrer jetzt alle in seine Schule,
> und durch den Logos ist jetzt die ganze Welt Athen und
> Griechenland geworden.[91]

6. Kapitel

ORIGENES

Der bedeutendste Schüler des Clemens war *Origenes*. Er war 184 wahrscheinlich in Alexandria als Sohn christlicher Eltern von griechischer Abstammung geboren. Er ist der erste christliche Schriftsteller, von dem wir bestimmt wissen, daß er schon von Kind auf im Christentum erzogen wurde. Im Gegensatz zu seinen Vorgängern folgte bei ihm das Eindringen in die griechische Philosophie erst in den Jugendjahren auf die christlichen Kindheitseindrücke. Er war etwa fünf Jahre lang Schüler des Ammonios Saccas, nachdem ihn sein Vater schon in den heiligen Schriften unterwiesen hatte. Dieser Umstand gibt seinem Leben und Wirken das entscheidende Gepräge. Euseb nennt ihn einen „von seinen Windeln an denkwürdigen" Menschen.[1] Sein Vater Leonidas küßte dem schlafenden Knaben die Brust, die er für den Wohnsitz des göttlichen Geistes hielt.[2]

Während der Christenverfolgung unter Septimius Severus, der Clemens sich entzogen hatte, starb Leonidas im Jahre 201 den Märtyrertod. Der siebzehnjährige Origenes konnte nur durch eine List seiner Mutter verhindert werden, das Martyrium des Vaters zu teilen. So konnte er ihm nur ins Gefängnis schreiben, er solle sich nicht durch den Gedanken an seine Familie bewegen lassen, seinen Glauben zu verraten. Mitten in der Verfolgung begann Origenes, griechische Jünglinge im Christentum zu unterrichten. Er besuchte die Christen im Gefängnis und geriet dabei selbst in Lebensgefahr. Mit achtzehn

Jahren berief ihn der Bischof von Alexandria zum Leiter der Katechetenschule und damit zum Nachfolger des Clemens.

Die Tätigkeit des Origenes in Alexandria währte mit zwei kurzen Unterbrechungen 28 Jahre bis 230 oder 231. Die Zahl seiner Schüler wuchs mit seinem Ruhm, so daß er den Elemen= tarunterricht an einen seiner ältesten Schüler abgeben mußte. Dabei führte er, was Kleidung, Nahrung und Schlaf anbetraf, ein Leben strengster Askese. Der Ruf seines unermeßlichen Wissens drang über die christlichen Kreise hinaus. Einmal for= derte ihn der römische Statthalter von Arabien bei seinem Bischof an. Origenes reiste nach dessen Residenz in Petra und hatte ihm seine Fragen zu beantworten. Ein andermal beschied ihn die Kaiserin=Mutter Julia Mammäa an ihren Hof in An= tiochia, um ihn persönlich kennenzulernen und Einblick in das Wesen des Christentums zu bekommen.

Eine kurze Abschweifung in die damalige Weltgeschichte kann die geistesgeschichtliche Situation zwischen dem Christen= tum und dem Römerreich deutlich machen. Durch ein Horoskop gewannen zwei Töchter des Hohenpriesters des Baal von Emesa in Syrien Einfluß auf die Geschicke des römischen Reiches. Das Horoskop der einen, Julia Domna, veranlaßte den Kaiser Sep= timius Severus (193—211), sie zu heiraten. Den gleichen Kaiser, der die Christenverfolgung in Ägypten 201/202 veranlaßte. Im Auftrag seiner Gattin, eben der Julia Domna, schrieb der Neu= pythagoräer Philostratos die Biographie des Wundermannes Apollonis von Tyana, eines Zeitgenossen des Christus Jesus, der als hundertjähriger Greis um 100 in Ephesus starb. Man betrachtet diese Biographie mit Recht als ein heidnisches, genauer gesagt: neupythagoräisches Gegenstück zu den Evangelien, das die Überlegenheit des Apollonios gegenüber Christus erweisen sollte. Julia Domna war die Mutter des Kaisers Caracalla (211—217), der seinem Vater auf dem Thron folgte. Weder der Gatte noch der Sohn der Julia Domna hatten ein Organ für die Bestrebungen, die von den weiblichen Nachkommen jenes Baalspriesters von Emesa ausgingen. Diese suchten auf ihre Weise nach einem geistigen Inhalt für das dekadente Cäsaren= tum und damit für das römische Reich. Nach der Ermordung des Caracalla war ihre große Stunde gekommen. Die Schwester der Julia Domna, Julia Mösa, beseitigte den Usurpator Macrinus und brachte ihren vierzehnjährigen Enkel Bassianus Antoninus auf den Thron. Er war im Baalsdienst von Emesa erzogen, nannte sich Eleogabal und brachte das Bild seiner Sonnengottheiten im Triumphzug nach Rom. Freilich war dieser junge Kaiser nicht der Mann, sich als Sonnenpriester auf dem Thron der Cäsaren durchzusetzen. Er wurde nach vierjähriger Regentschaft im Jahre 222 von der Prätorianergarde beseitigt.

In die Zeit nach dem Tode des Caracalla fällt die Zusammen= kunft der Julia Mammäa, der Tochter der Julia Mösa, mit Ori= genes. Es kann kaum ein Zweifel darüber bestehen, daß Julia Mammäa nicht nur privaten Interessen folgte. Eleogabal war der Sohn ihrer Schwester Julia Soämia. Sie selbst war die Mutter von dessen Nachfolger Alexander Severus (222—235). Nach dem Tode Caracallas mag es zunächst eine offene Frage unter diesen Frauen gewesen sein, ob Eleogabal oder Alexander Severus den Thron besteigen sollte. Vermutlich hielt Julia Mammäa für den letzteren Fall nach der Möglichkeit einer Beseelung des Cäsaren= tums Ausschau und wandte ihren Blick auf das Christentum, mehr als hundert Jahre vor Konstantin. Daß es damals, im Jahre 218, noch nicht zu dem Ergebnis von 324 kam, ist möglicher= weise ein Verdienst des Origenes, das seine übrigen gewaltigen Leistungen an Bedeutung überragen würde. Aus dem Christen= tum des Origenes ließ sich jedenfalls keine Staatsreligion ma= chen. Die Achtung, die Origenes in Julia Mammäas Seele für das Christentum gewann, ist wohl auf ihren Sohn Alexander Severus übergegangen. Während seiner Regentschaft erfuhr das Christentum Duldung, und Alexander stellte in seiner Palast=

kapelle neben die Bilder des Abraham, des Orpheus, des Apol=
lonios von Tyana ein Bildnis des Christus.

*

Die Tätigkeit des Origenes in Alexandria fand 230 oder 231
ein trauriges Ende. Auf einer längeren Reise nach Palästina und
Griechenland war Origenes vom Bischof in Cäsarea zum Pres=
byter geweiht worden, wohl um ihm das formelle Recht zu ver=
schaffen, vor den Gemeinden zu predigen. Da regte sich die
Eifersucht des zuständigen Bischofs von Alexandria. Origenes
wurde aus der alexandrinischen Gemeinde ausgeschlossen, sei=
ner Presbyterwürde verlustig erklärt und mußte Hals über Kopf
die Stätte seiner fruchtbaren Wirksamkeit verlassen. Der fin=
stere Despotismus der Bischöfe von Alexandria, der später in
Figuren wie Theophilus und Cyrillus Gestalt gewinnen sollte,
hatte seine erste Untat begangen. Origenes begründete in dem
palästinensischen Cäsarea seine Schule neu, freudig aufgenom=
men von den Bischöfen von Cäsarea, Jerusalem und dem ande=
ren Cäsarea in Kappadozien. Dort wirkte er 20 Jahre, bis er
während der Verfolgung unter Decius gefoltert wurde und an
den Folgen dahinsiechte. Etwa im Jahre 253 starb er in Tyrus im
Alter von fast 70 Jahren.

Origenes war von einer unerschöpflichen geistigen Produk=
tivität. Mit Hilfe eines Stabes von Schnellschreibern und Kalli=
graphen, den ihm ein begüterter Gönner zur Verfügung stellte,
entstand eine ungeheure Menge von Büchern, deren Zahl mit
6000 beziffert wird. Gegen 2000 Titel waren noch dem Hiero=
nymus und Euseb bekannt. Bei den allermeisten dieser Bücher
handelt es sich um die Nachschriften von Lehrvorträgen und
Predigten. Ganz wenige davon sind vollständig erhalten, z. T.
aber nur in späterer lateinischer Übersetzung; eine Anzahl wei=
terer in Bruchstücken.

Mit seiner „Hexapla" wurde Origenes der Begründer der Textvergleichung auf christlichem Boden. Er schrieb darin das ganze Alte Testament in sechs verschiedenen Texten und Über= setzungen in ebensovielen Kolumnen nebeneinander. Für die Psalmen fand er eine Handschrift in einem „Fasse" in Jericho, und man hat neuerdings vermutet, daß es sich dabei um eine der „Schriftrollen vom Toten Meer" handelt, die gegenwärtig die Wissenschaft in Atem halten. Kommentare und Homilien (Pre= digten) über alle Bücher des Alten und Neuen Testamentes bildeten die Hauptmasse seines Werkes. Die einigermaßen er= haltene Schrift „Peri archōn" (De principiis, d. h. Die Grund= lehren) stellt die erste christliche Dogmatik dar. Und in dem ebenfalls erhaltenen Buche „Gegen Celsus" verteidigt Origenes das Christentum gegen einen philosophischen Angreifer.

Origenes wurde schon von seinen Zeitgenossen Adamantios (der Stählerne) oder Chalkenteros (der Mann mit den ehernen Eingeweiden) genannt. Die Ausdrücke beziehen sich aber eher auf den eisernen Fleiß und die unerschütterliche Überzeugungs= treue als auf die Geistesart dieses großen Mannes. Denn diese Geistesart ist von einer ausgesprochenen Milde und Verbind= lichkeit. Kühnere Gedankengänge, die nicht unmittelbar mit den heiligen Schriften belegt werden können, sind häufig als Hypothesen, als Denkmöglichkeiten, bezeichnet oder nur in Frageform ausgesprochen, manchmal auch zugleich mit anderen ebenso möglichen Auffassungen vorgebracht, so daß die eigene Anschauung sich gelegentlich fast verbirgt. Zu diesem für Ori= genes charakteristischen Stil mögen drei Motive zusammenge= wirkt haben. Sein eigenes Temperament, das sich lieber in sorg= fältigen Erwägungen und Ableitungen äußert als in glänzenden Kernsätzen. Dann die bereits gebotene Rücksicht auf mögliche Verketzerung. Und schließlich das esoterische Prinzip, das Origenes ganz konsequent einhält. Seine Überzeugung, daß je= dem Reifegrad ein entsprechender Grad an Erkenntnis offen=

steht, mag veranlaßt haben, sich so auszudrücken, daß dem Leser überlassen bleibt, wieviel er aus den Sätzen entnimmt.

Grundlegend neue Gedanken finden sich bei Origenes kaum. Seine immense Bedeutung besteht vielmehr in einer gründlichen systematischen Verarbeitung aller Elemente der Logoslehre, in erster Linie des Gedankengutes von Clemens. Im Gegensatz zu diesem und allen anderen Vorgängern nimmt Origenes seine Ausgangspunkte allein aus den heiligen Schriften des Alten und Neuen Testamentes, während er der griechischen Logosweisheit kritisch gegenübersteht. Er fühlt sich nicht mehr auf diese ange= wiesen. In diesem Punkte ist allerdings die Bemerkung des Por= phyrios, daß Origenes der Lebensführung nach Christ, seiner Gedankenart nach aber Grieche war[3], richtiger, als es Origenes wahrhaben wollte. Die Grundelemente seiner Logoslehre gehen auf die Stoiker zurück. Und seiner Gedankenart nach ist er Platoniker. Harnacks Urteil, Origenes habe den griechischen Geist als Fremdkörper in die Bildung der christlichen Lehre ein= geführt, ist ohne den Sinn für die Sprache der Geistesgeschichte gefällt. Es gehörte zur Bestimmung des Christentums, vom Ge= fäß der griechischen Sprache und des griechischen Denkens auf= genommen zu werden. Und dieses Gefäß war von den leitenden Mächten der Welt für diese Aufgabe zubereitet. Wo es ver= schmäht oder ersetzt wurde, entstand aus dem Christentum die schmählichste Barbarei wie im späteren Alexandrien unter Theophilus und Cyrill oder eine halb juristische, gewalttätige Staatsreligion wie in Rom.

Bei der Darstellung der philosophischen Theologie des Ori= genes müssen wir uns in diesem Zusammenhang auf einige wichtige Grundlinien beschränken. Der Logos steht derart im Mittelpunkt dieser Gedankenwelt, daß keines ihrer Elemente ohne Beziehung zu ihm ist. So kann also auch die Logos= lehre des Origenes nur nach einigen Richtungen skizziert wer= den. Dies soll nach solchen Richtungen geschehen, die bisher bei den zusammenfassenden Darstellungen seiner Theologie und Weltanschauung wenig berücksichtigt wurden.

Als ein Angelpunkt der Anschauungen des Origenes kann seine Lehre vom *Hegemonikon* betrachtet werden. Wir sind diesem Begriff schon bei den Stoikern begegnet, später auch bei Clemens. Das griechische Wort bedeutet „Führungsprinzip" und bezeichnet wird damit eine Kraft, die als Vormacht unter den Seelenregungen erlebt wurde. Der Begriff weist in die Rich= tung des menschlichen Wesensgliedes, das später als Ich be= zeichnet wurde. Doch ist er mit dem Begriff des Ich noch nicht ganz identisch. Bei Origenes sehen wir dem dramatischen Gei= stesprozeß zu, wie sich das Ich Schritt für Schritt an seinen eige= nen Begriff herantastet.

> In der Mitte des Leibes ist das Herz, und im Herzen ist das Hegemonikon. Überlege nun, ob das Wort „Mitten unter euch ist getreten, den ihr nicht kennt" (Joh. 1, 25), nicht auf den Logos bezogen werden kann, der in jedem Menschen ist.[4]

Diese Stelle aus dem Kommentar zum Johannesevangelium enthält in der knappsten Form die Lehre vom Hegemonikon. Das Herz als menschliches Organ für den Logos haben wir schon bei den Stoikern kennengelernt. Origenes unterscheidet nun im Herzen das Hegemonikon als Mittelpunkt und Führungsprinzip der übrigen Seelenkräfte und betrachtet diesen Wesenskern des Menschen als den Ort, an dem der Mensch den Logos in sich selbst finden kann. Der Bezug auf das Wort Johannes des Täu= fers „Mitten unter euch ist getreten, den ihr nicht kennt", ist gleichzeitig ein Beispiel für das Evangelienverständnis des Ori= genes, der neben dem historischen Sinn noch einen moralischen und einen dritten pneumatischen (spirituellen) Sinn der heiligen Schriften erkennt.

Aus einer zweiten Stelle des gleichen Buches geht hervor, wie

Origenes über die Beziehung des menschlichen Bewußtseins zum Logos denkt:

> Höre das „Mitten unter euch ist getreten" so: Da ihr Men=
> schen Vernunftwesen (λογικοί, logikoi) seid, ist er (der
> Logos) mitten in euch. Und er gelangt gemäß den Schriften
> in das Herz, da das Hegemonikon in der Mitte des ganzen
> Leibes ist. Diejenigen, die den Logos mitten in sich haben,
> aber nicht sein Wesen begriffen haben, noch aus welcher
> Quelle und aus welchem Ursprung (ἀρχή) er kommt, noch
> worin er in ihnen besteht, die haben ihn mitten in sich und
> wissen es nicht.[5]

Das Wort logikos ist so wenig übersetzbar wie das Wort Logos selbst. Vernunft, vernünftig hat für uns einen Klang, der sich bei weitem nicht mit dem Sinn dieser Worte deckt. In der Gedankenkraft erlebte der Grieche gleichzeitig sich selbst und eine göttliche Kraft, eben den Logos, den er im ganzen Kosmos tätig sah. Am Logoserlebnis entzündete sich das Gewahrwerden des Hegemonikon, des Ich in der Seele. Und das Erlebnis der eigenen erwachenden Gedankenkraft war eine Art Gotteserleb= nis. Sonst wäre es undenkbar gewesen, daß die frühen christ= lichen Schriftsteller den Christus in dem Logoserlebnis fanden. Origenes sagt hier: Die Gedankenkraft und das Ich sind in je= dem Menschen veranlagt. Aber es ist die Frage einer höheren Selbsterkenntnis, darin den Logos=Christus gewahr zu werden.

> Als Johannes (der Täufer) vom Lichte zeugte, wußte er, daß
> auch Gott Logos ist. Dieser ist in jedem Vernunftwesen
> (logikos) gegenwärtig. Das Geistesvermögen (dianoëtikon),
> das auch Hegemonikon genannt wird, ist mitten in uns. In
> ihm ist der innerseelische Logos (endiathetos!), durch den
> wir Vernunftwesen sind. Auf dieses Hegemonikon richtet
> der Logos=Christus als Gott seine prüfenden Blicke, wenn er
> kommt, um getauft zu werden.[6]

Διανοητικόν (Dianoëtikon) ist ein Begriff, den Origenes mehrfach gleichbedeutend mit Hegemonikon gebraucht. Er be= deutet in der Zeit des Neuplatonismus, der Origenes angehörte, das Vermögen des Menschen, am *νοῦς* (Nus), am Weltgeist, teilzuhaben. Damit ist das Hegemonikon, das Ich, als das We= sensglied bestimmt, welches das Medium zur geistigen Welt darstellt. Dann bedient sich hier Origenes des Begriffs des Logos endiathetos, den wir von der Stoa her kennen, um den gene= tischen Anteil des Menschen am Logos zu bezeichnen, der uns zu „Vernunft"=Wesen macht. Im Hegemonikon ist der Sitz die= ses Logos endiathetos. Und darauf richtet nun der Weltenlogos in der göttlichen Mission, die er in Christus durch seine Mensch= werdung erfüllte, seine forschenden Blicke, *„wenn er kommt, um getauft zu werden"*. Alle Heilstatsachen sind für Origenes, wie wir noch sehen werden, fortwährende Weltprozesse, die in den einmaligen historischen Ereignissen gleichsam ihr sichtbares Symbol und Siegel ausprägten. Hier will Origenes sagen, daß ein der geschichtlichen Jordantaufe entsprechendes Ereignis vom Logos in jedem Hegemonikon gesucht wird. Wir könnten es mit modernen Worten als den Durchbruch des höheren Ich in dem Ich bezeichnen, das der Mensch in einem noch natürlichen Pro= zeß im Erdenleben entwickelt. Wie das Ich des Jesus von Naza= reth dem Christus=Ich in der Jordantaufe Raum gab, so steht jedem Menschen auf dem Wege seines Christ=werdens bevor, daß er im Bereiche seiner natürlichen Logosmitgift, seines Logos endiathetos, und in seinem natürlichen (niederen) Ich dem Chri= stus Raum gibt. Deshalb richtet der Logos=Christus seinen er= wartenden Blick auf das Hegemonikon.

In vereinfachten Formeln kann Origenes also sagen: „Das Hegemonikon ist der Raum, in dem der Logos wohnt"[7] oder: „Christus ist im Hegemonikon gegenwärtig"[8] oder: „Chri= stus erscheint allen Vollendeten (*τέλειοι*) und erleuchtet ihr Hegemonikon zur untrüglichen Erkenntnis aller Dinge"[9]. Mit einem wunderbaren Bilde wird das Hegemonikon als der Altar im Tempel des menschlichen Inneren bezeichnet, von dem die Gebete als Weihrauchopfer emporsteigen.[10] Und so wendet Origenes auf dieses Allerheiligste im Menscheninnern ein Wort an, das uns besonders aus den Abschiedsreden Christi bekannt ist. Es kommt z. B. vor in dem Satze, den Luther übersetzt hat mit: „Wer mich liebt, der wird mein Wort (logos) *halten*" (Joh. 14, 23). Das griechische Verb tērein ($\tau\eta\varrho\varepsilon\tilde{\iota}\nu$) bedeutet im Neuen Testament „heilig halten", aber in einem tätigen Sinne, also etwa: „als innerste Angelegenheit pflegen". Wie Christus selbst dieses Verb auf sein Wort oder auf seine Gebote anwendet, so gebraucht es Origenes, um den Logos sagen zu lassen, das He= gemonikon sei als innerstes Heiligtum zu pflegen.[11]

Die Beziehung des Vatergottes zum Hegemonikon drückt Origenes in folgender Weise aus:

Wenn wir nicht dem Bösen ($\delta\iota\acute{\alpha}\beta o\lambda o\varsigma$), sondern Gott Raum (in uns) geben, so säet Gott seine Samen in unser Hegemo= nikon.[12]

Dieser Satz steht im Kommentar zum Buch des Propheten Jeremias. Dem alttestamentlichen Gegenstand entsprechend er= scheint hier zwar der Vatergott als Säemann der Samen, die in das Ich fallen. Doch dürfen wir annehmen, daß sich Origenes dabei des altstoischen Gedankens des *Logos* spermatikos er= innert.

Zu einer besonderen Funktion des Hegemonikon leitet ein weiteres Wort über, das wie eine Reihe der folgenden Stellen nur in einer späteren lateinischen Übersetzung erhalten ist. Darin treffen wir nun auch das lateinische Wort für Hegemo= nikon an: principale cordis, das Führungsprinzip des Herzens. Origenes legt die Einrichtungen des Salomonischen Tempels als Symbole für innerseelische Verhältnisse aus und sagt in diesem Zusammenhang:

Das Priestertum selbst soll jener Teil der Seele ausüben, der das Allerkostbarste in ihr ist, das principale cordis (He= gemonikon), wie es genannt wird, das Geistesvermögen oder das erkennende Wesen (substantia intellectualis) ... durch das wir fähig sind, Anteil an Gott zu gewinnen.[13]

Das Hegemonikon ist für Origenes der Inhaber der höheren Erkenntniskräfte. Deutlicher noch kommt dies in folgenden Worten zum Ausdruck:

Das Innere der Hüllen (velamina, Schleier), wo das Unzu= gängliche verwahrt ist, nennen wir das principale cordis, das allein die Mysterien der Wahrheit fassen kann und den Ge= heimnissen Gottes (arcana dei) gewachsen ist.[14]

Das Hegemonikon ist mit diesen Worten als der potentielle Eingeweihte im Menschen bezeichnet. Als Hüllen dieses We= senskernes kennt Origenes die Psyche, die aus einer vorstel= lungsfähigen ($\varphi\alpha\nu\tau\alpha\sigma\tau\iota\varkappa\acute{\eta}$) und einer triebhaften ($\delta\varrho\mu\eta\tau\iota\varkappa\acute{\eta}$) Substanz besteht[15], und die Physis, unter der er den belebten stofflichen Leib versteht.[16] Als Wesenskern dieses Hüllenwesens betrachtet er das Hegemonikon, das er durch den Ausdruck „das Unzugängliche" mit dem unbetretbaren Allerheiligsten des Tempels vergleicht. Darin wohnt, was seinem Wesen nach nicht mehr der irdischen Welt angehört. Nur hat dieses Hegemonikon das Bewußtsein seiner Logoszugehörigkeit verloren.

Wenn du aber dein principale cordis mit seiner geistigen Sehkraft (acies) auf die Weisheit und auf die Wahrheit und auf die Betrachtung des Eingeborenen Gottes richtest, dann werden deine Augen Jesus gewahr (intuentur).[17]

Origenes gebraucht den schlichten Namen Jesus häufig für das durch Geburt und Tod gegangene Logos=Christus=Wesen, das hier in seiner übersinnlichen Gestalt gemeint ist. Seine Wahrnehmung kann durch Anstrengung und Übung erreicht werden. Es kann aber auch auf unerwarteten Wegen auf den Menschen Einfluß gewinnen:

> Viele sind gleichsam gegen ihre Neigungen zum Christen=
> tum gekommen. Eine geistige Macht hatte plötzlich ihr He=
> gemonikon verwandelt, war ihnen als Wahrnehmung im
> Wachen oder als Bild im Traum erschienen, so daß sie vom
> Haß gegen den Logos abließen und bereit waren, für ihn zu
> sterben.[18]

Selbst bei solchen geistigen Überwältigungen ist es also das Hegemonikon, auf das es bei der Beziehung zum Logos an= kommt. Für Origenes ist das Christentum eine Funktion des Hegemonikon, eine Ich=Religion. Und so versteht er z. B. auch die Bekehrung des Petrus als eine Erleuchtung seines Hegemo= nikon, als ihm Christus die Gnade erwies, sich von ihm in seiner Geistgestalt erblicken zu lassen.[19] (Denn ohne diese Gnade er= schien Christus dem gewöhnlichen Blick nur als gewöhnlicher Mensch wie alle anderen.[20]) Und das Hegemonikon ist es auch, was die Märtyrer zu wahren Christus=Streitern machte und sie den Tod gering schätzen ließ.[21]

Wir können bei Origenes drei Arten unterscheiden, auf die das Hegemonikon mit dem Logos und mit der geistigen Welt im Ganzen in Berührung kommen kann. Die erste besteht in der unwillkürlichen Bildwahrnehmung, wie sie im letzten Zitat dar= gestellt ist. Der zweite Weg der Erkenntnisbemühung ist im vorletzten Zitat geschildert. Die gedankliche Erkenntnis über= sinnlicher Wahrheiten ist für Origenes an sich schon die Funk= tion einer übersinnlichen Potenz der Gedankenkraft. Sie kann in die dritte Art der Beziehung zur geistigen Welt übergehen, die im unmittelbaren übersinnlichen Wahrnehmen besteht. Zu diesem übersinnlichen Wahrnehmen hat das Hegemonikon „eine Vielheit von Sinnen, die aus ihm hervorgehen"[22], zur Verfügung.

In Anlehnung an die Sprüche Salomos (2, 5), wo von der Er=
kenntnis Gottes die Rede ist, spricht Origenes von einer „gene=
rellen göttlichen Wahrnehmung ($\alpha i\sigma\vartheta\eta\sigma\iota\varsigma$)", die nur der Selige
zu finden weiß, und sagt von ihr:

> Von dieser Wahrnehmung gibt es verschiedene Arten: Ein
> Schauen, das höhere Wirklichkeiten sieht als die körper=
> lichen, in denen sich das Wirken der Cherubim und Sera=
> phim offenbart. Ein Hören, das Stimmen wahrnimmt, die
> ihrem Wesen nach nicht durch die Luft ertönen. Ein Schmek=
> ken, welches das lebendige Brot kostet, das vom Himmel
> herabgestiegen ist und der Welt das Leben gibt (Joh. 6, 33).
> Ein Riechen, das Düfte wahrnimmt, die Paulus meint, wenn
> er sagt, es gäbe einen Wohlgeruch des Christus für Gott
> (2. Kor. 2, 15). Und ein Fühlen, von dem Johannes sagt, er
> habe den Logos des Lebens mit seinen Händen berührt
> (1. Joh. 1, 1). Die seligen Propheten fanden diese göttliche
> (= geistige) Wahrnehmungsart. Sie schauten geistig, sie
> hörten geistig, und ebenso schmeckten sie. Sie rochen, um es
> so zu nennen, mit einem nicht sinnlichen Wahrnehmungs=
> sinn und umfingen den Logos kraft des Glaubens.[23]

Die übersinnlichen Wahrnehmungsarten entsprechen also bei
Origenes den fünf äußeren Sinnen. In die anthroposophischen
Begriffe übertragen, entspricht der innere Gesichtssinn der Ima=
gination, der innere Gehörsinn der Inspiration. Zur Intuition hat
wohl der innere Tastsinn die nächste Beziehung, den Origenes
offenbar als die höchste übersinnliche Wahrnehmungsart auf=
faßt.

Wenn sich uns oben zeigte, daß das Christentum des Ori=
genes die Religion des Hegemonikon, des Ich, war, so können
wir nun sagen, daß es auf jedem der drei geschilderten Wege
eine Erhöhung des Bewußtseins bis zur Wahrnehmung der
übersinnlichen Wesen und Wahrheiten bedeutete. Das „Glau=

ben" ohne höhere Erkenntnis — oder Schau=Erlebnisse — be= trachtete Origenes als untergeordnete und sozusagen behelfs= mäßige Beziehung zum Christentum. „Es gibt solche, die nichts weiter können, als sich dem Glauben zuzuwenden. Und diesen verkündigen wir nur den Glauben."[24]

Ist nun das Hegemonikon das höchste Wesensglied des Men= schen und der Angelpunkt zwischen Himmel und Erde, so ist es doch erst in Entwicklung begriffen, unvollkommen und vom Bösen ständig bedroht. „Wir leiden daran, daß das Böse uns überwältigt und unser Hegemonikon trübt."[25]

> Der Zustand des Hegemonikon und des Logos und des Ver= haltens des Menschen ist nicht immer der gleiche, sei es, daß er den Logos nicht angenommen hat oder außer dem Logos auch die Neigung zum Bösen, die ihn bald mehr, bald weni= ger überflutet, oder aber, daß er sich der Tugend zuwendet und darin größere oder geringere Grade erreicht.[26]

Um das Hegemonikon als das entscheidende, in Entwicklung begriffene Wesensglied geht der Kampf zwischen den guten und bösen Mächten der Welt. Doch ist es nicht das willenlose Ob= jekt dieses Kampfes. Origenes' gesamte Weltanschauung und religiöse Überzeugung ruht auf dem Fundament des Gedankens von der Freiheit des Willens, die dem Hegemonikon eigen ist. „Das Hegemonikon ist selbst die Ursache, wenn die Neigung zum Bösen in sein Wesen eindringt"[27], und so kann Origenes die Warnung aussprechen:

> Wenn jemand sagt, die Einflüsse von außen seien von einer Art, daß man ihnen unmöglich widerstehen könne, wenn sie auftreten, der habe acht auf seine Leidenschaften und Triebe, ob dabei nicht eine Anerkennung oder Billigung oder sogar ein Fall des Hegemonikon durch irgendwelche Illusionen eintritt.[28]

Auf dem Wege der äußeren Versuchungen dringt das perso=
nelle Böse an das Hegemonikon heran. „Bewahre Dein Herz mit
aller Wachsamkeit (Sprüche Salomos 4, 23), damit nicht ein Dä=
mon über das Hegemonikon Gewalt erlange!"[29] Der Logos
aber greift von der anderen Seite in die inneren Kämpfe ein:

> Wenn uns der Feind auf das schärfste anfällt . . . so ruft uns
> der Logos auf, um so stärker im Kampfe zu bestehen und
> das Hegemonikon zu bewahren.[30]

Wenn die Lehre des Origenes vom Hegemonikon auch bis=
weilen gewisse Abweichungen vom Begriff des Ich aufweist[31],
so steht doch außer allem Zweifel, daß er dieses menschliche
Wesensglied damit gemeint hat. Es bildet einen Eckstein in sei=
nem Lehrgebäude. Ein warnendes Zeichen für den Geist der
letzten Jahrhunderte ist es, daß dieser Grundbegriff in den Wer=
ken des Origenes so wenig erkannt wurde, daß er in den Über=
setzungen und auch in den Darstellungen von Origenes' An=
schauungen fast vollständig verwischt oder übersehen wurde.
Aus diesem Grunde ist er hier in Ausführlichkeit dargestellt
worden, und wir werden im Fortgang sehen, daß sich an ihn
organisch die weiteren Bestandteile der Lehre des Origenes an=
schließen lassen.

*

Von der Logoslehre des Origenes im engeren Sinn, das heißt
von seiner Lehre über den Logos selbst, kann hier übergangen
werden, was sie mit den Anschauungen seiner Vorgänger ge=
meinsam hat. Handelt es sich hier doch weniger um die Würdi=
gung der einzelnen Logoslehrer als um die Darstellung der
schrittweisen Entfaltung der Logosophie im ganzen. Wenn so
auch kein vollständiges Bild der Geisteswelt der einzelnen Leh=
rer entsteht, kann ihre Bedeutung doch aus den neuen Elemen=
ten oder neuen Darstellungen der Grundgedanken gewürdigt
werden, die sie zum Ganzen beitrugen.

Origenes faßt die Mitgift, die jeder Mensch vom Logos als dem Bildner der Welt erhalten hat, in drei Begriffen zusammen: Das Naturgesetz, der „vernünftige" Sinn und die Freiheit des Urteils (lex naturae, sensus rationabilis, libertas arbitrii).[32] Die lateinischen Worte des Übersetzers Rufinus (Ende des 4. Jahrh.) müssen erst ins Griechische zurückübersetzt werden, um ihren ursprünglichen Sinn zu erkennen. Daß der Nomos, das Natur= gesetz, ein Werk des Logos sei, gehört zu den ältesten An= schauungen der Logoslehre. Mit dem sensus rationabilis ist die Logosfähigkeit des Menschen gemeint. Für die „Freiheit des Ur= teils" (libertas arbitrii) hat Origenes im Griechischen einen um= fassenderen Begriff: $αὐτεξουσία$, das heißt Selbstvollmacht, also Freiheit des Willens.

Diese Freiheit des Willens kann man als den zweiten Eckstein im Lehrgebäude des Origenes betrachten. Das ausführlichste Kapitel seiner Schriften[33] ist ihr gewidmet. Mit großer Sorgfalt wird die Willensfreiheit aus dem Alten und Neuen Testament ab= geleitet, scheinbar sich widersprechende Schriftstellen so weit er= läutert, daß die Widersprüche sich auflösen. Es gibt kein Wesen über oder unter dem Menschen oder im Menschenbereiche selbst, weder gute noch böse, weder fortgeschrittene noch unter= geordnete, die ihre Stelle in den Weltordnungen, die ihr Schick= sal nicht durch die Taten ihres freien Willens selbst bestimmt haben. An dem Beispiel von Jakob und Esau, von denen der Ältere schon vor seiner Geburt dazu bestimmt war, dem Jünge= ren zu dienen (Gen. 25, 23), geht Origenes auf die Frage ein, wie denn die scheinbaren Ungerechtigkeiten zu erklären seien, die der Mensch in seinem Schicksal schon in das Erdenleben mitbringt. Er kommt zu dem Ergebnis: „Das kann nur dann ein= leuchtend erklärt werden, wenn man annimmt, daß die Ursache für die Ungleichheit der himmlischen und irdischen und unter= irdischen Wesen in ihnen selbst liegt, und zwar vor ihrer leib= lichen Geburt."[34] Die Lehre von der Wiederverkörperung hat

Origenes nicht. Sie kann auch nicht zu seiner Esoterik gehört haben. Zu deutlich spricht er sich darüber aus: „Als Wahn muß angesehen werden, daß jemand von den Toten aufersteht, um wiederum zu sterben."[35] Aber er hat die Anschauung von der Präexistenz und von einem Weiterleben nach dem Tode in gei= stigen Zuständen. Er kennt allerdings auch die Aufeinander= folge von Äonen, von vergangenen und zukünftigen, an denen immer die gleichen Wesen, also auch die jetzigen Menschen, be= teiligt sind.

> Wie der Bauer gemäß den Verschiedenheiten der Jahreszei=
> ten verschiedene landwirtschaftliche Arbeiten an der Erde
> und an ihren Gewächsen verrichtet, so läßt Gott eine Öko=
> nomie seiner Werke walten in allen Weltaltern, die für ihn
> wie Jahre sind. Er wirkt in einem jeden, wozu es im Ablauf
> des Ganzen vorgesehen ist, was es durch Gott allein als
> durch die ewige Wahrheit zu vollenden bestimmt ist.[36]

In all diesen Äonen haben alle Wesen die Möglichkeit, den freien Willen zu betätigen, aufzusteigen oder zu sinken.[37] Und in den vergangenen Äonen oder in den geistigen Zwischenzu= ständen haben alle Wesen den Grund für ihre jetzigen Ge= schicke selbst gelegt.

Bewunderung der weisheitsvollen Ordnung der Natur, Ge= dankenkraft und Willensfreiheit bilden die Ausstattung des Menschen, die ihn fähig macht, nun auch den menschgeworde= nen Logos zu erkennen und sich zu ihm zu entschließen. Ori= genes spricht stets aus der Anschauung, daß das Christentum der offenbar gewordene Sinn der Welt, der Natur wie der Ver= anlagung des Menschen ist.

Nun aber, nach der Menschwerdung des Logos, kommt es darauf an, daß der Mensch im Kern seines Wesens, im Hege= monikon, aus dem freien Willen den durch die Inkarnation des Logos eingeleiteten Weltprozeß ergreift, der den Menschen in seinem vollen Bewußtsein zu einem Gottes=Sohn erhebt. Aus der deutschen Mystik, besonders von Angelus Silesius, kennen wir die Klänge, die Origenes zuerst ertönen ließ:

> Nicht nur bei Maria begann die Geburt des Christus mit der Überschattung (durch den heiligen Geist), nein, auch in dir wird der Logos Gottes geboren, wenn du dafür würdig bist.[38]

Die innere Gottesgebärerin ist im besonderen die Seele:

> Die Seele, die in die Gesellschaft des Logos Gottes aufge= nommen und gleichsam zur Hochzeit mit ihm gesellt ist ..., empfängt den Samen des Logos selbst.[39]
>
> Was nützt es dir, wenn Christus dereinst in das Fleisch kam, wenn er nicht auch in deine Seele kommt? Wollen wir dafür beten, daß sein Kommen täglich erfolge, damit wir sagen können: „Ich lebe; aber nun lebe nicht ich, sondern Christus lebt in mir." Wenn aber Christus in Paulus lebt und nicht auch in mir, was könnte es mir nützen?[40]

Es ist der Gedanke der Logoi spermatikoi, der sich nun in die Bilder einer christlichen Mystik kleidet. Er wird von Origenes gelegentlich auch mit seiner ursprünglichen stoischen Bezeich= nung gebraucht. So kann er bei der Erklärung von Joh. 8, 37 sagen: So wenig alle Menschen im Sinne dieses Christuswortes Söhne Abrahams sind, so wenig hat der in ihre Seelen gesäte Logos spermatikos das Leben aller Menschen erfüllt.[41] Die ge= naue Vorstellung des Origenes ist, daß die Menschen den Lo= gos=Samen schon bei der Schöpfung empfangen haben und daß Christus nun diesen Samen zum Keimen und Wachsen bringt, wie die Sonne im Frühling die Samenkörner in der Erde erweckt, die sie im Vorjahr hat reifen lassen. Das meint er auch, wenn er, besonders in seinen Homilien (= Predigten), oft das Bild ge= braucht, daß die Seele durch die Vereinigung mit Christus erst den „Sohn" empfängt, der im Seelenschoße heranreift. Doch ist dieses Bild insofern auch ganz berechtigt, als die uranfängliche Logosmitgift erst vom Ich ergriffen und bewußt gestaltet wer= den soll. Die Sohnschaft des Menschen gegenüber Gott ist das Ziel der inneren christlichen Entwicklung:

> Immerdar wird der Erlöser vom Vater geboren. So wird auch dich Gott immer in sich gebären, wenn du den Geist der Sohnschaft (υἰοθεσία) hast. Gemäß jeder deiner Taten, jedem deiner Gedanken wirst du geboren und wirst so ein immer geborener Sohn Gottes in Christus Jesus.[42]

Wird diese Sohnschaft durch die Bewährung im rechten Han= deln und rechten Denken erreicht, so besteht sie dann in der vollkommenen Erkenntnis Gottes:

> Die durch den Logos zu Gott gelangt sind, werden nur noch das Eine verrichten: Gott so erkennen, daß sie in der Er= kenntnis (Gnosis) des Vaters alle im genauen Sinne in „Sohn" verwandelt werden, wie jetzt allein der Sohn den Vater erkannt hat.[43]

Unter der Würde des Sohnes ist die Beziehung zum Vatergott gemeint, die der Logos innehat. Wir werden noch sehen, daß Origenes zwischen dem Logos und Christus unterscheidet. Auch mit „Christus" meint er eine bestimmte Würde, nicht nur den Namen des geschichtlichen Christus Jesus. Diese Würde be= zeichnet ein Wesen, das ganz im Logos aufgegangen ist. Und so kann auch der Mensch ein Christus werden. Im Johannes= kommentar wird dargestellt, wie die Kräfte, mit denen sich Christus durch die Ich=bin=Worte identifiziert, also z. B. die Wahrheit und das Leben, in den Christen vervielfältigt werden. Zusammenfassend schreibt dann Origenes:

> So wird in jedem Frommen (ἅγιος) Christus gefunden, und es entstehen durch den einen Christus viele Christusse, die

ihn nachahmen und nach ihm, der das Bild Gottes ist, um=
gebildet werden.[44]

In diesen Worten ist der dynamische Gedanke des Eikon
eikonos (εἰκών εἰκόνος), der auch im Römerbrief (8, 29) seinen
Ausdruck gefunden hat, der Gedanke, daß der Mensch zu einem
Abbild des Bildes Gottes umgeprägt wird, das Christus in
seinem Wesen darstellt, zu Ende gedacht. Wir müssen dabei
freilich bedenken, daß das Wort Christus damals im griechi=
schen Sprachraum nicht in erster Linie ein Name war, sondern
die Bezeichnung einer geistigen Würde, nämlich „der Gesalbte",
die dann erst zum Namen Jesu hinzugefügt wurde. Deutlich
geht dies aus einer anderen Stelle hervor:

> Wie wir gehört haben: der Antichrist kommt, und doch
> wissen, daß viele Antichriste in der Welt sind (1. Joh. 2, 18),
> im gleichen Sinne wissen wir, daß Christus zu uns gekom=
> men ist, und sehen, daß durch ihn viele Christusse in der
> Welt entstanden sind. Wie er haben sie die Gerechtigkeit
> geliebt und die Ungerechtigkeit gehaßt, und deshalb hat sie
> Gott, der Gott des χριστός (= Gesalbten), auch mit dem
> Freudenöl gesalbt (χρίειν, Hebr. 1, 9).[45]

Der Abstand des Menschen gegenüber dem Logos bleibt aber
durchaus gewahrt. Kann der Mensch der Wahrheit, der Weis=
heit, der Gerechtigkeit teilhaftig werden, so ist der Logos die
Wahrheit an sich (αὐτοαλήθεια), die Weisheit an sich (αὐτο=
σοφία), die Gerechtigkeit an sich (αὐτοδικαιοσύνη).[46] „Zwi=
schen dem Menschen, der wegen seiner hohen Vollkommenheit
(ἀρετή) Sohn Gottes genannt wird, und dem Sohne Gottes,
der die Quelle und der Ursprung (ἀρχή) der Sohnschaft ist,
bleibt ein großer und weiter Unterschied."[47] Bemerken wir in
diesen Sätzen auch, daß die Sohnschaft gegenüber dem Vater=
gott dem Logos und nicht dem bei Origenes von ihm unter=

schiedenen Christus zukommt. — Auch das Christuswesen hat einen weiten Vorsprung vor allen Menschen, die ja Christusse werden können. Christus „hat die Urweihe ($\dot{\alpha}\pi\alpha\varrho\chi\acute{\eta}$) der Sal= bung und, wenn man so sagen darf, die Salbung mit dem Freu= denöl im höchsten Maße erhalten. Von seinen Genossen aber hat jeder an dieser Salbung ($\chi\varrho\,\acute{\iota}\sigma\mu\alpha$) nur so weit Anteil, als er fortgeschritten ist."[45]

Haben wir nun zunächst die mystische Beziehung des Logos= Christus=Wesens zum Menschen=Inneren kennengelernt, so haben wir uns nunmehr ein deutlicheres Bild vom Christus=Be= griff des Origenes und von seinem Verhalten zum Logos=Be= griff zu machen. Auf die Differenzierung dieser beiden Begriffe sind wir schon gestoßen. Im letzten Abschnitt sahen wir, daß Origenes dem Logos die Eigenschaft des Sohnes Gottes zu= spricht. Er konnte aber im Anschluß an Hebr. 1, 9 von Genossen ($\mu\acute{\epsilon}\tau o\chi o\iota$) des Christus sprechen, von den vielen durch die mystische Geburt entstehenden Christussen, während der Logos in jenen Bildern von der mystischen Beiwohnung als der Bräu= tigam der Seele auftrat. Von seinem Logosbegriff hätte Ori= genes nicht in der Mehrzahl sprechen können. — Sehen wir nun weiter:

> Jenes Wesen, das zu den Menschen herabgestiegen ist, hatte „göttliche Gestalt"; aber es „entäußerte sich selbst" (Phil. 2, 7) aus Liebe zu den Menschen, damit es von ihnen erfaßt werden könne... Dieses Wesen, das durch den Logos Gottes, der in ihm ist, die Wunden unsrer Seelen heilt, war selbst für alles Böse unempfänglich.[48]

Lassen wir dieses Wesen zunächst noch unbenannt und hal= ten wir fest: es mußte sich selbst „entäußern", das heißt in eine schlichtere Gestalt eingehen, um von den Menschen erfaßt wer= den zu können. Es ist ein anderes Wesen als der Logos, den es in sich trägt. Durch diese Einwohnung des Logos ist es der See=

lenheiler für die Menschen. Und schließlich: Es ist nicht anfäl=
lig für das Böse.

Keiner von denen, die unsre Heilung vorher verkündet
haben (den Propheten), vermochte so viel, als die Seele *Jesu*
sich mächtig erwies durch die von ihr vollbrachten Taten. Ist
sie doch freiwillig für unser Geschlecht in den menschlichen
Schicksalsbereich herabgestiegen. Das wußte der göttliche
Logos wohl und hat darüber vieles an vielen Stellen der
Schrift gesagt.[49]

Nun wird also jenes Wesen die „Seele Jesu" genannt und
erscheint als eine mit Menschen, nämlich den Propheten, ver=
gleichbare Größe. Wie jedes inkarnierte Wesen ist sie präexi=
stent. Aber ihre Inkarnation liegt nicht in ihrem Wesen oder
ihrer eigenen Entwicklungslinie, sondern ist ein freiwillig ge=
brachtes Opfer. Dadurch ist sie von andern inkarnierten Erden=
wesen verschieden. Ihr Werk sind offenbar die Erlösungstaten,
von denen die Propheten (etwa in ihren Heilungswundern) nur
Vorstufen vollbringen konnten. Wiederum wird der Logos von
dieser Seele Jesu unterschieden. Er eröffnet in der Schriftoffen=
barung die Erkenntnis von ihren Erlösungstaten.

Keine andere Seele, die in einen menschlichen Leib herab=
gestiegen ist, hat die Ähnlichkeit mit ihrem Urbild rein und
vollkommen gezeigt außer eben diese eine Seele, von der
der Erlöser sagt: „Niemand wird meine Seele von mir neh=
men." (Joh. 10, 18.) Diese Seele hat sich vom Anfang der
Schöpfung an und seitdem ohne Unterlaß mit der Weisheit
(Sophia), mit dem Logos Gottes, mit der Wahrheit und mit
dem Urlicht verbunden. Sie hat ihn ganz in ihr ganzes We=
sen aufgenommen, ist ganz in seinem Lichte und seinem
Glanze aufgegangen und ist mit ihm ein Geist geworden.[50]

Deutlicher wird nun, daß Origenes die „Seele Jesu" dem hier=
archischen Rang nach zu den Menschenseelen rechnet. Sie ist

nur die einzige, die durch eine ununterbrochene Vereinigung mit dem Logos ihr Urbild bewahrte. Die vier genannten Grö=ßen Weisheit, Logos, Wahrheit und Urlicht sind zusammen=genommen als das Logoswesen zu verstehen, wie aus dem an=schließenden Übergang der Sätze in die Einzahl „ihn", „in sei=nem...", „mit ihm" hervorgeht. Die drei anderen Größen tre=ten bei Origenes stets als Wesenseigenschaften des Logos auf.

Es ergibt sich also nun das Bild der Jesus=Seele, die sich im präexistenten Dasein ganz an den Logos hingibt und dadurch zu ihrer Mission heranreift. Daß Origenes dabei tatsächlich an eine Menschenseele gedacht hat, geht aus folgenden Äußerun=gen noch genauer hervor:

„Es kann nicht bezweifelt werden, daß jene Seele die gleiche Natur hatte wie alle anderen Seelen... Wir müssen eine *menschliche* und vernünftige (rationabilis = $\lambda o\gamma\iota\varkappa\acute{o}\varsigma$) Seele in Christus annehmen, nur ohne einen Gedanken oder eine Mög=lichkeit der Sünde."[51] Oder auch: „Einen sündlosen Menschen kann es nicht geben. Wenn wir dies sagen, nehmen wir aber den *Menschen* aus, als den wir uns Jesus vorzustellen haben."[52]

Aus dem ersten dieser Sätze geht auch noch deutlich hervor, daß mit jener Seele Jesu wirklich Christus gemeint ist. So ergibt sich, daß Origenes ein übermenschliches Christuswesen nicht gekannt hat. Jener hohe Geist der Sonne, der sich in einem früheren Äon dem Logos, dem göttlichen „Sohne" öffnete und ihn ganz in sein Wesen aufnahm, den etwa Zarathustra als den Ahura Mazdao verehrte, der dann bei der Jordantaufe in die Hüllen des Menschen Jesus von Nazareth herabstieg, ist dem großen Alexandriner verborgen geblieben. Und eigentlich muß man sagen, daß sich auch der Mensch Jesus von Nazareth bei Origenes verflüchtigt. Die Überhöhung der „Seele Jesu" ist zu groß, als daß sie noch das Bild einer Menschenseele ergäbe. Eine Seele, die ihren ursprünglichen Zustand seit der Schöpfung be=wahrte; die mit dem Logos „ein Geist" geworden ist; in deren

Schicksal es nicht gelegen ist, sich zu verkörpern; die sich unter Entäußerung vom eigenen Wesen in einen Leib begeben muß, um von den Menschen erfaßt werden zu können; und die dann zum Erlöser wird: eine solche Seele ist kein Mensch mehr.

Origenes war kein Geistesforscher, das heißt, er redete und schrieb nicht auf Grund eigener übersinnlicher Wahrnehmungen. Er war ein Denker mit äußerst lebendigen, beweglichen Begriffen und Vorstellungen. So hat er vieles Richtige in seinem Denken gefunden, für das ihm aber manchmal die Möglichkeit der richtigen Einordnung fehlte. Sein Christusbild entspricht am ehesten jener anima candida, jener in der geistigen Welt aufbewahrten reinen Seele, die in dem Menschen Jesus von Nazareth lebte.[52a] Im Denken über den Christus=Jesus an Hand der Aussagen der Bibel ergab sich für Origenes die Notwendigkeit, einen solchen Faktor wie jene reine Urseele im Heilsgeschehen mitwirkend anzunehmen. Aber er benannte sie nicht richtig. Sein Denken führte ihn dazu, eine Selbsthingabe des Erlösers an den Logos vor dieser Zeit anzunehmen. Nur schrieb er diese Tat der Hingabe in der geistigen Welt Jesus zu, nicht aber dem Christus. Damit soll keine Kritik an Origenes geübt werden. Er drang in einer bewunderungswürdigen Weise so weit vor, als man mit der Kraft des Gedankens allein kommen kann. Und man sagt nichts gegen Origenes, sondern für ihn, wenn man sich genötigt sieht, auszusprechen: Sein ganzes Werk ist der herzandringende Ruf nach einem Wissen, das erst 1700 Jahre später in Gestalt des Werkes Rudolf Steiners menschliches Wissen wurde. Die größte Leistung des Origenes ist, daß er die Lehre vom Weltenwort, vom Logos, als ein Letzter in völliger Klarheit festgehalten und ausgebaut hat, wie sie heute noch in all ihren Elementen bestehen kann.

Diese Zwischenbemerkungen haben den Sinn, in den Darstellungen des Origenes *mehr* erkennen zu lassen, als seine Terminologie nahelegt, und es wird sich zeigen, daß dies auch

für das Folgende fruchtbar ist. Zunächst seien noch einige Stel=
len angeführt, die die innige Verbindung des Logos mit der
Jesus=Seele und dem Menschenleibe schildern:

> Die göttliche Schrift sagt von dem Vollkommenen, der sich
> dem wahren Herren (Kyrios!), dem Logos und der Weisheit
> und der Wahrheit angeschlossen hat: „Wer sich dem Her=
> ren angeschlossen hat, ist ein Geist mit ihm" (1. Kor. 6, 17).
> Ist aber derjenige ein Geist mit ihm, der sich ihm ange=
> schlossen hat, wer hat sich mehr als die Seele Jesu ange=
> schlossen an den Herrn, der der Logos selbst ($a\dot{v}\tau\acute{o}\lambda o\gamma o\varsigma$),
> die Weisheit selbst, die Wahrheit und die Gerechtigkeit
> selbst ist? Ist dies aber so, dann sind die Seele Jesu und
> Gott das Wort, der Erstgeborene aller Schöpfung, nicht mehr
> zwei getrennte Wesen.[53]

Hier sind zwei weitere Bezeichnungen, die nur einem über=
menschlichen Wesen gelten können, auf den Logos übertragen:
Die Bezeichnung „Erstgeborener der Schöpfung" mit Recht,
während Kyrios, Herr, ein Name ist, der dem Christuswesen
zukäme, das Origenes nicht kennt. (Christus, das heißt der Ge=
salbte, ist in der Terminologie des Origenes die Bezeichnung
der Würde, die die Jesus=Seele durch ihre vollkommene Hin=
gabe an den Logos erlangt.[54])
Ist in diesen Sätzen die völlige Verschmelzung des Logos mit
der Jesus=Seele zu einem einheitlichen Wesen beschrieben, so
hören wir weiter:

> Der sterbliche Leib und die menschliche Seele, die im Logos
> war, haben durch ihre Gemeinschaft oder vielmehr durch
> ihre Vereinigung und Durchdringung mit ihm das Höchste
> erlangt: sie sind seiner Göttlichkeit teilhaftig und selbst in
> Göttliches verwandelt worden. Wenn jemand daran Anstoß
> nimmt, daß wir dies auch vom Leibe Jesu sagen, so verstehe

er es im Sinne der griechischen Lehre. Diese sagt, daß die Materie ihrem Wesen nach eigenschaftslos ist, daß sie aber alle Eigenschaften annimmt, die ihr der Schöpfer (Demiurg) mitteilen will. Oftmals legt sie frühere Eigenschaften ab und nimmt andere bessere an. Ist dies ein gesunder Gedanke, so ist es nicht unbegreiflich, daß die Eigenschaft der Sterblichkeit, die der Leib Jesu hatte, durch die Vorsehung des Gotteswillens in eine ätherische (αἰθέριος) und göttliche Eigenschaft verwandelt wurde.[55]

Zu dieser Übersetzung ist zu bemerken, daß die wörtliche Wiedergabe des Adjektivs αἰθέριος — ätherisch ein Behelf ist. Das Wort bedeutet bei Origenes nichts Genaueres als „überirdisch". Aus dem Zusammenhang geht hervor, daß mit dieser neuen ätherischen und göttlichen Eigenschaft die Auferstehungsfähigkeit des *physischen* Leibes gemeint ist.

Dieser Text lehrt, wie die griechische Weisheit die Mission erfüllte, zunächst wenigstens den begrifflichen Ausgangspunkt für den Gedanken der Transsubstantiation zu finden. Denn dieser Gedanke ist es ja, an den sich Origenes hier herantastet.

Die Vollendung und Besiegelung dieser Transsubstantiation des Menschlichen und also auch des Leiblichen des Jesus=Christus tritt erst durch den Tod am Kreuze ein:

Die Überhöhung des Menschensohnes wurde ihm zuteil, als er Gott durch seinen Tod verherrlichte. Sie bewirkte, daß er nichts vom Logos Verschiedenes mehr war, sondern dasselbe wie der Logos. Wenn schon „wer sich an den Herren anschließt, ein Geist mit ihm wird", ... mit wieviel mehr Recht werden wir dann von dem Menschlichen des Jesus sagen dürfen, daß es durch seine Überhöhung mit dem Logos Eines wurde? Der Logos aber blieb indessen in der ihm eigenen Höhe oder er wurde nun in sie zurückversetzt, da er ja einst bei Gott war, der Gott Logos, welcher der Mensch ist (θεὸς λόγος ὢν ἄνθρωπος).[56]

Aus dieser Stelle sind wieder einige christologische Begriffe zu entnehmen. Als den Menschensohn versteht Origenes die menschliche Seele Jesu, die durch ihre einzigartige Reinheit über das Menschentum hinausragt. Und wenn der Gott Logos mit den letzten Worten dieses Textes als Mensch bezeichnet wird, so kann das wohl nur in dem Sinne verstanden werden, wie die gesamte Logosophie den Logos als das Urbild des Menschen auffaßt.

Die Lücke in diesem christologischen Lehrgebäude, die durch die Unkenntnis des übermenschlichen Christuswesens entsteht, wird durch den Gedanken des mit Leib und Seele ganz vergött=lichten Jesus geschlossen. Die durch die Einwohnung des Chri=stus in Leib und Blut des Jesus von Nazareth bewirkte Ur=Transsubstantiation, die auf Golgatha ihre Vollendung erfuhr, ist durch die „Überhöhung" des Menschlichen in Jesus zur völ=ligen Vereinigung mit dem Logos ersetzt.

Für den Logos selbst bedeutete die Einwohnung in der Jesus=Seele, daß er am Bereich des Seelischen und Belebten Anteil gewann (λόγος ἔμψυχος καὶ ζῶν[57]), daß er also das Dasein einer im Leibe lebenden Menschenseele sozusagen von innen wahrnahm. Doch hat er seine Erhabenheit über den mensch=lichen Bereich auch dabei bewahrt. „Der Logos bleibt seinem Wesen nach immer Logos und wird deshalb von den Leiden, die den Leib und die Seele treffen, nicht berührt."[58] Die An=schauung vom leidenden Gott, die sich erst durch die Vorstel=lung vom eigentlichen Christuswesen ergibt, kommt bei Ori=genes nicht zustande. Der Logos kann nicht leiden. Das Leiden war der Anteil der Jesus=Seele. Der Logos nahm dieses Leiden im Bewußtsein wahr, nicht aber als selbst fühlende Seele.

Darüber hinaus behält der Logos auch während seiner In=karnation sein ureigenes Wesen:

Über die körperliche Ankunft und Inkarnation des ein=
geborenen Sohnes ermahnen wir so zu denken: man darf
sich nicht vorstellen, daß die Erhabenheit (maiestas) seiner
vollen Göttlichkeit in das Gehäuse eines engen Leibes ein=
geschlossen ist, so daß der Logos Gottes in seiner ganzen
Größe, seine Weisheit und wesenhafte Wahrheit und sein
Leben vom Vater entfernt oder in die Enge jenes Leibes ein=
gezwängt und konturiert ist. . . . Man soll nicht glauben, daß
er auch nur einen Teil seiner Göttlichkeit eingebüßt habe
oder daß er sich von der allgegenwärtigen Wesensart des
Vaters im Innersten entfernt habe.[59]

Der Kampf gegen den Doketismus, d. h. gegen die gnostische
Lehre von der Scheinleiblichkeit des Christus, hat in späterer
Zeit und bis in die Theologie der Gegenwart herein dazu ge=
führt, das Verhältnis des Christus zu seinem Leibe überhaupt
nicht mehr davon zu unterscheiden, wie im jeweiligen Jahr=
hundert das gewöhnliche Verhältnis des Geistig=Seelischen des
Menschen zu seinem Leibe vorgestellt wurde. Bei den diesbe=
züglichen materialistischen Vorstellungen der Gegenwart hat
dies zu Folgen geführt, die das Christusbild selbst vollständig
verdunkeln mußten. Die Evangelienstellen, die auf ein be=
sonderes Verhältnis des Christus zu seinem Leibe verweisen,
werden nicht mehr verstanden, so das „Wandeln auf dem
Meere", während der Leib des Jesus=Christus auf dem Berge
verharrt; die Unergreifbarkeit des Christus durch seine Ver=
folger (z. B. Joh. 8, 59), bis die Stunde gekommen ist; und vor
allem die Verklärung. Für Origenes bleibt der Logos eine Gott=
heit bis zur Eigenschaft der göttlichen Allgegenwart, auch wäh=
rend seines Daseins im Menschenleibe. Und so ist es das Ziel
der christlichen Entwicklung der Menschen, daß sie diesen gött=
lichen Logos in seiner ganzen Größe über der Menschengestalt
des Christus Jesus nicht verlieren.

Der Logos, von dem zunächst wie von einem leiblichen Wesen geredet wird und der als „Fleisch" verkündigt wird, ruft diejenigen zu sich, die da Fleisch sind. Erst bewirkt er, daß sie sich gestalten nach dem fleischgewordenen Logos. Dann aber führt er sie auf die Höhe, auf der sie ihn schauen, wie er war, bevor er Fleisch geworden ist.[60]

Damit ist gesagt, daß die christliche Verkündigung zunächst von dem leichter faßlichen Bilde des menschgewordenen Erlösers spricht und daß die erste Stufe des Christwerdens darin besteht, das eigene Menschentum dem Menschenbilde anzunähern, das der Christus Jesus darstellt. Die höhere Stufe des Christwerdens führt dann zu dem Erlebnis der Verklärung, von der Origenes auch im Anschluß an diese Stelle spricht. Verklärung heißt aber das Offenbarwerden des Logos in seiner göttlichen Gestalt, während die menschliche Gestalt sich auflöst.

In einem dunklen Worte deutet Origenes an anderer Stelle an, was er mit diesem Gewahrwerden des Logos in seiner eigenen Gestalt meint:

> Es sollte danach gesucht werden, ob es auch im menschlichen Wesensbereich ein Mittleres gibt zwischen dem „Der Logos ist Fleisch geworden" und dem „Ein Gott war der Logos". Ein Mittleres, das die Entsprechung wäre zur Auferstehung des Logos von seiner Fleischwerdung und zu seiner alsbaldigen Vergeistigung, durch die er wieder so wurde, wie er im Urbeginne war: der Gott Logos, der bei dem Vater ist.[61]

Das Mittlere im Dasein des Logos zwischen seiner Fleischwerdung und seinem wiederhergestellten göttlichen Urzustand ist eben die Auferstehung. Wenn nun Origenes nach einer Entsprechung zur Auferstehung des Logos im menschlichen Bereiche sucht, so meint er hier gewiß nicht die „Auferstehung

des Fleisches". Das geht schon aus der gegenseitigen Beleuch=
tung der beiden letzten Texte hervor. Ferner spricht Origenes
von der Auferstehung des Fleisches in einem ganz anderen
Sinne.[62] Und schließlich wäre die Auferstehung des Fleisches
hier gar keine Entsprechung zu der Vergeistigung des Logos *aus*
dem „Fleisch"=Zustand. Gemeint ist also ohne Zweifel die Auf=
erstehung des menschlichen *Bewußtseins* aus der Verdunkelung
durch den Erdenleib bis zur Selbstergreifung des Menschen in
seinem ursprünglichen, vom Logos geschaffenen geistigen Zu=
stand.

Der Logos ist der Erwecker des menschlichen Bewußtseins:

> „Das unsichtbare Wesen des Vatergottes wird, seit die Welt
> erschaffen ist, durch das Denken an seinen Werken ge=
> sehen" (Röm. 1, 20). Erwägen wir diese Schriftstelle, so
> könnten wir sagen: Wer zu dem Unsichtbaren gelangt, das
> schlechterdings als unwahrnehmbar bezeichnet wird, ist
> über die erschaffene Welt hinausgeschritten. Der Logos hat
> ihn über sie hinausgeführt in die Region über dem (sicht=
> baren) Himmel, und dort wird er in die Schau der Herrlich=
> keit versetzt.[63]

Origenes versteht das im Luthertext („so man des wahr=
nimmt") kaum erkennbare *νοούμενα* (noumena) des Paulus,
den Erkenntnisakt gegenüber den Werken der Schöpfung, als
eine Funktion des Logos im Menschen. Durch eine spirituelle
Naturwissenschaft erklärt der Logos im menschlichen Erkennt=
nisprozeß seine eigenen Taten beim Zustandekommen der Schöp=
fung. Im Erkenntnisprozeß führt der Logos über die erschaf=
fene Welt hinaus in das Unsichtbare. Diese Führung aber ist
die Vorstufe zur „Schau der Herrlichkeit".

Den Weg einer unmittelbaren Erleuchtung beschreibt Ori=
genes mit den Worten:

Der Logos öffnet uns die Augen der Seele. . . . Da das wahre Licht (der Logos) selbst in eine Seele eingegangen war (ἔμψυχον τυγχάνον), weiß es, wem nur der Abglanz gezeigt werden kann und wem das Licht selbst. Vor den Augen dessen, der seiner Schwachheit noch nicht Herr ge= worden ist, kann es seine volle Leuchtkraft nicht enfalten.[64]

Es ist die Rolle des Mystagogen, die von Origenes wie schon von Clemens auf den Logos übertragen wird. Was einst mit Hilfe eines menschlichen Hierophanten in der Mysterienein= weihung erreicht wurde, die Versetzung des Bewußtseins in die geistige Welt, ist nun in einen inneren Prozeß verlegt, der sich zwischen dem Menschen und dem Logos abspielt. Das Christentum des Origenes hatte die Funktionen der beiden Teile des religiösen Lebens der Antike übernommen, der Volks= religion und des Mysterienwesens. Der Volksreligion entsprach die Verkündigung der menschlich=vorbildlichen Seite im Wesen des Christus Jesus, dem Mysterienwesen die Erleuchtung durch den Logos. Die religiösen Elemente des Glaubens, der Hoffnung, der moralischen Vervollkommnung gehörten der ersten Stufe an und bildeten die Vorbedingungen für das höhere Erkenntnis= leben der zweiten Stufe. Das Wesen des Christus, das aus der Verbindung des Logos mit der Jesus=Seele entstanden gedacht war, offenbarte sich jedem Grade der Vollkommenheit auf an= dere Weise:

Wenn Jesus auch ein einheitliches Wesen war, so war er doch eine Mehrheit für die eindringende Betrachtung. Er wurde nicht von allen, die ihn sahen, auf gleiche Weise ge= schaut. Daß er für die eindringliche Betrachtung eine Mehr= heit war, geht klar hervor aus Worten wie ‚Ich bin der Weg, die Wahrheit und das Leben‘, und ‚Ich bin das Brot‘ und ‚Ich bin die Tür‘ und vielen anderen Worten. Daß er denen, die ihn sahen, nicht in gleicher Art sichtbar erschien, sondern einem jeden nach seiner Fassungskraft, wird denen klar werden, die darüber nachsinnen, warum er zu seinem Ge= staltwandel (Metamorphose) auf dem hohen Berg nicht alle Jünger mitnahm, sondern nur Petrus, Jakobus und Johannes. Sie allein hatten die Fassungskraft, seine Offen= barungs=Herrlichkeit (δόξα) zu schauen. Sie allein ver= mochten die im Offenbarungslichte sichtbaren Wesen des Moses und Elias zu erkennen und zu hören, was sie sprachen, und die Stimme zu vernehmen, die vom Himmel her aus der Wolke kam.[65]

Die drei in diesem Text enthaltenen Ich=bin=Worte sind wohl nicht zufällig in dieser Reihenfolge gebracht. Sie beginnen mit dem Symbol „Weg" für das Beschreiten des geistigen Pfades und enden mit dem Zeichen „Tür" für das Herankommen an die Schwelle der Geisteswelt. Daß Origenes das „Brot" auch in diesem symbolischen Sinne verstehen konnte, geht z. B. aus der Äußerung hervor: „Das Brot, von dem der Gott Logos be= zeugt, daß es sein Leib sei, ist der Logos, insofern er die Seelen nährt."[66] Damit wird ja die geistige Communion als eine Stufe der inneren Entwicklung betrachtet, die ihren richtigen Platz zwischen „Pfad" und „Tür" finden könnte. Der Logos als „Brot" ist die Wegzehrung auf dem Pfade.

Das Christentum des Origenes war eine „mystische Tat= sache". So ist ja nun schon zu erwarten, daß er besonders in den Stationen der Passion mehr als nur äußere geschichtliche Ereignisse erkannte:

Die Aufzeichnungen über das, was Jesus widerfahren ist, enthalten im bloßen Wortlaut und nur als geschichtliche Er= eignisse gesehen nicht den vollen Aspekt (θεωρία) der Wahrheit. Jedes von diesen Ereignissen erzeigt sich denen in seinem Symbolcharakter, die tiefer in die Schrift eindrin= gen. So offenbart sich die (tiefere) Wahrheit der Kreuzigung in dem Worte: „Mit Christus bin ich gekreuzigt" (Gal. 2, 20) und durch das Siegelwort: „Es geschehe mir nicht, daß ich mein Selbstbewußtsein in anderen Dingen suche als in dem Kreuz meines Herren Jesus Christus, durch das mir die Welt gekreuzigt ist und ich der Welt" (Gal. 6, 14). Sein Tod aber war erforderlich wegen des Sinnes, den das Wort hat: „Was er durch seinen Tod bewirkt hat, das hat er ein für allemal gegenüber der Sündenkrankheit erstorben" (Röm. 6, 10). Und dieser Tod war erforderlich wegen dessen, was der Gerechte (Paulus) meinte, wenn er sagt: „Seine Gestalt nehme ich an durch seinen Tod" (Phil. 3, 10) und: „Sterben wir mit ihm, so werden wir auch mit ihm leben" (2. Tim. 2, 11). Und so kommt auch sein Begräbnis über die, welche die Gestalt seines Todes angenommen haben und mit ihm gekreuzigt und gestorben sind. Das meint Paulus, wenn er sagt: „Durch die Taufe sind wir mit ihm begraben" (Röm. 6, 4) und werden mit ihm auferstehen.[67]

So kann Origenes an Hand der Mysteriensprache des Paulus eine ganze mystische Theologie des Kreuzes entwickeln. Sie be= sagt ja nichts Geringeres als dies: Kreuzigung, Tod, Begräbnis und Auferstehung des Christus, die sich äußerlich sichtbar er= eigneten, stellen Ur=Ereignisse dar, die uns Menschen instand setzen, ihrer auf den inneren Wegen teilhaftig zu werden. Was Christus durch seinen Tod der Macht der Sündenkrankheit abgerungen hat, eröffnet dem Menschen die Wege zur Wieder= belebung seines geistigen Wesens, zur inneren Auferstehung.

In kosmische Höhen führen uns schließlich die höchsten Ge= danken, die Origenes über den Logos ausspricht:

Wie es im Tempel Stufen gab, über die man in das Aller= heiligste eintrat, so stellt der Eingeborene Gottes die ganze Zahl unsrer Stufen dar. Die erste unterste ist das Mensch= liche in ihm. Von dieser aus nehmen wir den Weg über die folgenden Stufen dessen, der in seinem Wesen den ganzen Stufenweg enthält. So schreiten wir durch ihn aufwärts, auch insofern er Engel ist und alle geistigen Mächte in sei= nem Wesen trägt.[68]

Damit tun wir einen Blick über die Erdenentwicklung hinaus in künftige Äonen, in denen der Mensch in der hierarchischen Ordnung von Stufe zu Stufe aufsteigt. Der Logos ist für Ori= genes nicht nur der Führer der Menschheitsentwicklung auf der Erde, sondern der Hierophant auf dem kosmischen Wege durch die Äonen. Und nicht nur auf die Menschen erstreckt sich seine geistige Führung:

Der Gott des Alls hat einen obersten Rang geistiger Wesen ($\lambda o\gamma\iota\varkappa o\iota$) geschaffen, der am meisten vermag. Es sind, wie ich glaube, die als Götter bezeichneten Wesen. Und einen zweiten Rang, der den Namen Throne hat, und einen drit= ten, die Archai. So kann man die Reihe der geistigen Wesen herabsteigen bis zum untersten, dem Menschen. Nun ist aber der Erlöser in einem viel umfassenderen, göttlichen Sinne als Paulus „allen alles geworden, um alle zu gewin= nen" (1. Kor. 9, 22) und zu vollenden, und so wurde er den Menschen ein Mensch und den Engeln ein Engel.[69]

Mit diesem wunderbaren Gedanken über die kosmische Mis= sion des Logos im Bereiche aller Hierarchien sei diese Darstel= lung der Logoslehre des Origenes abgeschlossen. Sie hatte sich aus Raumgründen auf einige Grundzüge zu beschränken. Auf die Schilderung der Bedeutung des Logos für das Verständnis der heiligen Schriften wurde verzichtet, da sich die wichtigsten darauf bezüglichen Texte bei E. Bock, Beiträge zum Verständnis des Evangeliums, Lieferung 25, finden.

SCHLUSSWORT

Das Johannes=Evangelium hält die Ankunft der ersten Grie=
chen bei Christus bis in die Einzelheiten fest. Schon ist die
Karwoche angebrochen. Unter den Scharen, die zur Feier des
Passahfestes nach Jerusalem gezogen waren, kamen auch einige
Griechen an, die den jüdischen Glauben angenommen hatten.
Außer der Begehung des hohen jüdischen Festes bewegt ein
anderes Anliegen ihre Herzen. Sie wollen Jesus sehen. Mit die=
sem Wunsche wenden sie sich an einen Jünger, der seinem
Namen nach auch griechischer Herkunft war, an Philippus.
Dieser bespricht sich mit dem anderen Träger eines griechischen
Namens im Jüngerkreise, mit Andreas. Beide überbringen dann
Christus den Wunsch der Griechen (Joh. 12, 20—22). Warum
diese zunächst rein äußere Begebenheit festgehalten ist, er=
klärt sich erst aus der Bedeutung, die Christus diesem Ereignis
beimißt. Als hätten die ersten Repräsentanten griechischer Gei=
stesart noch ihre Augen auf ihn richten müssen, wie auf ein
letztes erwartetes Signal des Weltenschicksals brechen aus dem
Munde des Christus die Worte hervor: „Gekommen ist die
Stunde, daß der Sohn des Menschen offenbar werde in seiner
Geistgestalt." Und es folgt das Gleichnis von dem Samenkorn,
das in der Erde ersterben muß, die Ankündigung des Hinganges.
Wollte ein Dichter für ein historisches Schauspiel Gestalten er=
finden, durch welche die Logoslehre mit Christus zusammen=
traf, so müßten es Männer sein, die als Griechen die stoische
Gedankenwelt kannten, etwa in Alexandria sich unter Philos
Einfluß zum Judentum gewandt hatten und nun auf die Kunde

von Christus hin an die Jünger griechischen Namens die Bitte richteten: „Wir wollen Jesus sehen."

Wie ein Blitz erleuchtet diese Szene, was der Gegenstand der Untersuchung dieses Buches gewesen ist. Die Logoslehre war die reifste Frucht der griechischen Gedankenwelt. Sie wurde zum Samen der Erkenntnis des Christus als des Weltenwortes, des göttlichen Sohnes.

Wir gewinnen einen tiefen Einblick in die geistige Führung der Menschheit auf das Christus=Ereignis hin, wenn wir zum Abschluß noch einen Hauptgedanken der Logoslehre verfolgen, der als ihr Lebensnerv betrachtet werden kann.

Am Anfang der Logoslehre stand bei Heraklit der Satz:

„Der Seele ist der Logos eigen, der aus sich selbst wächst."

Der Logos im Menschen als der Keimpunkt der weiteren Ent= wicklung des Menschenwesens, das war Heraklits entscheiden= der Gedanke. Die Logostaten draußen in der Welt sind ab= geschlossen, die Schöpfung der Natur ist vollständig. Aber im Mensdeninnern keimt der Logos noch zur Weiterentwicklung des Menschenwesens, das noch nicht abgeschlossen ist.

Das hatte am Ende der stoischen Schule Seneca mit dem Satze ausgesprochen:

„Die Natur gab uns den Logos unvollständig. Aber er kann vollendet werden."

In der Mitte der Zeiten steht der Satz des Johannesevan= geliums:

„Und der Logos ward Fleisch."

Die christlichen Logoslehrer verstanden die Menschwerdung des Logos so, daß damit das Samenkorn eines hundertfachen Logoswerdens in das Saatfeld der Menschheit gelegt war. Und Origenes bildete die Lehre vom Hegemonikon, vom Ich aus, in dem das Logoswerden des Menschen stattfindet.

271

Und dann lesen wir das Amen zu dem ersten Satze des Hera=
klit bei Paulus:

„Die Hoffnung ist in den Himmeln in euch gelegt. Ihr habt
von ihr gehört durch den Logos der Wahrheit, der im Evan=
gelium spricht. Er ist zu euch gekommen und trägt Frucht und
wächst wie im ganzen Kosmos, so auch in euch" (Kol. 1, 5 f.).

Und in der Apostelgeschichte findet sich der Satz:

„Und der Logos Gottes wuchs, und die Zahl der Jünger
wurde groß."

Nur im Griechischen kommt die Symphonie dieser Sätze ganz
zum Ausdruck:

$$\Psi v \chi \tilde{\eta} \varsigma\ \dot{\varepsilon} \sigma \tau \iota \nu\ \lambda \acute{o} \gamma o \varsigma\ \dot{\varepsilon} a v \tau \grave{o} \nu\ a \ddot{v} \xi \omega \nu.$$

Heraklit

$$K a \grave{\iota}\ \acute{o}\ \lambda \acute{o} \gamma o \varsigma\ \sigma \grave{a} \varrho \xi\ \dot{\varepsilon} \gamma \acute{\varepsilon} \nu \varepsilon \tau o.$$

Joh. Ev.

$$\mathrm{'} E \nu\ \pi a \nu \tau \grave{\iota}\ \tau \tilde{\omega}\ \varkappa \acute{o} \sigma \mu \omega\ \dot{\varepsilon} \sigma \tau \grave{\iota} \nu\ \varkappa a \varrho \pi o \varphi o \varrho o \acute{v} \mu \varepsilon \nu o \nu$$
$$\varkappa a \grave{\iota}\ a \mathring{v} \xi a \nu \acute{o} \mu \varepsilon \nu o \nu\ \varkappa a \vartheta \grave{\omega} \varsigma\ \varkappa a \grave{\iota}\ \dot{\varepsilon} \nu\ \acute{v} \mu \tilde{\iota} \nu.$$

Paulus

$$K a \grave{\iota}\ \acute{o}\ \lambda \acute{o} \gamma o \varsigma\ \tau o \tilde{v}\ \vartheta \varepsilon o \tilde{v}\ \eta \ddot{v} \xi a \nu \varepsilon \nu.$$

Apost. Gesch.

ANMERKUNGEN

1. Kapitel: Heraklit

1 Friedrich Hiebel: Die Botschaft von Hellas, Bern 1953, S. 102 f.
2 Neuere Forscher nehmen 544 bis 541 als Geburtsjahr an. Siehe Barth = Goedeckemeyer: Die Stoa, S. 2.
3 J. Keil, Ephesus, 1930
4 Die Weltgeschichte in anthroposophischer Beleuchtung, 5. Vortrag, 28. Dezember 1923
5 Ebenda
6 Clemens Alexandrinus: Protreptikos 22. Fragment 14 bei Diels: Die Fragmente der Vorsokratiker, die künftig immer mit der Nummernangabe der Fragmente gemeint sind. Es sei hier bemerkt, daß eine Übersetzung der Fragmente auf Grund des Versuches, vom anthroposophischen Verständnis für das Mysterienwesen auszugehen, vielfach von den oft ganz unverständlichen Übersetzungen abweicht, die ohne dieses Verständnis zustande kamen. Daß dabei jede Willkür vermieden, strengste philologische Treue gewahrt wird, führt gerade häufig erst zur Erschließung des Sinngehaltes. Doch ist in diesem Buche nicht der Ort, diese eigenen Übersetzungen im einzelnen zu rechtfertigen.
7 Bausteine zu einer Erkenntnis des Mysteriums von Golgatha, 2. Vortrag, 3. April 1917
8 Wie 4
9 Wie 4: 3. Vortrag, 26. Dezember 1923
10 Wie 9
11 Wie 4: 4. Vortrag, 27. Dezember 1923
12 Paidagogos I, 35 und 36
13 Diels 40
14 Diels 129
15 E. Pfleiderer: Heraklit von Ephesus, S. 54 f. Heinze: Lehre vom Logos, S. 11
16 Diels 41
17 Rhetorik 5. 1407
18 Pfleiderer a. a. O. S. 35
19 Diogenes Laërtius IX, 6
20 Diels 121
21 Euripides (480—406) nennt den Philosophen einen Mann, „der der Natur, dem ewigen All, wie es einst entstand und aus welchen Kräften, sein Denken weiht".
22 Diogenes Laërtius IX, 5
23 Natorp: Rheinisches Museum 38, 65 suchte sich z. B. zu helfen, indem er das Wort Logos auf das Buch Heraklits bezog

und also die ersten Worte mit „Diese meine Rede ..." über= setzte, obwohl er damit schon mit den anschließenden Wor= ten, die dem Logos das ewige Sein zusprechen, in unlösbaren Konflikt kommen mußte und obwohl das Wort Logos noch im gleichen Satz unabweisbar in seiner kosmischen Bedeutung vorkommt.

25 Anathon Aall: Geschichte der Logosidee I, S. 31

25 Diels 1

26 Diels 101

27 Diels 115

28 Diels 39

29 Diels 2

30 Joh. 8, 31. 32

31 Diels 72

32 Joh. 15, 5

33 Diels 14: „Den einen droht er mit Strafe nach dem Tode, den anderen mit dem Feuer."

34 Christlicher Lehrer, 1. Hälfte des 3. Jahrhunderts

35 Diels 50. Ich halte es mit Heinze und Aall für nicht erlaubt, das bei Hippolyt, Ref. haer. 9, 9 stehende εἰδέναι durch εἶναι zu ersetzen, um sich das Ver= ständnis des Satzes zu erleich= tern. Gerade das εἰδέναι ist ein echter Ausdruck der My= steriengesinnung Heraklits.

36 Gal. 2, 20

37 2. Kor. 13, 3

38 Diels 45

39 Pfleiderer a. a. O. S. 229. Hera= klits ὁδός deckt sich am näch= sten mit dem modernen Be= griff „Entwicklung".

40 1. Kor. 15, 45; Kol. 1, 28

41 Eph. 4, 13. 15. Diese wenigen Zeilen enthalten drei Grund= begriffe Heraklits: die Einheit (im Logos: ἑνότης); das μέτρον, das im Zusammenhang mit dem Logos stets in der Bedeutung von „angenommene Gestalt" auftritt und das Hineinwach= sen (αὐξάνειν) in den Logos bzw. das Wachsen des Logos in der Seele.

42 Über den auch in der Anthro= posophie bekannten Zusam= menhang zwischen Logos und dem Urelement der Wärme siehe die Vorträge R. Steiners vom 1. April 1907, 16. Septem= ber 1907, 2. Dezember 1923.

43 Siehe auch die begriffliche Ab= grenzung bei Aall I, 46.

44 Diels 31

45 Geheimwissenschaft im Umriß

46 Von einem Zeitalter, das unter der Regentschaft des Erzengels Michael stand, bis zum näch= sten. Das erstere reichte von 600 bis 250 vor Christus und umfaßte die Lebenszeit Hera= klits. Das jetzige begann 1879 und brachte die Anthroposo= phie R. Steiners.

47 Matth. 24, 35

48 Joh. 17, 5

49 Joh. 1, 3

50 Diels 87. Das πᾶς vor λόγος kann hier nicht den Sinn von „jeder" haben, sondern die ja ebenso häufige Bedeutung von „ganz", „voll".

51 Protr. I 82, 3

52 Clemens gebraucht für den Lo= gos auch das Bild des zwei= schneidigen Schwertes. Er folgt damit der Apokalypse (1, 16;

2, 12), dem Hebräerbrief (4, 12) und dem Epheserbrief (6, 17). An der letzteren Stelle ist mit aller Deutlichkeit die Schei= dung der niederen von einer höheren Bewußtseinsart ge= meint. Der Logos als Schwert hat dann die gleiche Funktion wie das gezückte Schwert in den Initiationsriten. Siehe auch Eph. 6, 17, wo das Wort Gottes als Schwert des Geistes be=

zeichnet wird, und das Chri= stuswort Matth. 10, 34: Ich bin nicht gekommen Frieden zu bringen, sondern das Schwert.
53 Diels 50
54 Bywater, Fragm. 131
55 Ezech.=Hom. I, 7
56 Diog. Laërt. XI, 16
57 Das Christentum als mystische Tatsache, Kap. „Die griechi= schen Weisen vor Plato"
58 Pfleiderer a. a. O. S. 351 A

2. Kapitel: Ausbau der Logoslehre in der Stoa

1 R. Steiner: Wie erlangt man Erkenntnisse der höheren Wel= ten?, Kap. „Kontrolle der Ge= danken und Gefühle"
2 Meditationes VI, 1
3 Ebenda IV, 40 (Platon im Timaios 30 B: κόσμος ζῶον ἔμψυχον καὶ ἔννοιον)
4 Diog. Laërt. VII, 138
5 Nestle: Die Nachsokratiker Nr. 36. Auch das Adjektiv λογικός bleibt am besten un= übersetzt, da die gewöhnliche Wiedergabe mit „vernünftig" unzureichend ist.
6 Die Lehre vom Logos, Olden= burg 1872
7 A. a. O. I, 127
8 Supplic. p. Chr., Kap. 6
9 Luc. 12, 49
10 Praeparatio evangelica XV, 14
11 IV, 36
12 Comm. not. 35. Siehe auch Sto= bäus, Ekl. I, 44: τὴν οὐσίαν μεταβάλλειν οἷον εἰς σπέρμα, εἰς πῦρ.
13 2. Petr. 3, 7. Das πυρὶ τηρούμενοι könnte sprachlich besser als „durch das Feuer erhalten"

verstanden werden, wenn dies auch aus dem geläufigen An= schauungskreis des NT her= ausfallen würde. Dann wäre das Urfeuer gemeint, das die Schöpfung auch während ihrer Dauer erhält, um sie endlich durch die ἐκπύρωσις wieder in sich aufzulösen.
14 1. Kor. 3, 13
15 E. Bock: Paulus, S. 49 ff.
16 Diog. Laërt. VII, 136
17 Diels: Doxographia Graeca 395. Philo unterscheidet geradezu die σπερματικαὶ οὐσίαι (die materiellen Samen) von den ἄδηλοι καὶ ἀφανεῖς λόγοι (den unsichtbaren und nicht in Er= scheinung tretenden Logoi) (De mundi oppif. I, 9), und Stobäus, Ecl. Phys. I, 5, nennt den Logos spermatikos schlechthin ein αἰθέριον σῶμα, eine ätheri= sche Gestalt.
18 2. Petr. 3, 5
19 Hermann Beckh: Der Ursprung im Lichte, S. 14 ff.
20 Aus der Welt der Psalmen, 2. Aufl. 1958, S. 253 f.

21 Luc. 8, 11
22 Adv. Math. IX, 103. 575
23 1. Petr. 1, 23—25
24 Eclogae I, 792
25 Wahrspruchworte, 1. Auflage, S. 41
26 Sextus Empiricus, Adv. Math. VII, 93
27 Goethes Naturwissenschaft=liche Schriften, herausgegeben von Rudolf Steiner, Bd. 3, S. 88
28 Enneaden I, 6, 9
29 Astronomica II, 115
30 Origenes, Contra Celsum VII, 45
31 Epistolae 49. 11
32 Galenos, Dogm. Plat. et Hip=pocr. II, 5
33 Heinze a. a. O. S. 142
34 De natura deorum II, 66
35 Epist. 41, 2
36 A. a. O. I, 139
37 De fin. bon. et mal. 7, 23
38 Diog. Laërt. VII, 86
39 V, 27
40 Kol. 3, 3
41 Gegenwärtiges Geistesleben und Erziehung, 4. Vortrag,

9. August 1923
42 Epist. IV, 21
43 Stobäus: Eclogae I, 876
44 Diog. Laërt. VII, 88
45 Epist. 92, 27, gleichlautend bei Marc Aurel VII, 53: κοινὸς θεοῖς καὶ ἀνθρώποις λόγος.
46 Eusebios: Praep. ev. XV, 15
47 Handbuch XV
48 Eph. 2, 19
49 Epist. 31, 9
50 Joh. 15, 15
51 Marc Aurel VI, 13
52 Joh. 15, 5
53 Marc Aurel XII, 26
54 Joh. 1, 12. 13
55 Joh. 10, 34 f. und Psalm 82, 6
56 Kol. 1, 15 f.
57 Nestle: Nachsokratiker Nr. 13
58 Barth = Goedeckemeyer: Die Stoa, S. 37
59 Marc Aurel III, 11
60 Theätet 189 E
61 De abstinentia III, 3
62 De natura hominum 14
63 Barth=Goedeckemeyer a. a. O. S. 61 f.
64 Ad Autolykon II, 10 und 22

3. Kapitel: Die Logoslehre im Judentum

1 RGG, 2. Aufl., V, 1804 ff.
2 Hippolyt, Ref. VI, 35
3 Bei den Datierungsfragen sol=cher Schriften ist wie etwa auch im Falle des Dionysius Areopagita zu berücksichtigen, daß die philologische Forschung und auch historische Anhalts=punkte in den Texten selbst nur Schlüsse auf die Zeit der literarischen Fixierung der be=treffenden Inhalte zulassen. In den jüdischen Weisheitsschu=len mögen diese Inhalte schon jahrhundertelang in mündli=cher Tradition gelebt haben. In diesem Sinne mag der Name Salomo im Titel dieser Bücher so gerechtfertigt sein wie der Name des Dionysius Areopa=gita über den Schriften, welche die neuere Forschung erst um 500 n. Chr. ansetzen möchte.
4 Sprüche Salomos 8, 22—32
5 Steiner: Geheimwissenschaft und Theosophie

6 Ob die seit Elter und Wilbrich angenommene Unechtheit der Aristobulfragmente zu Recht besteht, ist für unseren Zusammenhang ohne erhebliche Bedeutung. Origenes hatte an den Schriften Aristobuls noch keinen Zweifel (c. Celsum IV, 51).

7 Euseb., Praep. ev. XIII, 12. Übersetzung bei P. Riessler: Altjüdisches Schrifttum S. 182, der ich hier aber nicht ganz folgen kann.

8 Ebenda

9 Weisheit Salomos 18, 15

10 Siehe hierzu Emil Bock: Moses und sein Zeitalter, 1. Aufl. S. 45

11 Siehe E. Bock: Cäsaren und Apostel, 1. Aufl. S. 40

12 Aall a. a. O. I, 188; Heinze a. a. O. S. 205

13 Den folgenden Übersetzungen liegt der von L. Cohn und P. Wendland edierte griechische Text zugrunde (Berlin 1896 bis 1916). Die Stellenverweise nennen Band= und Seitenzahl der Editio minor. Zitate nach anderen Ausgaben sind besonders vermerkt.

14 De migratione Abrahami II, 273

15 Vita Mosis IV, 114. Soweit ich sehen kann, nehmen diese Logophanien in *einem* Falle einen anderen Charakter an, nämlich bei Melchisedek (Legum allegor. III, I, 124). Hier erscheint der Logos nicht als Wahrnehmung, sondern geradezu als handelndes Subjekt des „Priesters des Allerhöchsten". Und damit ist der als Wesenheit (und nicht mehr nur als Vernunftprinzip wie bei den Stoikern) angesehene Logos zum erstenmal als einem Menschenwesen immanent aufgefaßt.

16 Quaestiones in Exodum, ed. Harris, S. 67

17 De profugis I, 561 (Mangey)

18 De confusione linguarum II, 231, 247; de agricultura II, 100

19 Heinze a. a. O. S. 291

20 De somniis II; III, 280

21 Legum allegor. II; I, 98

22 De fuga et inventione III, 118

23 An Autolykos II, 10

24 Luk. 2, 19 und 51

25 De migr. Abr. II, 266 f.

26 De conf. ling. II, 231

27 Siehe E. Bock: Urgeschichte, 1. Aufl. S. 20 f.

28 Joh. 5, 19 f.

29 De mundi oppificio III, 6 mit der von Heinze S. 192 verwendeten Textvariante

30 Joh.=Kommentar XIX, 22

31 Leg. alleg. I; I, 55

32 Ebenda

33 De mundi opp. II, 38

34 Ebenda

35 Quis rerum divinarum heres III, 29 f.

36 De mundi opp. II, 42

37 De profugis (Mangey) I, 562

38 Vita Mosis III; IV, 188 f. Hier wird der griechische Name des Brustschmuckes des jüdischen Hohenpriesters, des mit zwölf Edelsteinen besetzten Schildes: „Logeion", damit begründet, daß auch die Farben dieser Steine Taten des Logos darstellen.

39 De somniis III, 233

40 In Anlehnung an die Überset=
zung von E. Bock in „Die Chri=
stengemeinschaft" XXI, 318
41 Heinze, S. 226 ff.; Aall I, S.
207 ff.; Hauptstelle bei Philo:
Quis rer. div. heres II, 24 ff.
42 Diels 53, 80
43 Diels 10
44 Vita Mosis II; IV, 189
45 Quaestiones in Exodum (Har=
ris), S. 67
46 Quis rer. div. heres III, 39
47 Siehe Joh. 5, 46: „Moses hat
von mir geschrieben."
48 De migr. Abr. II, 283
49 Joh. 17
50 De Cherubim I, 177
51 Leg. alleg. III; I,148
52 16, 12
53 Ps. 107, 20
54 1. Moses 19, 23—24
55 De somniis I; III, 207
56 Joh. 14, 2—3
57 Quis rer. div. heres III, 16
58 Joh. 3, 13
59 Joh. 6, 38, so auch Vers 33, 41,
42, 50, 51, 58
60 5. Mos. 14, 1
61 De conf. ling. II, 247
62 Matth. 5, 9. 45; Luc. 6, 35

63 Luc. 20, 36
64 Röm. 8, 14—15
65 Vita Mosis II; IV, 189
66 De migr. Abr. II, 294 f.
67 Joh. 15, 14 f.; Luc. 12, 4
68 Matth. 12, 50; Röm. 8, 29
69 Joh. 14, 12. Hierzu auch Marc.
16, 20 als Beginn der Erfüllung
dieser Verheißung.
70 Quis rer. div. heres III, 15
71 Joh. 6, 31 und 49, 50
72 Leg. alleg. III; I, 147
73 Quis rer. div. heres III, 36
74 De somniis II; III, 281 f.
75 Joh. 6, 51
76 Wendland: Neuentdeckte Frag=
mente Philos, S. 9
77 Bausteine zu einer Erkenntnis
des Mysteriums von Golgatha,
6. Vortrag. Siehe auch Das
Christentum als mystische Tat=
sache, 5. Aufl., S. 33, 57 f., 102,
126
78 Joh. 8, 58
79 L. Cohn: Die Werke Philos
von Alexandrien, 1. Teil, S. 21
80 Act. 18, 24—28
81 1. Kor. 1, 12; 3, 4—6
82 Siehe hierzu E. Bock: Paulus,
S. 150 f.

4. Kapitel: Die ersten Lehrer des Christentums

1 Oxyrhynchos=Papyrus Nr. 1.
Siehe W. Michaelis: Die Apo=
kryphen zum Neuen Testa=
ment, S. 24. Vollständig bei
Aall a. a. O. II, 209
2 Siehe R. Spörri: Vom Geiste
des Urchristentums, S. 38 ff.
Ein Teil des Briefes an die
Epheser, von E. Bock übersetzt
in „Die Christengemeinschaft"
XV, 308

3 Eph. 20, 2. Ignatius hat den
Ausdruck φάρμακον άθανασίας
nicht selbst geprägt. Er stammt
aus dem Isiskult. (Die aposto=
lischen Väter, herausg. von Jos.
A. Fischer, S. 161, Anm. 98.)
4 Eph. 7, 2
5 Magn. 8, 2
6 Eph. 15, 1 f.
7 Eph. 19, 1
8 Eph. 17, 2

9 Röm. 8, 2

10 Smyrn. 4, 2

11 Röm. 4, 1

12 Joh. 12, 24

13 Röm. 2, 1

14 Dialog mit Tryphon, C. 2—8

15 Dial. 8. Mit geringen Änderun= gen zitiert nach Bibliothek der Kirchenväter (Kösel), Bd. 33

16 Christlicher Lehrer der zweiten Hälfte des 2. Jahrhunderts

17 Apol. I, 7

18 Von Campenhausen: Griechi= sche Kirchenväter, S. 15

19 Apol. II, 6

20 Dial. 62

21 Einer besonderen Untersuchung bedürfte der Gebrauch der Namen der Hierarchien in den logosophischen Schriften. Die Dynameis tauchen zuerst in der vorchristlichen Schrift Περὶ κόσμου (5. 396 b) auf, aber noch nicht in einem eindeuti= gen Sinne. Aus der Septua= ginta kommen über Philo die Bezeichnungen für alle neun Hierarchien in die Logosophie. Bei Justin begegnen die Na= men der Angeloi, der Archai und der Dynameis.

22 Apol. I, 32

23 Dial. 85

24 Dial. 43

25 Apol. I, 46

26 Ebenda

27 Apol. II, 10

28 Apol. II, 13

29 Apol. I, 32; II, 8

30 Apol. II, 13

31 Apol. I, 62

32 Apol. I, 63

33 1. Kor. 10, 1—4

34 Apol. I, 36

35 Apol. I, 33

36 Apol. I, 21: Ἑρμῆν μὲν τὸν λόγον ἑρμηνευτικὸν καὶ πάντων διδάσκαλον. Ähnlich I, 22

37 Noch Hippolyt identifiziert den Logos mit Hermes (Ref. haer. IV, 48)

38 Apol. I, 22

39 Apol. I, 8

40 Apol. I, 21

41 Apol. II, 6

42 Zu diesem Abschnitt: Um nicht Gefahr zu laufen, eines ge= färbten Bildes Justins gezienen zu werden, sei vermerkt, daß seine Universalität gewisse Grenzen hatte. So war er mit Philo der Meinung, die grie= chischen Weisen hätten ihre entscheidenden Einsichten von Moses empfangen. Und die antiken Göttermythen und Kulte hielt er gelegentlich auch für das Werk böser Dämonen, besonders wenn sie die Logos= Wahrheit „nachäffen". So hät= ten diese Dämonen die Men= schen vom Zugang zur eigent= lichen Offenbarung abhalten wollen. Doch brauchen uns diese Irrtümer und Widersprü= che in Justins Schriften hier nicht zu beschäftigen. Zur Rechtfertigung der letztge= nannten Ansicht sei gesagt: Das gleiche mythische oder kultische Element kann positiv und negativ beurteilt werden, je nach der Zeit, in der es in Betracht gezogen wird. Ist es, wie hier von Justin, als ein vorbereitendes Element ange= sehen, so wird es als im guten Sinne wirksam bezeichnet wer=

den können, solange dasjenige nicht eingetreten ist, worauf es vorbereitet hat. Besteht es aber über die Zeit der Vorbe=reitung hinaus und verhindert die Wahrnehmung der Erfül=lung des Vorbereiteten, so kann es mit Recht als übel wir=kend beurteilt werden.

43 Dial. 56

44 Apol. II, 5

45 Apol. I, 23: τῇ βουλῇ αὐτοῦ (τοῦ πατρὸς) γενόμενος ἄνθρωπος.

46 Apol. I, 5

47 Apol. I, 46

48 Dial. 105

49 Apol. I, 60. Die Stelle findet sich bei Platon im „Timaios" (p. 36 f.). Dort spricht Platon aber von der „Weltseele", die auf das Weltenkreuz ausge=spannt ist. Die Identifizierung dieser „Weltseele" mit dem Logos ist problematisch, geht jedenfalls aus Platons Text nicht hervor.

50 Apol. I, 55

51 Ebenda

52 Apol. I, 63

53 Apol. I, 18

54 Apol. I, 19. Die letzten Worte sind Paulus=Zitat, 1. Kor. 15, 53

55 Apol. I, 33

56 Stromateis V 3, 16

57 Eph. 18, 2; Röm. 7, 3

58 Eph. 20, 2; Smyrn. 1, 1

59 Apol. I, 43; siehe auch II, 6

60 Apol. II, 9

61 Apol. II, 6

62 Apol. I, 32

63 Apol. I, 14

64 Die Parallele zu dem von Philo für die Gemeinschaft mit dem Logos gebrauchten Bilde des Symposions, das dann Epiktet aufnahm, bildet in der jüdisch=christlichen Entwicklungslinie der Ausdruck τράπεζα κυρίου (Tisch des Herrn). Er tritt zu=erst bei Maleachi (1, 7. 12) in der LXX auf und wird von Paulus (1. Kor. 10, 21) aufge=nommen. Die ägyptische Paral=lele findet sich im Serapis=Kult, wo von einem „Tische des Kyrios Serapis" die Rede ist (Bousset: Kyrios Christos, S. 86)

65 Apol. I, 66

66 Siehe Vortrag vom 2. Juli 1905 und im Zyklus: Der Mensch im Lichte von Okkultismus, Theo=sophie und Philosophie, Chri=stiania 1912, 10. Vortrag

67 Apol. I, 13

68 Joh. 1, 29. 36

69 Z. B. Jes. 53, 7; Jer. 11, 19

70 1. Kor. 5, 7

71 Dial. 3

72 Stobäus, Eclogae I, 444. Siehe auch Euseb., Praep. ev. XV, 15

73 Apol. I, 10; Dial. 41

74 Apol. II, 6

75 Diels 75. Siehe „Die Christenge=meinschaft" XXIX, 1957, Heft 5, S. 139

76 Apol. I, 10. Der Satz ist aus zwei Stellen dieses Kapitels, aber wörtlich gebildet.

77 Apk. 20, 4

78 Athenagoras und die ihm zuge=eigneten Schriften. Programm. Kalksburg 1909

79 Suppl. 10, Übersetzung von Anselm Eberhard in der Kösel=schen Bibliothek der Kirchen=väter, Bd. 12, mit einigen Ab=

weichungen des Verf. Siehe
auch Suppl. 24
80 Ebenda
81 Suppl. 34
82 Suppl. 24 und 25
83 Suppl. 25
84 Suppl. 35
85 De resur. 12
86 De resur. 13
87 Suppl. 12
88 Ad Autolyk. I, 14
89 Siehe E. Bock: Paulus, S. 113 f.;
116 f. und W. Bousset: Kyrios
Christos, S. 75 f.
90 Ad Autolyk. II, 10
91 Ad Autolyk. II, 22. Christus
als πρόσωπον auch bei Cle=
mens, Strom. V 34, 1; VII 58,
3, als φωνή Strom. VI 34, 3
92 2. Kor. 4, 4 und 6
93 Ad Autolyk. II, 10
94 Ad Autolyk. I, 7
95 Diog. Laërt. VII, 55
96 De somniis I; III, 196; siehe
auch de migr. Abr. II, 269
97 Ad Autolyk. II, 22; siehe auch
II, 10
98 Ad Autolyk. II, 10; siehe auch
I, 3; II, 22
99 Ad Autolyk. II, 17

100 Röm. 8, 19 ff.
101 Übersetzungen daraus in „Die
Christengemeinschaft" XV/
224 und XXI/115 ff.
102 VIII, 5
103 Es besteht kein Anlaß, das
im Codex enthaltene ποιῆσαι
durch νοῆσαι zu ersetzen, wie
es üblich geworden ist. Denn
das συνεργεῖν der Menschen
mit dem Heilsplan Gottes ist
eine damals geläufige Vorstel=
lung. Es widerspricht auch m.
E. dem Sinn und der In=
terpunktion der Handschrift,
das προσεδόκησεν der Hand=
schrift von προσδοκάω statt
von προσδοκέω abzuleiten
und mit der Phrase „Wer von
uns hätte das jemals erwar=
tet?" zu übersetzen (Rau=
scher).
104 VIII, 9—11
105 XI, 2, 4, 7. Für diese Untersu=
chung ist es ohne Belang, ob
die beiden letzten Kapitel ur=
sprünglich zu diesem Brief
gehörten.
106 X, 6
107 VII, 2, 4

5. Kapitel: Clemens von Alexandria

1 E. Bethe, Tausend Jahre alt=
griechischen Lebens, S. 117
2 Vopiscus, Vita Saturnini 8, 2
3 Siehe E. Benz: Indische Ein=
flüsse auf die frühchristliche
Theologie
4 Hist. Eccl. VI, 19, 6
5 Ebenda V, 10, 2
6 Vita Plotini 3
7 Ebenda
7 a Siehe hierzu R. Steiner, Vor=

trag vom 16. Juli 1922
8 Vita Plot. 14
9 Enneaden III, 2, 15
10 Enneaden III, 2, 16
11 Civ. dei X, 29
12 Enneaden III, 2, 2
13 Enneaden III, 2, 16
14 Enneaden I, 6, 2—3
15 Porphyr: Vita Plot. 2. Verglei=
che hierzu den 1. Satz von R.
Steiners „Leitsätzen": „An=

throposophie ist ein Erkennt=
nisweg, der das Geistige im
Menschen zum Geistigen im
Weltall führen möchte."

16 Bidez: Kaiser Julian. Siehe
auch Fr. Doldinger: Kaiser Ju=
lian, der Sonnenbekenner

17 Siehe den ausgezeichneten Ro=
man von Charles Kingsley:
Hypatia

18 Über Synesios siehe von Cam=
penhausen: Griechische Kir=
chenväter. Dazu Falck=Ytter:
Synesius von Cyrene in „Die
Christengemeinschaft" XXVIII/
15 ff.

19 Stromateis I, 11, 1. 2

20 Chronik, zum Jahre 194

21 Strom. I, 14, 1

22 W. Bousset: Jüdisch=christli=
cher Schulbetrieb in Alexan=
dria und Rom

23 Dafür spricht nicht nur die al=
lerdings nicht eindeutige Stelle
bei Euseb, Praep. ev. II, 2, 64,
sondern die an mehreren Stel=
len zutage tretende Vertraut=
heit des Clemens mit den Sym=
bolen dieser Mysterien. Zudem
konnte er Prot. I, 12, 1 nicht
sagen, er wolle die Geheim=
nisse der Mysterien nicht ver=
raten, wenn er sie nicht ge=
kannt hätte.

24 Hist. Eccl. VI, 11, 5 f.

25 Ebenda VI, 14, 9

26 Paid. I, 1, 2

27 Strom. I, 20, 4

28 Siehe über diese Diskussion
die zusammenfassende Dar=
stellung von O. Stählin in der
Einleitung zu seiner Clemens=
Übersetzung in der Köselschen

Bibliothek der Kirchenväter,
S. 29—35.

29 Strom. VII, 110 f. Für die Zi=
tate aus den Stromateis ist die
Übersetzung von Franz Over=
beck (ed. Bernoulli, 1936), aus
Prot. und Paid. die Überset=
zung von O. Stählin benützt.

30 A. a. O. S. 38

31 Strom. V, 87, 2

32 Ebenda 4

33 Strom. VI, 89, 1 nach O. Stäh=
lin a. a. O. S. 55

34 Ebenda 2 nach Overbeck

35 Strom. VI, 42

36 Ebenda 43

37 Strom. I, 28

38 Strom. I, 99, 1

39 Strom. VII, 6, 4. Siehe hierzu
Strom. VI, 57 f.

40 Prot. I, 7, 3

41 Strom. VI, 61, 3

42 De principiis IV, 2, 2. Siehe
hierzu A. Lieske: Die Theolo=
gie der Logosmystik bei Ori=
genes, S. 94, Anm. 19

43 Bausteine zu einer Erkenntnis
des Mysteriums von Golgatha
1917, 8. Vortrag. Siehe auch
Das Christentum als mystische
Tatsache, Kap. „Vom Wesen des
Christentums", sowie Mensch=
liche und menschheitliche Ent=
wicklungswahrheiten   1917,
1. Vortrag

44 Siehe auch R. Spörri: Vom
Geiste   des   Urchristentums,
S. 54 ff.

45 Strom. VII, 2, 2 f.

46 Schuster Fragm. 37, Bywater
Fragm. 116 Anm.

47 Strom. I, 48, 6; 49, 1

48 Prot. I, 5

49 Strom. VI, 148, 2
50 Strom. VI, 110, 3
51 Strom. VII, 5, 4 f.; 6, 1
52 Strom. IV, 156 f.
53 Prot. I, 6, 4
54 Eph. 1, 3 f. Siehe hierzu E. Bock: Paulus, S. 245. Ich komme aber zu einer etwas anderen Über=setzung, da ich ϑεός auch für das Subjekt des mit προορίσας beginnenden Satzes halten muß.
55 Prot. X, 98, 3
56 2. Kor. 4, 4
57 Strom. VII, 16, 6
58 Strom. IV, 152, 1
59 Strom. V, 94, 5
60 Prot. XI, 114, 4
61 Strom. VII, 95, 2
62 Paid. II, 2, 1. Hierzu auch Strom. VI, 72, 2
63 Strom. V, 19, 3
64 Strom. V, 16, 5
65 Strom. V, 72, 3
66 Prot. XI, 114
67 Strom. IV, 157, 1
68 Strom. VII, 21, 7
69 Prot. X, 110, 3
70 Prot. VI, 68, 4
71 Prot. X, 110, 2
72 Strom. VI, 71, 2
73 Strom. VII, 7, 5 f.
74 Strom. II, 16, 2
75 Joh. 6, 53
76 Paid. I, 42, 3
77 Paid. I, 43, 2
78 Paid. II, 32, 2

79 1. Kor. 3, 2
80 Strom. V, 66, 2 f.
81 Strom. I, 45, 5—46, 1
82 Nicht berücksichtigt ist bei die=ser Darstellung der Auffas=sung des Clemens von der Eu=charistie die Stelle Paid. II, 19, 2—20, 1. Das volle Verständnis dieser Stelle hat sich dem Ver=fasser nicht erschlossen. Doch könnte es wohl an der erfolg=ten Darstellung nicht viel än=dern. Die Stelle wird auch in der Dogmengeschichte symbo=lisch verstanden. Siehe z. B. Luthard: Kompendium der Dogmatik, 10. Aufl., S. 359.
83 Paid. I, 47, 2
84 Paid. I, 39—42
85 Paid. III, 101, 3; siehe auch Paid. I, 36. Unter der Braut ist die Kirche zu verstehen, wel=cher der Logos seine „Milch" verliehen hat. Siehe Paid. I, 42. Dort wie hier durchdringen sich die Bilder der nährenden Kirche und des nährenden Lo=gos.
86 Strom. VI, 68, 2
87 Strom. IV, 136, 5
88 Prot. XII, 119, 1 f.
89 Siehe E. Rohde: Psyche, 9. und 10. Aufl., II, 7 ff.
90 Siehe R. Reitzenstein: Die hell. Myst. Rel., S. 96 f.
91 Prot. XI, 112, 1

6. Kapitel: Origenes

1 Hist. Eccl. VI, 2, 2
2 P. Koetschau: Origenes Werke, Bd. 1, S. XVI (Bibliothek der Kirchenväter)
3 Euseb: Hist. Eccl. VI, 19, 7

4 Johannes Kommentar II, 35
5 Ebenda VI, 38
6 Ebenda Fragment CXVIII in der Textausgabe der Kirchen=väter=Kommission der Preuß.

Akademie der Wissenschaften, Bd. IV, S. 566. Siehe dort auch Fragm. XVIII, S. 417 f.

7 Luk. Hom. Fragm. XI

8 Komm. zum Hohenlied, Prolog

9 Contra Celsum III, 61, siehe auch ebenda IV, 66; VI, 19, und Joh. Komm. I, 27

10 C. Cels. VII, 17. Siehe auch ebenda VIII, 74

11 Joh. Komm. VI, 2

12 Jer.=Hom. I, 14

13 Exodus=Hom. IX, 4

14 Numeri=Hom. X, 1

15 De principiis II, 8, 1

16 Ebenda III, 1, 2

17 Luk. Hom. 32

18 C. Cels. I, 46

19 Joh. Komm. II, 36

20 C. Cels. IV, 16; VI, 77

21 Ermahnung zum Martyrium 2 und 33. Der Leser der deut= schen Übersetzungen, etwa der von Kötschau, sei darauf auf= merksam gemacht, daß er das Hegemonikon im Text nicht erkennen wird. Es ist z. B. an diesen beiden Stellen einmal mit „Gedanke", einmal mit „Vernunft" übersetzt.

22 Numeri=Hom. I, 1

23 C. Cels. I, 48. Siehe auch eben= da VII, 39 und die Homilien zum Hohenlied

24 C. Cels. VI, 10. Siehe auch VI, 13

25 Joh. Komm. XX, 36

26 C. Cels. IV, 64

27 C. Cels. IV, 66

28 De princ. III, 1, 4

29 C. Cels. IV, 95

30 Joh. Komm. VI, 2

31 Origenes spricht ohne sicht= liche Differenzierung von ei=

nem Hegemonikon der Dämo= nen (C. Cels. IV, 65), des Got= teswesens der Stoiker (ebenda IV, 14), aber auch der Tiere (ebenda IV, 85 und VIII, 15).

32 Hohel. Komm. I

33 De princ. III, 1

34 Ebenda II, 9, 7

35 Ebenda II, 10, 1. Siehe hierzu die Untersuchung von Ernst Benz: Indische Einflüsse auf die frühchristliche Theologie, S. 185 ff.

36 C. Cels. IV, 69. Siehe auch De princ. II, 3, 5. Bezeichnend für Origenes ist, daß er seine Äo= nenlehre aus zwei Briefstellen ableitet. Aus Hebr. 9, 26: „Nun ist Christus einmal bei der Vollendung der Äonen (Luther: am Ende der Welt) erschienen" entnimmt er die Tatsache ab= gelaufener Weltalter, aus Eph. 2, 7: Gott „erzeigt in den kom= menden Äonen (Luther: in den zukünftigen Zeiten) die Überfülle seiner Gnade", die Erwartung der kommenden. Das „Vollendung (συντελεία) der Äonen" des Hebräerbriefes versteht Origenes nicht im Sinne von Abschluß der Welt= alter, sondern von Erfüllung. Der Erdenäon erscheint durch die Inkarnation des Logos als der Höhepunkt der Weltalter= folge, als „Mitte der Zeiten". Siehe auch De princ. III, 4, 3, wo die Äonenlehre aus Stellen des AT abgeleitet wird.

37 Zu De princ. III, 6, 3 gehörige Stelle aus Hieronymus, Ep. ad Avit. 10

38 Hl. Hom. II, 6

39 Numeri=Hom. XX, 2

40 Luk. Hom. XXII

41 Joh. Komm. XX, 2

42 Jer. Hom. IX, 4

43 Joh. Komm. I, 16. Ich sehe kei=
nen Grund, das ἀκριβῶς υἱός
für eine verderbte Textstelle
zu halten.

44 Joh. Komm. VI, 3

45 C. Cels. VI, 79

46 Ebenda V, 39

47 Ebenda I, 57

48 Ebenda IV, 15

49 Ebenda IV, 18

50 De princ. II, 6, 3 mit Einschal=
tung der Stelle aus Hierony=
mus, Epist. ad Avitum 6 in den
„ad Januarium"=Text, die nach
allgemeiner Auffassung hier=
her gehört.

51 Ebenda II, 6, 5

52 C. Cels. III, 62

52a Siehe hierzu R. Steiner „Das
Lukasevangelium", 4. Vortrag,
und „Von Jesus zu Christus",
Vortrag 8

53 C. Cels. VI, 47

54 De princ. IV, 4, 4

55 Ebenda III, 41

56 Joh. Komm. XXXII, 25

57 C. Cels. III, 81, auch II, 9

58 Ebenda IV, 15

59 De princ. IV, 4, 3

60 C. Cels. VI, 68

61 Joh. Komm. I, 37

62 De princ. II, 10

63 C. Cels. VI, 59

64 Ebenda VI, 67

65 Ebenda II, 64. Siehe auch IV,
16 und VI, 77, wo diese gleiche
Anschauung als das Mystische
des Logos bezeichnet wird.

66 Comment.=Ser. 85

67 C. Cels. II, 69

68 Joh. Komm. XIX, 6

69 Ebenda I, 31. Siehe auch De
princ. IV, 5, ein Musterbeispiel
für die teilweise Verwischung
der Logoslehre durch die spä=
tere lateinische Übersetzung,
die nach K. Fr. Schnitzer S. 298
den Satz πᾶσα κτίσις λογική
μετέχει τοῦ λόγου mit „om=
nis rationabilis creatura parti=
cipio indiget trinitatis" wie=
dergibt.

NAMEN=REGISTER

Aall Anathon 51, 70
Abraham 102 f., 135 f., 140, 158, 239
Adam 183
Aëtius (Arzt) 57 f.
Aidesios aus Pergamon 200
Alexander der Große 12, 192, 194
Alexander von Caesarea/Kapp., Bischof 204
Alexander Severus 238
Alexandria 95 f., 98 f., 176, 192 bis 195, 202, 236, 239, 241, 270
Amelius 198
Ammonios Saccas 195—197, 201, 236
Anaximander 16
Anaximenes 16
Andreas 270
Androklos 19
Angelus Silesius 253
Antiochia 145, 181, 204, 237
Antoninus Pius 47 f.
Antonius 195
Apollonius von Tyana 237, 239
Apollos 142 f., 146
Archedemos 46
Areios Didymos 77
Aristobul 92 ff., 99
Ariston 45
Aristoteles 19, 44 ff., 95, 194
Athanasius 177
Athenagoras 47, 51 f., 59, 176—180
Augustinus 198

Basilides 195
Bassianus Antoninus 238

Bias 26
Bileam 102
Bock Emil 269
Böhme Jakob 64, 66
Boëthos 46
Bousset W. 202
Bryaxis 193
Buddha 196
Bulgakow 91

Caesar 195
Caesarea 204, 239
Caligula 98
von Campenhausen 155
Caracalla 237
Cato d. J. 47
Celsus 65 f., 113, 240
Chrysanthios 200
Chrysippos 45, 87, 174
Cicero 47, 69, 71
Clemens von Alexandria 8, 14, 16, 35, 39 f., 59, 144, 154, 166, 176, 192—235, 237, 241 f., 275 Anm. 52
Commodus 176
Cyrillus von Alexandria 201, 239, 241

Decius 239
Deinokrates 192
Demetrios von Phaleron 194
Diogenes Laërtius 20, 42, 76
Diogenes (Stoiker) 46
Diognet 188
Dionysius Areopagita 128, 157, 276 Anm. 3
Domitian 47

Eleogabal 238
Eleusis 16, 18, 203
Elias 158, 267
Empedokles 78
Ephesus 8, 11 f., 17, 19, 32, 36, 111,
    142, 146 f., 151, 153, 175, 192,
    202, 237
Epiktet 47, 78 f., 175, 280 Anm. 64
Esau 251
Euklid 194
Euripides 273 Anm. 21
Eusebios 53, 93, 181, 196 f., 204,
    236, 239

Fichte 108
Frieling Rudolf 58

Galenos (Arzt) 194
Goethe 5, 11, 64, 66, 70, 120
Gordian, Kaiser 196

Hadrian 47, 193
Harnack 241
Hegel 17 f.
Heinze Max 51, 107, 274 Anm. 35
Heraklit 9, 11—43, 44, 49 f., 52,
    55 f., 65, 68 ff., 74, 92, 100, 104,
    118, 125, 146, 158, 172, 175, 198,
    213, 223, 233, 271, 274 Anm. 46
Herennius 196
Herillos 45
Hermodoros 19
Hesiod 17, 182
Hieronymus 202, 239
Hippolyt 30, 40, 274 Anm. 35, 279
    Anm. 37
Hiskia 92
Homer 182, 194
Hypatia 200, 208

Jakob 130, 251
Jakobus 267
Jamblichus 200
Ignatius von Antiochia 145—151,
    153, 156, 172, 175, 181, 203

Johannes (Evangelist) 12, 24 f., 36,
    106, 111, 115, 132, 145 f., 153,
    155, 267, s. a. Johannes=Evange=
    lium, Sachreg.
Johannes (Täufer) 25, 173, 242 f.
Irenäus 185
Julia Domna 237
Julia Mammäa 237 ff.
Julia Mösa 238
Julia Soämia 238
Julian Apostata 200
Justinus Martyr 44, 47 f., 52, 59,
    61, 144 f., 151—176, 178, 187,
    279 Anm. 21, 42

Kleanthes 45, 56, 100
Kleopatra 195
Konstantin 238
Krösus, 12, 19

Leonidas (Vater des Origenes) 236
Lot 130 f.

Macrinus 238
Manilius 65
Marc Aurel 47 f., 49 ff., 51, 54,
    73 f., 76, 80 f., 82 f., 176, 188,
    276 Anm. 45
Maria 111 f., 146, 162, 166, 253
Maximus von Ephesus 200
Melchisedek 277 Anm. 15
Moses 39, 94, 102 f., 115, 124, 182,
    267, 279 Anm. 42
    s. a. Moses=Bücher, Sachreg.
Musonius Rufus 47

Nemesios 86
Nero 12, 47
Nestorios von Konstantinopel 201
Novalis 122

Origenes 8 f., 36, 41, 116 f., 144,
    188, 197 f., 204, 210 f., 212, 236
    bis 269, 271, 277 Anm. 6, 284
    Anm. 36

Panaitios 46 f.
Pantänus 176, 195 f., 201 ff., 204
Paulus 30 f., 32 f., 36, 46, 56, 106,
    142, 145, 155, 158, 161, 181
    s. a. Paulus=Briefe, Sachreg.
Persaios 45
Petrus 208, 247, 267
    s. a. Petrus=Briefe, Sachreg.
Pfleiderer Edmund 43
Pherekydes 16
Philippus 270
Philo 96, 98—143, 146 f., 149, 155 f.,
    160 f., 170, 179, 182, 186, 189,
    193, 195, 212, 216, 232, 275
    Anm. 17, 279 Anm. 42
Philostratos 237
Photios 206, 227
Pilatus 121
Platon 44 f., 46, 73, 85 f., 94, 100,
    125, 159, 163 f., 182, 197, 218
Plotin 64, 66, 196, 197—199
Plutarch 54, 75
Polygnot 46
Pompejus 47
Porphyrios 86, 196, 198 f., 241
Poseidonios 46 f., 50, 63 ff., 66, 113
Priscus 200
Ptolemäus 194
Pythagoras 16 f., 94, 122, 203

Raphael 70
Ravenna 117
Rilke 99
Rufinus 251

Salomo 91 f., 95
    s. a. Salomo=Bücher im Sachreg.

Scipio d. J. 47
Seneca 47, 68, 70, 77, 79 f., 271
Septimus Severus 203, 236
Sextus Empiricus 60
Sokrates 18 f., 42, 44 f., 46, 69, 73,
    85, 94, 158
Solovieff 91
Stählin O. 206
Steiner Rudolf 8, 13 ff., 34, 42, 48,
    63 f., 74, 93, 141, 171, 180, 211 f.,
    233, 259, 281 Anm. 15, 274
    Anm. 42, 46
Stobäus 62, 275 Anm. 12, 17
Synesius von Cyrene 201

Tatian 16
Tertullian 166
Thales 16
Theodoret, Bischof 196
Theodosius 12
Theophilus von Antiochia, Bischof
    87, 110, 181—188
Theophilus von Alexandria,
    Bischof 195, 239, 241
Titus 47

Valentinus 91, 195

Wallinger Franz 176

Xenophanes 16

Zarathustra 258
Zenon der Ältere 45, 51 ff., 56 f.,
    84, 100
Zenon der Jüngere 46

SACH=REGISTER

Abbild, s. Urbild
Abendmahl 78, 140, 146, 170 f., 230
Ägypten 8, 17, 41, 67, 89, 91, 97,
    145, 161, 192 f., 223, 235, 237
Äonen 8, 24, 35, 180, 183, 226, 252,
    258, 269
Ätherleib 44, 57
Ätherwelt 15, 57
Affektlosigkeit (ἀπάθεια) 221 f.,
    228 f.
Ahriman (Beherrscher der
    Materie) 178 f.
Akasha=Chronik 182
All=wissen 17, 30, 233
Altes Testament 42, 59, 89, 94, 98,
    100 ff., 130, 136, 142, 160 ff., 173,
    179, 181, 185, 195, 206, 208, 240
anima candida 259
Antichrist 255
Antlitz (πρόσωπον) 6, 95, 183 ff.,
    232
Anthroposophie 10, 33, 72, 113,
    172, 248, 273 Anm. 6
Apokalypse 5, 54, 117, 153, 173,
    175, 274 Anm. 52
Apologeten 110, 156, 182, 184,
    188, 207, 224
Apostelgeschichte 142, 210, 272
Archē (ἀρχή – Urbeginn) 36, 92,
    118 f., 128, 156 f., 176, 182 f.,
    187, 190, 198, 210, 212, 214, 243,
    255, 269
Artemis, s. Diana
Auferstehung 133, 147, 164 ff., 176,
    181, 211, 225, 264 f., 268

Auferstehung des Leibes 165 f.,
    176, 261, 264 f.

Bergpredigt 133
Bewußtsein
    nachtodliches 165 f.
    präexistentes 219
    übersinnliches 69, 111, 248
Bewußtseinsentwicklung 46, 69,
    90 ff., 93, 96, 101, 110, 112 f., 218
Bilderbewußtsein (imaginatives)
    90, 99, 101, 108 ff., 139
Gedankenbewußtsein 16 ff., 21,
    38, 41 f., 44 ff., 49, 66 f., 69, 90,
    100 f., 110, 149, 154, 180, 194,
    243, 259
Biene 202
Blut 230 ff.
Böse, das 178 f., 187, 245, 249 f.,
    256
Brot 137 ff., 146, 149 f., 172, 231 f.,
    248, 266 f.
Buch 117, 120

Christengemeinschaft 117
Christentum
    als absolute Religion 217
    als Philosophie 153, 155
Christologie 56, 163
Christus 7, 9, 25, 28 f., 31 ff., 36,
    38, 55, 59, 62, 74, 77, 79, 81 ff.
    84, 102 f., 105, 110, 112, 115, 119,
    124, 128, 131 f., 133 ff., 136 ff.,
    140, 142, 146 ff. — von hier an
    fast auf jeder Seite, speziell
    dann 254 ff.

Communio 77
Communion 172, 205, 230 f.
— geistige 140, 230 f., 267

Dämonen 178 f., 250, 279 Anm. 42
Daimon 73, 76, 218
Denken, das 85 f., 101, 220, 223,
  265
Diana von Ephesus 11 f., 13 f., 20 f.
Dionysoskult 235
Doketismus 227 f., 263
Doxa (δόξα) 74, 183 f., 267
Dynameis (δυνάμεις-Kräfte) 94,
  107, 109, 157, 166, 182 f., 215 f.,
  218
Εἱμαρμένη (Notwendigkeit) 52,
  167

Einwohnung des Logos (Imma=
  nenz) 23 f., 25 ff., 30 f., 61, 79,
  93, 112, 123, 133, 147, 168 f., 179,
  190, 244, 256, 277 Anm. 15
Elemente 34, 56 f., 122 ff., 125 f.,
  177 f., 191, 214 f.
Endfeuer, s. Feuer
Engel 102, 107, 168, 177 f., 209,
  216, 234, 269
Erden=Ende 36 f., 54 ff., 176
Erkenntnis (γνῶσις) 7, 27 f., 32 f.,
  79, 155, 180, 189, 205 ff., 210,
  212 f., 216 f., 221 f., 225, 229,
  231 f., 233, 244, 247, 249, 254,
  265 f.
— Wesen der 17 f., 23 f.
  =Christentum 149, 153
  =Fähigkeit 7, 26 ff., 65 ff., 82,
  113 f., 117, 133, 139, 149, 180, 246
— Gottes= 102, 148, 179 f. 184 f.,
  190, 214, 231, 233, 248, 254
  =Streben 12, 27, 67, 208
Erleuchtung (ἔλαμψις) 95, 183 f.,
  205, 244, 265 f.
Erlösung 189, 225, 228 f., 235, 257

Erzengel 209 f., 274 Anm. 46
  (Michael)
Esoterik 16, 20, 42 f., 100, 119, 139,
  197, 201, 206, 210 f., 212 f.,
  223 f., 230, 240, 266
Essäer 99 f., 145
Essen 78, 137 f., 229, 231, 266
Ethik 26, 72, 121, 126, 167, 221,
  249, 266
Eucharistie 150, 170 ff., 228, 231 f.

Farben 123 f.
Feuer (Urfeuer, Weltenfeuer, End=
  feuer) 29, 34 f., 47, 52 ff., 154,
  160, 214
Freiheit 27, 72 f., 100 f., 154, 167 f.,
  249, 251 f.
Frömmigkeit 83, 172

Gebet 123, 133, 170 ff., 245
Gedanke 68, 86, 111, 149
  als Wahrnehmung 69, 167
Gemeinschaft
  unter den Menschen 80 ff., 84,
  144 f., 169
  zwischen Gott und Mensch 73,
  77 ff.
Gerechtigkeit 209, 225, 255, 260
Glauben 32, 38, 79, 169, 209, 216 f.,
  225, 229, 233, 248 f., 266
Gnosis (im speziellen Sinn) 91,
  148, 195, 227, 229 f., 263
Gott, s. Vatergott
Götter 14, 67, 73, 78, 106, 108,
  193 f., 215 f., 223, 269
Gottes=Sohnschaft
  des Logos 9, 54, 100, 105 f., 110,
  116 f., 123, 127, 129, 132 f.,
  157, 160, 162 f., 177, 191, 209,
  212, 216 f., 223, 255 f.
  des Christus 8 f., 82, 115, 147,
  162, 217, 255
  des Menschen (υἱοθεσία) 7, 27,
  132 f., 219 f., 253 ff.

Griechen 5, 11 ff., 36, 47, 58 f., 74, 154, 192 f., 202, 208 ff., 235, 270
griechische Philosophie 5, 8, 45 f., 94, 96, 98, 100 f., 151, 154 f., 161, 180, 194 f., 197, 203, 207 ff., 215, 236, 241
griechische Sprache 5, 67, 98, 105, 119, 195, 208 f., 241, 271

Hebräerbrief 39, 124, 212, 255 f., 274 Anm. 52, 284 Anm. 36
Hegemonikon 75 f., 105, 218, 242 ff., 271
Heiliger Geist 111, 180, 211, 230
Hermes Thot 67, 161
Herz (Brust) 69, 96, 111, 140, 185, 190, 220, 236, 242 f.
Hierarchien 41, 83, 108, 128, 157, 168, 177, 209, 216 ff., 227, 248, 269
Himmel 92, 123, 137, 177, 226, 265
Hiob=Buch 89
Hoffnung 127, 216 f., 234, 266, 272
Hohepriesterliches Gebet 129
Hormē (ὁρμή) 70 ff., 75 f.

Jahreszeiten 13, 134, 172 f.
Jahve 106 f.
Ich 33, 38, 42, 44 f., 73 ff., 105 ff., 168, 218, 221 f., 242 ff., 247 f., 250
Jeremias 89
Jesaias 61
Jesus, zwölfjähriger 63, 258 f., 262
Jesus=Gestalt des Origenes 246, 256 ff., 266
Jesus von Nazareth 156, 244, 246, 258 f.
Jesus Sirach 89
Imagination 6, 14, 93, 97, 101, 138, 248
Indien 8, 67, 196 f.
Inspiration 24, 98, 111, 132, 138, 161, 182, 207, 248
Intuition 165, 248

Johannes=Briefe 5, 54, 267
Johannes=Evangelium 5, 24 f., 28 f., 35 ff., 49 f., 54, 59 f., 62, 67, 74, 79, 81 f., 102 f., 115, 118 f., 121, 129, 131 f., 136 f., 142, 145 f., 150, 157, 173, 182, 189 f., 198 f., 230, 242, 245, 248, 253, 255, 257, 263, 270 f., 278 Anm. 47
Jonier 13, 64, 235
Jordantaufe 244, 258
Irrlehren (Häresie) 206, 211
Judentum 8, 58, 67, 89 ff., 99, 104 ff., 142, 184, 192 f., 210, 270
Juden=Christentum 181, 208,
Jungfrauengeburt 147, 162, 166, 170
Jüngster Tag 55, 97, 181

Karma, s. u. Schicksal
Katechumenenschule 176, 195, 201 f., 237
Katharsis 155, 185, 205
Kelch 96, 139 f.
Kirche 81, 84, 148, 211 f.
Kirchenväter 38, 87, 95, 100, 106
Kirchliches Christentum 5, 78, 112, 148 f., 165, 180, 234, 263
Kleinasien (Vorderasien) 8, 11 ff., 41, 45 f., 145, 151
Knechte 133, 216 f.
Koinonia 77 f., 199, 205
Kosmos 61, 116 f., 121 f., 125, 135, 157, 174, 215
  als Lebewesen 50 f.
  als Leib des Logos 122
  als Mensch 121
  als 2. Sohn Gottes 105
  als Tempel Gottes 123
Kreatur, s. Naturwelt
Kreuz 111, 125 f., 163 f., 225 f., 267 f.
Kreuzigung 80, 164, 225 f., 230 f., 261, 267 f.
Kreuznimbus 185

Kultur=Epochen 41 f., 97
Kultus 148, 172, 205
   zwischen Kosmos und Mensch
     123 f.
   der Christengemeinschaft 117 f.
Kyrios 204, 260
   s. a. u. Logos

Lamm 97, 141, 173 f., 234
Leben 48 f., 50 f., 198, 210, 225,
   248, 266
— ewiges 210, 225, 227, 233 ff.
Lehren des Auferstandenen 209 ff.
Leib
   des Logos 119, 122 f., 228, 260,
     263, 267
   des Christus=Jesus 81, 83 f., 119,
     170, 227 f., 260 f., 263
   des Menschen 25, 28, 61, 71, 83,
     122, 151, 166, 172, 215, 246
Leidenslosigkeit 228 f., 262
Licht 64, 95, 113, 153, 216, 225,
   257, 266
Liebe 81, 84, 153, 174, 233 f.
Logia Jesu 144 f.
Logoi 37, 52 ff., 57, 60, 88, 102,
   116, 125, 174, 178, 253
Logos
   Sinn des Wortes 6, 48, 117
— kosmisch 15, 28, 34, 37, 45, 61,
   93, 167, 173, 190, 214 ff., 217,
   224, 243, 269, 274 Anm. 23
— basilikos 126, 144, 216
— endiathetos 85 ff., 101 f., 147 f.,
   177, 186 f., 189, 243 f.
— poietikos 126, 145
— prophorikos 85 ff., 101, 148,
   186 f.
— spermatikos 48 ff., 62, 74, 102,
   125, 150, 159, 168 f., 174, 245,
   253
— διοικῶν 35, 40, 50
— ἔμψυχος 50 f., 262, 266

— μορφωθείς (gestaltgeworden)
   163
— ὀρθός 168
— σαρκοποιηθείς (fleischgewor=
   den) 24 f., 28, 37, 58, 81, 105,
   129, 146, 162 ff., 166, 170 f.,
   213, 224 f., 228, 263 ff.
— τομεύς 124 f., 145, 164
— als Ambrosia 140 f.
— — Arznei 140 f., 146
— — Arzt 130, 146, 232
— — Alpha und Omega 37, 226
— — Baumeister der Welt 93,
   116 f., 120
— — Bildner des Alls 190, 199
— — Bräutigam 253, 256
— — Bürge 127 f.
— — Daimon 190
— — Demiurg 126, 166, 190, 261
— — Dynamis 126, 157, 166, 182 f.
— — Engel 102, 130, 135 f., 269
— — Erstgeborener 7, 98, 104 f.,
   116, 122 f., 157, 160, 177,
   187, 212, 260
— — Erzengel 127 f., 228
— — Erzieher 204 f., 216, 223
— — Führungsprinzip 72, 136, 205
— — Fürbitter 127 f.
— — Gesandter des Herrn 127 f.
— — Hand Gottes 95, 185
— — Heiler 27, 130, 223, 227, 256
— — Herr (κύριος) 187, 212, 230
— — — der Dynameis 157, 215
— — — der Engel 179
— — — des Schicksals 72
— — — der Weltäonen 226
— — Hierophant 266, 269
— — himmlischer Mensch 120,
   149, 262
— — Kosmos 116 f.
— — Lebensprinzip 48, 187, 198,
   210, 266 f.
— — Lehrer 147, 205, 210, 213,
   216, 225, 229, 235, 257

— — Lenker des Alls 28, 35, 40, 50, 76 f., 126, 129 f., 215 f.
— — Milch 16, 18, 21 f., 231 f.
— — Mittler 77, 102, 106, 127, 129, 160, 185, 223
— — neues Lied 210, 214
— — Nomos 77, 157, 167, 235, 251
— — Person 25, 40 f., 48, 77, 84, 97, 104 f., 107 f.
— — Prophet 232
— — Richter 54 f., 96 f., 162, 232
— — Schöpfergeist 15 f., 36, 53, 166, 172, 177, 210, 224
  s. a. Weltschöpfung
— — Selbsterzeuger 166, 224
— — Sonne 66, 130, 134 f., 156, 225 f.
— — — der Seele 227
— — Speise 137 ff., 160, 231
— — Stimme (φωνή) 150, 183 ff., 232
— — Symposiarch 140
— — Trank 139 ff., 160
— — Tür 266 f.
— — Urbild des Menschen 7, 120 ff., 123 f., 149, 169, 262 f.
— — Urbild der Sonne 130
— — Urbild der Schöpfung 7, 25, 121, 177
— — Ur=Gnostiker 221
— — Ur=Monade 222
— — Wahrheit 266 f.
— — Weg 136, 266 f.
— — Weinschenk 140
— — Welten=Ich 218, 222
— — Weltseele 125, 163 f., 198
— — Widder 141, 173
Logos=
  Abstieg zur Erde 96, 131 f.
  Bewußtsein 27 f., 61 f., 124, 158 f., 217 ff., 224, 233, 243, 254
  Furcht 38 ff.

Wachstum im Menschen 11, 26 f., 31 f., 62 f., 68, 70, 253, 271 f.
Lukas=Evangelium 52, 60, 62, 111, 133, 136, 154, 166, 170

Märtyrertod 149 f., 155 f., 172, 236, 247
Makrokosmos 13, 36, 71, 121 ff.
Mikrokosmos 106, 215
Makrologos 33, 45, 63, 71, 87, 124, 147, 186, 199
Mikrologos 123
Maleachi 226, 280 Anm. 64
Manna 137 f., 161
Markus=Evangelium 136, 139, 204
Materie (ὕλη) 50, 261
Matthäus=Evangelium 133, 136, 213, 275 Anm. 52
Mensch 60 ff., 81, 119 f., 123, 169
— als Abbild des Logos 7, 62, 220, 262
— — Bruder 136
— — „Christus" 254 f.
— — Freund (Genosse) 79 f., 136, 153, 190, 216 f., 256
— — Mitarbeiter 32, 117, 136, 175
— — Mitherrscher 78, 175
— — Monade 61, 80, 218, 221
— — Tischgenosse 78 f., 169, 175
— — Weggenosse 135 f., 147
— göttlich 82, 190, 222 f.
— Werdeziel des — 32, 133, 135 f., 179 f., 223
Menschen=Sohn 261 f.
Metanoeite 205
μετέχειν 157 f., 285 Anm. 69
Michael 274 Anm. 46
Mittelalter 101, 142, 185
Monotheismus 104 ff., 216
Moses=Bücher 20, 58, 94 f., 97, 103, 119 f., 128, 130 f., 133, 135 ff., 160, 183, 207, 220, 251
Musen 194

Mutter
  des Logos 87 f., 91, 110, 198
  des Jesus 111 f.
Mysterien 8, 13 ff., 18, 40, 43, 110,
  154, 164 f., 191, 200 ff., 205, 216,
  266
  =Prinzip 197, 201, 206, 212 f.,
  214, 223
— eleusinische 16, 18, 203
— ephesische 13 ff., 21, 31, 41, 119,
  202, 232
  s. a. Esoterik
Mythologie 67 f., 90, 161, 182

Name 135, 144, 162
Naturwelt (Kreatur) 7, 11, 19 f.,
  60 ff., 71, 74, 78, 127, 134 f.,
  144 f., 156 f., 159, 178, 187 f.,
  191, 227
Neues Jerusalem 37, 53, 85, 175
Neues Testament 5, 8, 38, 43, 59,
  67, 74, 79, 101, 128, 136, 143 f.,
  206, 208, 210, 240
Neuplatonische Schule 197—201,
  244
Nūs (νοῦς) 17, 73, 177, 186, 198 f.,
  244

ὁδός (Weg) 31 f., 52 f., 114, 266 f.,
  274 Anm. 39
Offenbarung 8, 28 f., 37, 94, 101,
  103, 106, 115, 132, 155, 161, 182,
  184, 205 f., 225
  Ur= 207, 210
On (τὸ ὄν) 102 f., 107, 118, 122,
  127, 162, 210
Opfer, kosmisches 80, 125, 164,
  173, 257
Orient, Weisheit des 8, 13 f., 46,
  91, 96, 201, 203
Orpheus 239
Orphische Sprüche 94
Ostern 134
Ostkirche 91, 112

Paradies 108, 183 ff.
Passion 267
  s. a. Kreuzigung
Paulus=Briefe 30 f., 32 f., 45, 55 f.,
  74, 79, 83, 124, 133, 143, 160 f.,
  174, 183 f., 188, 209, 216, 219 f.,
  225 f., 230, 248, 253, 255 f., 260,
  265, 268 f., 272, 275 Anm. 52,
  280 Anm. 54, 64, 284 Anm. 36
Peripatetiker 95, 152
Persien 8, 46 f., 67, 196
Petrus=Briefe 54, 58 f., 61
Pfingsten 111
Planetarische Zustände der Erde
  34 f., 52 f., 57 ff., 114, 206
Platoniker 152, 241
Polytheismus 106
Präexistenz
  des Logos 7, 22, 24, 31, 93, 142,
  156, 162, 177, 182, 257 f.
  des Christus 37, 156, 177, 213 f.
  des Menschen 7, 28, 201, 214,
  219, 251 f.
  der Schöpfung (κόσμος νοητός)
  7, 109, 114 f., 119, 206
Priester 123 f.
Priestergewänder 123 f.
Propheten 153, 161, 181 f., 186,
  208, 226, 234, 257
Prophetie 9, 59, 102, 160 f.
Psalmen 58, 82, 91, 130, 181, 240
Pythagoräer 152

Quelle 11, 17, 30, 83, 101 f., 108 ff.,
  227

Ratio 68 f., 70 f., 77
Rom 47, 68 f., 91, 112, 145, 150,
  154 f., 192, 237, 241

Samen 7, 51 ff., 60 f., 140, 149 f.,
  159, 166, 168, 174 f., 245, 253
  s. a. Logos spermatikos
Sakrament 122, 170, 224 f., 229 ff.

Salomo
  Oden 91
  Prediger 89, 91
  Sprüche 89, 91 f., 94 f., 96 f., 142,
    248, 250
  Weisheit 89, 91, 96 f., 99, 130 f.,
    195
Seele (ψυχή) 31 f., 44, 51, 60 ff.,
  73, 83, 86, 106, 112, 123 f., 137,
  147, 215, 246, 253 f.
Sein, das 6 f., 103 f.
Selbstbewußtsein 17, 31, 61, 169,
  218, 233
  durch Logosbeziehung 17, 24,
    233
Selbsterkenntnis 7 f., 24, 169, 217,
  243
Septuaginta 98, 150, 195, 279
  Anm. 21
Serapiskult 193, 280 Anm. 44
Sibyllen 209
Siegel 119 f., 220 f.
Sinai=Offenbarung 103, 128, 160,
  162
Skeptiker 69
Sonne 64 ff., 113, 130 f., 134 f., 156,
  191, 225 f., 258
Sophia 87 f., 89 ff., 93 ff., 108 bis
  113, 116 f., 124, 138 ff., 182 f.,
  185 f., 198, 257, 260
  Selbstschau der — 113, 124
Sprache 6, 15 f., 37, 69, 86 f., 102,
  137, 186, 231
  s. a. u. griechische Sprache
Sterne 13, 178, 191, 215
Stimme 69, 86, 150, 183, 185 f.,
  232, 267
  s. a. u. Logos
Stoa 26, 44—88, 101 f., 104 ff., 111,
  125 ff., 139, 147, 151, 159, 161,
  167 f., 170, 174, 178 f., 186, 202,
  213, 218, 220 ff., 227, 241 f.,
  244 f., 270
Sünde 7, 137, 180, 187 f., 258

Symbolik 6, 110, 112
Schauen (Gottes) 137, 152 f., 179 f.,
  185, 189, 220 f., 231, 248, 265
Scheinleiblichkeit 227 ff., 263
Schicksal 71 f., 152, 167, 216 f., 251
Schönheit (das Schöne) 64, 178,
  199
Schöpfung, neue 225 f.
  s. a. Weltschöpfung
Schriftverständnis 108 f., 211, 231,
  242, 269
Schweigen, das (σιγή) 16, 86, 101,
  104, 147 f., 157, 166, 197, 212,
  s. a. Esoterik

Taufe 243 f., 268
Tempel=Symbolik 123 f., 147,
  223 f., 245 f., 268
τηρεῖν 111, 245, 275 Anm. 13
Throne 83, 96, 269
Tierkreis 125 f., 134, 173
Tisch des Herrn 78 f., 169 f.
Tod 137, 140 f., 162 f., 165, 225
Trank 140, 160, 231 f.
Transsubstantiation 123, 150 f.,
  170 ff., 205, 230, 261 f.
Trinität 180
Türe 97, 266 f.

Übersinnliche Organe 246, 248 f.
Übersinnliche Wahrnehmung 13,
  57, 221, 247 f., 265 f.
Unsterblichkeit 119 f., 137, 140,
  146, 165, 175, 179, 234, 252
Urbild =Abbild 7, 78, 102, 113 f.,
  115 f., 119, 123, 130, 183 f., 199,
  220, 223, 234, 255, 257 f., 262
Urfeuer, s. Feuer
Urformen (σχήματα) 57
Uroffenbarung, s. Offenbarung

Vatergott 6 f., 9, 40, 87 f., 102 ff.,
  106 f., 110, 114 ff., 126 f., 129,
  131, 133, 147, 151, 156 f., 160,

162 ff., 177, 179, 184 ff., 189 f.,
198, 209 f., 211 f., 214, 216, 219 f.,
223, 245 f., 254 f., 265
Vaterunser 133
Verklärung 263 f., 267

Wahrheit (ἀλήθεια) 27 f., 139, 148,
186, 190, 205, 210, 217, 222,
224 f., 234, 245 f., 252, 255, 257,
260, 266
Wasser 34, 44, 56 ff.
Weg, s. ὁδός
Weisen, die griechischen 26, 155
die jüdischen 89 ff., 95, 99, 162
Weisheit 58, 67, 89 ff., 110, 113,
138, 186, 209, 217, 246, 255, 260
s. a. Sophia
Weltentwicklung 32, 163, 174, 252
Weltenziel 163, 174, 176, 178, 252
Weltgeist, s. Nus

Weltgeschichte 129, 163
Weltschöpfung 7, 22, 25, 34 f., 37,
50, 52 ff., 56 f., 83, 87 f., 93 ff.,
103 f., 109, 114 f., 118, 125 ff.,
163, 189, 199, 214
— in zwei Phasen 114 f.
Weltseele (Platons) 125, 163 f.
s. a. u. Logos
Weltstaat 84 f.
Wesensglieder, s. a. „Ich",
bei Heraklit 44
bei Origenes 246
bei den Stoikern 50
Wiedereinbringung aller Dinge
188
Wiedergeburt 61, 82
Wiederverkörperung 206, 251 f.
Wissenschaften, griechische 113,
154, 193 f., 207 f.

INHALT

Vorwort   5

1. Heraklit   11

2. Der Ausbau der Logoslehre in der Stoa   44

3. Die Logoslehre im Judentum   89

4. Die ersten Lehrer des Christentums   144

5. Clemens von Alexandria   192

6. Origenes   236

Schlußwort   270

Anmerkungen   273

Namenregister   286

Sachregister   289